# L'amour sans le faire

*Du même auteur*
*aux Éditions J'ai lu*

# SERGE JONCOUR

# L'amour sans le faire

ROMAN

Il voulait les prévenir avant de descendre. Ce jour-là il laissa sonner longtemps, il reposa même le téléphone pour vérifier le numéro, il n'était plus très sûr depuis le temps. En ramenant l'écouteur à son oreille il tomba sur un long silence, comme si quelqu'un venait de décrocher. En fait non, ça sonnait toujours. C'est devenu inhabituel d'entendre sonner sans fin, sans qu'aucune messagerie ne se déclenche. Du regard il faisait le tour de son appartement, ce vertige absolu de devoir le quitter.

Il réessaya une heure plus tard, toujours rien, puis une nouvelle fois en toute fin d'après-midi, là encore pas de réponse. C'était inquiétant, ces sonneries qui se perdaient dans le vague, il se représentait ce décor oublié là-bas, le téléphone au fond du couloir, la maison isolée, vide peut-être, par distraction il revisitait mentalement l'endroit mais finalement ce coup-ci on décrocha, une petite voix de môme à l'autre bout du fil qui lui lança :

— Allô, c'est qui ?

Cette intonation solaire, cette voix de gosse improbable, elle lui fit tout de suite penser à celle de son frère, mais ça ne se pouvait pas, bien sûr que ça ne se pouvait pas, il y avait bien longtemps qu'Alexandre n'était plus un enfant, et surtout il était mort depuis dix ans. Par pur réflexe il hasarda :

— Alexandre ?

— Oui, et toi c'est qui ?

Là-dessus Franck lâcha le téléphone comme un couteau qui viendrait juste de le couper. Il repensa à ces listes d'effets secondaires dans la notice des médicaments, à toutes ces années passées sans donner de nouvelles. Il reprit dangereusement l'appareil, le porta à son oreille, à l'autre bout il n'y avait plus rien, rien d'autre que les tonalités occupées qui cisaillaient le silence. Pour dépasser le trouble il vérifia le dernier appel émis, chiffre par chiffre, c'était bien le bon, mais ça ne se pouvait pas. Par superstition il n'osa pas rappeler tout de suite. Le soir il regarda deux films en même temps, zappant d'une chaîne à l'autre. Vers onze heures il voulut appeler une dernière fois pour en avoir le cœur net, mais onze heures du soir là-bas c'était tard, et surtout il avait trop peur de retomber sur la petite voix fantôme. De là il résolut d'y aller sans prévenir, de partir dès le lendemain, certainement pas pour jouer l'effet de surprise, mais pour se laisser jusqu'au dernier moment la possibilité de faire demi-tour.

Comme tous les matins à dix heures, Louise a rendez-vous au café sur l'avenue, un rendez-vous où elle ne rejoint jamais personne, simplement cette idée la guide depuis le réveil, l'idée de ce café qu'elle va prendre en terrasse en fumant une cigarette, une parenthèse qui restitue assez bien l'illusion d'une journée nouvelle. De là elle domine toute l'avenue. Le centre-ville, elle s'en est fait un but, sans quoi elle n'y viendrait jamais. Le centre-ville avec ses rues piétonnes et ses tramways, avec ses avenues où l'on ne peut plus se garer, c'est comme un monde à part, bien protégé. Ça lui fait du bien de voir toute cette vie, mine de rien ces boutiques c'est de la vie. Là où elle habite, à quelques kilomètres d'ici seulement, il n'y a que des immeubles sans sourire, sans commerces. C'est un vrai luxe qu'elle s'offre en venant ici tous les matins, le luxe de voir défiler tous ces visages inconnus, une pure immersion dans le monde en marche, ça lui fait du bien.

Seulement ce matin c'est différent, ce matin elle est dans l'inédit. Elle aurait presque envie de sourire à l'idée que ce soir elle va quitter tout ça pour un temps. C'est comme une revanche intime qu'elle sait prendre sur cet ennui qui l'occupe ici. Elle sourit aussi en pensant que demain matin le garçon de café sera sûrement étonné de ne pas la voir arriver, peut-être même inquiet, il regardera l'horloge, dix heures et demie, onze heures, onze heures et midi, et elle ne sera toujours pas là, au bout du troisième jour pas de doute qu'il se demandera où elle est passée. D'avance ça l'amuse, cette idée de l'inquiéter, à distance, en ne faisant rien. Elle se doute bien que le patron lui aussi trouvera étonnant de ne pas la voir, « la cliente du matin au café serré », pendant huit jours d'affilée elle n'y sera pas, c'est son infime secret, elle en serait presque gaie. Elle commande un deuxième express, un luxe qu'en temps normal elle ne s'accorde pas, elle fume même une deuxième cigarette, lui vient alors l'envie de goûter le moment un peu plus longtemps.

Le matin avant ce n'était pas ça. Avant il n'y avait pas tous ces gens ni tous ces immeubles, toute cette énergie dispersée sur les trottoirs, avant il n'y avait pas de trottoirs ni de rues, pas de ville, pas d'inconnus, avant de venir vivre à Clermont, il n'y avait que des êtres proches dans des décors familiers, un calme environnant qu'elle aurait préféré ne jamais quitter. À la campagne, dès le matin les tâches s'enchaînaient d'elles-mêmes. C'était rassurant de vivre à ce point cadré par un schéma d'habitudes. Avant, tout ce qu'il y avait autour d'elle c'était beau, parfois elle s'arrêtait pour regarder, elle perdait son regard sur ces panoramas changeants, une campagne que rien n'arrêtait, même les jours où ils étaient en retard, elle se laissait gagner par cet émerveillement. D'ailleurs elle ne s'en serait jamais lassée de ces paysages, de cette campagne, un monde en soi. Avant, le matin quand elle regardait sa montre c'était pour s'étonner qu'il soit déjà sept heures, ou huit heures, alors onze heures n'en parlons pas. Maintenant onze heures pour elle c'est presque tôt.

Comme tous les jours, le patron s'avance et se poste au-devant de son établissement, il a l'attitude du marin qui d'un regard évalue la mer. Comme chaque fois en voyant Louise il trouve un commentaire à lui faire.

— On va encore souffrir aujourd'hui, ouh là, hier il a fait tellement chaud que les gens ne sortaient même plus, à seize heures l'avenue était déserte ! On n'a rien fait.

Tous les jours Louise retrouve la même crainte de devoir engager la conversation, la même envie de ne pas vraiment lui répondre. Et pourtant il a toujours quelque chose à lui dire, au sujet du soleil s'il y en a, de la circulation s'il y en a, des clients s'il y en a, quand il ne lui fait pas carrément un compliment sur son parfum alors qu'elle n'en porte pas. En même temps, ces quelques mots, c'est le signe qu'on la voit malgré tout. Ici on ne l'appelle pas par son prénom, on ne lui dit pas bonjour mademoiselle, ni madame, juste une sorte de bonjour à blanc, gommé de toute familiarité.

Ce n'est pas elle qui est distante, ce sont toutes les choses autour d'elle qui le sont devenues. De toute façon, même si le serveur ou le patron connaissaient son prénom, ils n'oseraient pas s'en servir. Ce n'est pas non plus qu'elle semble hautaine, mais son élégance sans effet, ses vêtements aux coupes sobres, ses cheveux ramenés dans un chignon simple, cette prestance qui lui vient sans la moindre envie de plaire, tout ça fait qu'elle en impose un peu. C'est un bien intime secret, que les autres ne sachent pas son prénom, d'être la seule à savoir, c'est une forme de protection, si d'un coup quelqu'un se mettait à l'appeler Louise, elle en sursauterait, elle en serait même choquée, c'en est presque une hantise.

À onze heures déjà on sent la chaleur, pas de doute, on va suffoquer, mais ce matin pour Louise tout est plus léger, elle sait que demain à la même heure elle sera là-bas, environnée d'une paix totale, et elle ira se poser au bord de la rivière, elle y trempera les pieds, soulagée de toute ville et de tout bruit. Une fois allongée au bord de l'eau, elle imaginera cette même place en terrasse, cette place qui sera vide, la sienne.

Pour une fois il se lève tôt, il jette quelques affaires dans son sac sans savoir s'il part deux jours ou une semaine, à moins que tout ça tourne mal et se finisse piteusement en aller-retour. Avant de sortir il fait le tour de l'appartement, il vérifie l'eau, coupe le gaz, puis revérifie l'eau et recoupe le gaz, il ferme la porte et la rouvre deux fois de suite, une sourde superstition le force toujours à faire ça.

Dans les couloirs du métro, emporté par la musique des écouteurs, Franck avale les marches de l'escalator qui monte à la gare, il force un peu l'effort comme pour se tester physiquement, il continue dans le hall et trace jusqu'au panneau d'affichage pour trouver son numéro de voie, mais là la musique s'arrête net, son train n'est pas affiché, le fameux train de huit heures qu'il prenait toujours. Au module tout en vitres qui est là posé comme un ovni au milieu du hall, l'agent d'accueil cherche sans conviction :

— Huit heures ? Non, je ne vois pas de train à cette heure-là.

— Mais si, je l'ai toujours pris !

— En tout cas moi je ne l'ai pas sur mon écran, et si je ne l'ai pas sur mon écran, alors ça veut dire qu'il n'existe plus.

Dans la foulée l'agent lui apprend qu'il n'y a plus la moindre liaison directe pour aller là-bas, il faut changer au moins une fois, soit cinq heures de voyage en tout. Franck se passe la main sur le front pour s'essuyer une suée imaginaire.

— Bon, et le prochain est à quelle heure ?
— Ben, ça dépend où vous voulez changer.
— N'importe, le prochain.

L'environnement sonore se compliquait, le brouhaha s'amplifiait dans un écho de cathédrale, les bruits de pas se mélangeaient aux ventilateurs des motrices, seule tout au bout là-bas, une ouverture océanique abolissait la ville. Franck se posa à la brasserie. Les journaux titraient tous sur cette vague de chaleur qui plombait tout depuis dix jours. Exceptionnellement il s'accorda un demi-panaché. Puis assez vite un deuxième, ce qui lui tourna étonnamment la tête. Sur les notices il y a toujours des tas d'effets secondaires, qui vont de la simple rougeur aux symptômes effrayants, dans la liste il avait repéré cette expression-là, des risques de *confusion mentale*.

Il remit son iPod. Avec la musique tout devient spectacle. Autour de lui des vacanciers n'en finissaient pas d'affluer, des familles encombrées de bagages plus ou moins compliqués. En pleine canicule ça prenait des allures d'exode. Ceux qu'il enviait le plus c'était les prévoyants, la plupart avec enfants, le billet probablement réservé depuis trois mois sur

Internet. C'est flagrant à quel point ces gens-là sont à leur place. La séquence est toujours la même, ils s'installent sous le panneau d'affichage, le temps que l'électronique pétille leur numéro de voie, de là ils marchent en procession vers le même quai, rassurés que tout coïncide, l'air climatisé les attend dans le gris moderne des TGV, à l'intérieur il fera frais, c'est la journée idéale pour dégager de la ville. Pour la première fois Franck se fait la remarque, ils sont tous plus jeunes que lui. Jusque-là tout parent était dans sa tranche d'âge. Des bips viennent troubler le spectacle, l'iPod est déjà à bout de batterie.

Quand le haut-parleur annonce son train, Franck regarde sa montre sans y croire. La faute sans doute à ce troisième panaché. Il se lève d'un bond, ce qui décuple la sensation d'ivresse, la diffuse dans tout le corps.

— Eh ! oh ! vous ne payez pas ?

En marchant vers la voie 19, il a l'impression de flotter, les muscles engourdis par le tournis. En arrivant devant le quai où l'attend un vieux Corail revisité en Théoz, il réalise qu'il a oublié d'acheter son billet. De là tout s'accélère. À la borne automatique sa carte bancaire ne passe pas, il réessaye trois fois, la banquière lui avait pourtant promis. La seule solution c'est de faire un chèque, mais les guichets sont tous pris d'assaut, dans l'urgence il demande qu'on le laisse passer, les autres font mine de ne pas comprendre dans un peu toutes les langues, du coup il s'emballe, escalade imbécile, il sent bien qu'il s'emporte, il s'en veut, mais il continue pourtant de leur passer devant, il les voit tous comme des ennemis, des égoïstes qui ne veulent pas qu'il prenne son train, il joue des coudes pour se glisser jusqu'au guichet, il en bouscule quelques-uns, pas loin de péter les plombs.

— Je vous dis que mon train part dans deux minutes !

Dans ce genre de situations, s'il y en a un pour être d'accord, c'est tous les autres que ça énerve, la tension monte autour de lui, ça fait toute une histoire alors que justement, s'il tient tant à le prendre ce billet, c'est bien pour ne pas avoir d'histoires.

Quand il fonce vers le quai 19 le coup de sifflet a déjà retenti, il court jusqu'au vertige, attrape le marchepied du dernier wagon pile au moment où la porte se referme, il a un mal fou à extraire son sac qui reste bêtement coincé, à la lutte il parvient tout de même à le dégager, il est en nage, il a failli le rater.

Onze heures du matin dans les cafés c'est l'heure fatidique, celle qui dénonce les inactifs, les retardataires, à onze heures dans les cafés le dispositif passe imperceptiblement du petit déjeuner au repas de midi. C'est là que d'un coup autour de Louise le garçon s'active, il lui faut tout mettre en place pour le service, il s'agite en tout sens alors que pour le moment il n'y a encore personne, pas le moindre client, à part Louise évidemment.

Elle le sent aller et venir autour d'elle. Il passe un grand coup de balai général, il est déjà en nage, il dispose les sous-nappes et les couverts, il dresse toutes les tables, sauf celle de Louise, il attend qu'elle soit partie tout en prenant bien le soin de lui dire : « Ne bougez pas, surtout prenez votre temps. » Dans un sourire il ajoute même : « Faites comme chez vous. » Elle y soupçonne une pointe d'ironie que pourtant il ne met pas. En somme il fait tout pour qu'elle soit à l'aise. Pour lui, cette femme c'est une cliente de trois fois rien, mais il y est attaché. Malgré cette prévenance, Louise est atteinte par cette soudaine activité. Ce qu'elle recherche aujourd'hui, c'est prolonger l'illusion d'une journée exceptionnelle, anticiper cette liberté dans laquelle elle se lancera dès ce soir, mais là, depuis dix minutes, c'est comme si le réel la rattrapait, tout la fait sursauter, tout l'agresse, la percussion des couverts en inox, les flaques de résonances sur le formica, ces bruits de fourchettes et de couteaux accouplés de table en table, l'ardoise sur laquelle le patron fait crisser sa craie pour écrire son plat du jour, cet ordre nouveau qui affole tout, elle en vient à se dire qu'elle est en trop dans ce midi à venir.

Qu'une conscience la surplombe, qu'une lucidité la survole comme un oiseau en vol fixe, elle soulignerait à quel point elle ne bouge pas, sinon de manière infime du bout des doigts, triturant l'emballage du sachet de sucre entre le pouce et l'index.

Puis tout se calme, elle pense à ce trajet qu'elle fera de nuit pour ne pas avoir chaud, elle roulera la fenêtre ouverte, jamais vite, le trajet c'est ce qui lui plaît le plus, déjà gamine quand ils partaient en car ou en train pour les classes de neige ou à la mer, ce qu'elle aimait par-dessus tout dans les vacances c'était ces successions de paysages qui défilaient derrière la vitre, elle préférait de loin le voyage proprement dit à ces six jours passés au milieu de ces montagnes glacées ou au bord d'une mer assaillie de bruits. Elle se sent faite pour voir passer les choses.

Les derniers pavillons défilaient de l'autre côté de la vitre, après quoi ce serait les friches de toute fin de villes, et la campagne pour de vrai. Pas trop bien installé à cause de la tablette qui gêne toujours un peu pour mettre les jambes, Franck repensait à ce coup de sang de tout à l'heure au guichet, il s'en voulait d'avoir pété les plombs. Souvent il surprend chez lui une attitude que chez un autre il ne supporterait pas. Que les autres soient décevants, c'était fatalement concevable, mais s'y surprendre soi c'était mortifiant. En longeant cet horizon de maïs déjà jauni par la sécheresse, il revit cette scène qui le hantait toujours, un genre de coup de tête là aussi, au cours d'un reportage. En fait de reportage c'était le tournage d'un film d'entreprise, pour le compte d'une marque française de condiments qui venait d'être délocalisée dans la région de Bangalore, au moins sur les bocaux de cornichons ils pouvaient se vanter du label *cueillis main*. Les Indiens là-bas n'avaient encore jamais vu cette grande plante-là, c'était une nouveauté totale. Tout était vert et gorgé d'eau. Les feuilles étaient d'une teinte intense, ça donnait de belles images, les fleurs jaunes qui se découpent dans le ciel bleu, l'émeraude verni des feuilles et la terre ocre sous les pieds nus des cueilleurs, c'était éblouissant. Le premier jour, il s'était longtemps baladé entre les arbustes pour faire des plans de coupe pendant que le journaliste préparait ses questions, et là, un peu à l'écart, un des cadres de l'usine, un Français, lui avait expliqué que pour éviter que les cueilleurs se mettent à voler, ils leur faisaient croire que c'était dangereux les cornichons, un genre de végétal toxique à usage médicinal, que mordre dedans tuait sur-le-champ. Du coup Franck les voyait autrement ces petites mains, des braves âmes au sourire docile, malléables et crédules à ce point. Le plus choquant, c'est que ce mensonge-là tiendrait tant qu'ils n'auraient pas la présence d'esprit de désobéir. Trois jours plus tard, une fois les images prises, Franck était retourné vers le champ pour fumer près du groupe des jeunes cueilleurs, il tendit une cigarette à ceux qui en demandaient, et là, alors qu'ils se tenaient tous accroupis devant lui, il décrocha un cornichon en haut d'une plante et y mordit à pleines dents tout en faisant les mimiques de celui qui se régale, il en croqua même un deuxième. Les jeunes cueilleurs agenouillés le regardèrent comme s'il était fou. Il leur fit signe d'y goûter eux aussi, il en arracha une belle poignée et la leur tendit. L'un d'entre eux se mit à mordiller dedans du bout des lèvres, avec une appréhension totale, certains se détournaient par conjuration, d'autres tentèrent le coup. Depuis, il ne cesse de regretter ce geste. Il avait sans doute déstabilisé ce qui tenait lieu d'équilibre là-bas, si ça se trouve ils s'étaient tous mis à en voler, des cornichons, à s'en mettre plein les poches, à les voler pour le seul luxe de les manger, ou même les revendre, pourquoi pas, à cause de lui quelque chose s'était déréglé, ils avaient peut-être perdu leur boulot, un geste aux conséquences incalculables. Ce genre de déraillements, pour lui, c'était une hantise, c'est comme le mot de trop dans la colère, la seconde d'inattention d'avant les accidents, le genre de fautes irrécupérables dont on ne finit jamais de s'en vouloir.

Le train filait sur les lignes droites d'Île-de-France. Des tracteurs soulevaient des nuages de terre sèche, il n'y avait pas d'arbres, pas d'animaux, tout disait l'air chaud. Dans le Théoz la clim marchait mal. Un bébé pleurait dans le carré d'à côté, il se calmait uniquement quand sa mère le laissait jouer avec son téléphone portable, pourtant elle le lui reprenait chaque fois. Franck repensa à son frère. Alexandre, gamin, ne pleurait jamais, les parents en étaient fiers, on y voyait le signe d'une nature souveraine, celle d'un petit être accordé à l'universel. Pour Franck, c'était étrange, ce petit frère qui ne se plaignait pas, qui flottait dans un constant équilibre, comme si le monde lui convenait.

Franck commanda une bière au vendeur ambulant, il la décapsula en reproduisant quelque chose de ses anciens voyages. La bière va bien avec l'idée de voyager. Dans tout pays il y avait toujours une bière à découvrir, la bière locale, c'est une constante universelle, pour l'intime satisfaction de la déguster en fin de journée, une fois le boulot terminé. Il versa sa 33 Export dans un gobelet, il s'en autorisait la moitié. Dans les champs la paille était en bottes, le blé fauché. Il découvrait ces rangées d'éoliennes tout le long de la Beauce, des champs de ventilateurs gigantesques aux allures futuristes. C'était irréel, ces hélices sur les terres planes, comme en pleine mer ou en Arizona. Les tracteurs en dessous faisaient tout petits. Franck connaissait ce trajet par cœur, après la Beauce ça ondulerait vers des terres de moins en moins planes, plus loin encore ce serait le Limousin, la Creuse, la Corrèze à la frontière du Lot, des terres autrement plus sauvages que ce damier désolant.

Une heure plus loin, les fougères affolées par le train apparurent le long des voies. Dans le wagon on sentait que le décor avait changé, à cause des virages les appuis passaient d'un coude à l'autre, les silhouettes étaient de plus en plus chahutées, les somnolences compromises. Plus loin encore les forêts limousines mélangeaient les essences, les collines dessinaient maintenant de vraies vallées, tous les deux kilomètres le train s'engouffrait dans la nuit d'un tunnel, à la vitre on se trouvait mauvaise mine dans le reflet jaune, et à nouveau c'était l'éblouissement total, le plein jour revenu.

Franck savait qu'après le changement à Brive ce serait encore bien plus fort que ça, bien plus tourmenté, il retrouverait ces reliefs qui alternent le lointain, des décors qui passent d'une combe à l'autre, sillonnés de routes tordues, des chemins qui mènent parfois à une maison, souvent nulle part. La campagne. Tout ce qu'il avait fui.

Ce matin elle a du mal à repartir. Elle en est à sa troisième cigarette, à son troisième café, ça ne lui arrive jamais. Une intuition la tenaille, l'idée que c'est la dernière fois qu'elle prend un café ici, que plus jamais elle ne reviendra. Elle ne sait pas pourquoi elle pense à cela, ça devrait l'inquiéter, elle devrait se raisonner, se dire tout simplement que ce n'est pas vrai, elle en est convaincue pourtant.

Devant elle, les gens filent comme lancés de partout, chacun dans sa dynamique propre, une détermination presque enviable, en même temps elle ne voit pas bien où ils vont tous, et pourquoi à tout moment de la journée il y a toujours autant de monde pour parcourir les rues. Parfois elle n'en peut plus de ne pas savoir où ils vont tous, elle a envie de leur poser la question, de les arrêter, de tout figer dans un grand cri.

Mais de cri elle ne pousse pas. D'une certaine façon la vie a eu le dessus, il n'y a aucune autorité à contrer, personne à qui en vouloir.

Le serveur remonte un peu le store, il prive Louise de cette part d'ombre qui la masquait jusque-là de la foule, qui la protégeait de ce grand dehors ensoleillé, du coup elle se sent encore plus immobile au milieu de ces passants, toute nue.

— Ne vous inquiétez pas, c'est juste pour le retendre, je le rebaisse dans deux minutes.

Là, seule au milieu de ces chaises vides, en pleine lumière, elle est en exposition, elle est écœurée de cette valse, de ce brassage permanent, elle sent bien qu'on ne voit qu'elle, qu'on la remarque justement parce qu'elle est troublée, qu'ils sentent tous qu'elle est troublée, et plus on la regarde et plus le vertige s'accroît, plus le vertige s'accroît et plus on la remarque.

Quand le serveur rabaisse le store, tout s'apaise. Un jeune couple vient s'asseoir juste devant elle, ils s'installent à l'une de ces tables déjà dressées pour le repas de midi. Au moins elle n'est plus en avant-poste. Le serveur vient vers eux, il leur tend la carte et leur demande s'ils veulent déjeuner. Ils ne le voient pas. Ne l'entendent même pas. Il y a un reste de volupté dans leur façon d'être, la grâce de ne pas être complètement réveillés. Ils se regardent, ils se sourient, ils viennent tout juste de se lever, alors pour eux il est naturel de commander des tartines et des croissants. Le serveur récupère sèchement la nappe en papier et les couverts. Ce geste de mauvaise humeur, il leur échappe complètement, ils se rapprochent l'un de l'autre, ils se tiennent la main comme s'ils se raccrochaient au monde, c'en devient presque gênant de les observer. Ils ont l'insolence d'exister comme s'il n'y avait personne, comme s'il n'y avait qu'eux deux, mais au moins pour Louise ils sont devant.

Louise se revoit avec Alexandre. Il n'y a qu'avec Alexandre qu'elle aura eu ces gestes-là, celui de lui prendre le bras, ou de poser sa tête sur son épaule, elle l'appelait « mon arbre », elle le ressentait comme ça, elle avait souvent ce besoin de s'y adosser, de se reposer sur lui. Jamais avec un autre homme elle n'a été si proche, et plus jamais elle ne le sera. Cette certitude ne lui fait pas mal, simplement il n'y aura jamais eu qu'Alexandre pour lui inspirer ce sentiment-là, ces gestes-là, elle ne les refera pas.

« Ici ça ressemble au Montana ! »

La petite voix fantôme réveillait en lui tout un manège d'images remontées de l'enfance. Il se revoit avec Alexandre sur les roches hautes qui dominent les gorges, ces grands espaces qui s'ouvraient devant eux. « Ici ça ressemble au Montana. » C'est ce qu'ils se disaient quand ils étaient gosses, à cause du nom sans doute, le Montana ça sonnait bien. C'était aussi histoire de surestimer l'endroit, de donner une valeur mythique à ces panoramas qui leur servaient de décor, la rivière noueuse qui creuse un canyon entre les falaises, le causse solitaire avec ses horizons glacés l'hiver et arides l'été, des territoires plus ou moins offerts en fonction des saisons. Depuis le sommet des roches ils pouvaient voir la ferme en bas, comme des Indiens surplombants des westerns. De se croire dans le Montana, c'était aussi histoire d'assimiler leur environnement à ces feuilletons à la télé, une Amérique dont ils retiraient toute une représentation du monde. À la télé, les modèles étaient des hommes libres dans des espaces jamais conquis, de Josh Randall à *Kung*

*Fu*, du *Fugitif* à Mannix, des héros livrés à des panoramas dans lesquels on peut marcher des jours sans jamais croiser personne. Depuis la ferme en montant vers l'est en direction de l'Auvergne, on pourrait se perdre facilement et marcher longtemps avant de trouver une maison, un hameau, là aussi c'était un genre de bout du monde, seulement, au contraire du Montana, il y a toujours un moment où on retombe sur un chemin, une route qui ramène quelque part, l'Amérique en moins loin.

« Ici ça ressemble au Montana. » En même temps personne ne pouvait les contredire, personne ne se serait risqué à leur dire que le Montana c'était encore bien plus vaste et montagneux que ça, bien plus fort dans les contrastes. De l'Amérique personne ne connaissait rien, pourtant à cette époque-là elle était partout l'Amérique, sur le flanc des machines déjà, les tracteurs et les moissonneuses portaient des noms américains, les semences et les engrais aussi, les produits comme les outils, à bien y regarder, l'Amérique, ils étaient en plein dedans. Ne restait plus qu'à imaginer que le car scolaire était jaune, les fermes bordées de barrières de bois blanc, du coup ce n'étaient plus des fermes mais des ranchs, les parents, ce n'étaient plus des paysans mais des pionniers.

Se rêver dans le Montana, pour Franck c'était prendre un peu d'avance. Son obsession, c'était de partir d'ici, convaincu qu'il y avait mieux à faire de sa vie que tourner toujours sur les mêmes terres, sillonner les mêmes champs, brûler des milliers de litres de gasoil et faire des milliers de kilomètres sans s'éloigner, jamais. Depuis toujours ici, la famille se fondait sur ces enjeux, avec la ferme au centre de tout, autour de quoi il y avait les terres, les bois, un monde à soi. Franck les trouvait dérisoires ces vieux schémas, des vies qu'ils se repassaient de générations en générations comme des vieux pulls. Rien qu'en disant : « Je ne veux pas rester là », il devenait un étranger. Déjà, il refusait l'accent. À seize ans, il s'était inscrit en internat, manière de partir par anticipation. Il était d'abord allé à Limoges, puis à Clermont pour deux terminales, il revenait le week-end pour faire laver son linge. Il voulait pousser ses études, c'était louable. Dans les premiers temps il rentrait à la ferme toutes les semaines, puis une fois par mois, puis de moins en moins. Alexandre ne comprenait pas que son aîné ait l'envie de quitter tout ça. Au fil des mois s'accentuait chez lui le sentiment de trahison. C'était un peu comme si Alexandre était immuable, qu'il devenait seulement de plus en plus solide et grand, alors que Franck de son côté devenait un autre, à force il donnait l'impression de venir d'ailleurs, gagné par de tout autres influences, soulevé par de tout autres envies, d'ailleurs chaque fois qu'il descendait à la ferme il faisait l'amer constat de n'avoir plus rien en commun avec eux, les conversations ne venaient plus, les silences duraient un repas.

À la campagne on le sait, celui qui a goûté à la ville, il est foutu, celui qui a goûté à la ville, il ne reviendra pas.

Depuis l'âge de douze ans, son idée, c'était de travailler pour le cinéma. Il avait eu une caméra en cadeau pour sa communion, et très vite la lubie était devenue projet. Seulement pour passer un BTS dans les métiers de l'image, il fallait bien monter à Paris. Le cinéma, c'était aussi une manière de passer de l'autre côté des feuilletons, des études pas trop glorieuses mais il sera tout de même devenu cadreur, pas vraiment dans le cinéma. Il aura juste tourné deux courts-métrages, deux tentatives où il aura perdu de l'argent en plus de ses illusions. Cadreur, il s'en tenait à ça. Porter la caméra, dans le fond, c'était s'inscrire dans le prolongement de ses origines, malgré lui il revenait du côté de la charge, parce que c'était son corps qu'on sollicitait, surtout au début, il se cassait le dos avec des Bétacam de vingt kilos, en extérieur par tous les temps, à travailler debout, assis et à reculons, malgré lui il rejoignait quelque chose de ses ancêtres, pour cette contribution obligée de la force, comme ceux qui se ruinaient les muscles pour travailler la terre.

À Paris, il aura vite compris que le milieu social était déterminant, qu'on ne s'en déprenait jamais définitivement. Quand on lui demandait d'où il venait, il faisait diversion, ne trouvant pas trop reluisant de dire que ses parents étaient agriculteurs, paysans ça ne passait pas. À Paris on est apprécié à la mesure de l'intérêt qu'on représente, d'où l'urgence de s'en donner.

Pour les parents heureusement qu'il y avait Alexandre. Par la force d'un instinct, le cadet avait la terre dans le sang. Dès huit ans il avait les intonations pour guider les vaches, il les faisait venir à lui depuis le bout du pré, il savait le nom de chacune et serrait les dents chaque fois que l'une d'elles partait à l'abattoir, pour certaines il chialait même. Alexandre, il avait tous les traits du successeur. Dès huit ans il prêtait main-forte au père ou à l'oncle à tout bout de champ, il portait les tronçonneuses en rêvant de les démarrer un jour, et surtout il était né avec cette manière d'empoigner les choses, une poigne qui fait que d'emblée la main domine l'objet. À la ferme là-bas, tout se saisit à pleine main, même quand ils caressaient les chiens ils y allaient d'une paluche franche et pas gênée, leur flattant le ventre sans retenue, sans la moindre crainte de se salir ou d'abîmer. Alors que Franck, lui, il se sentait souvent atteint par la crainte de se salir ; s'il flattait aussi les chiens, il le faisait presque du bout des doigts.

Tout le long de l'enfance, avec ses six ans de moins, Alexandre cherchait à rattraper l'aîné, il instaurait une rivalité permanente, en toute chose il voulait que la compétition se tisse. L'hiver aux premiers froids, Alexandre observait son frère, pour voir lequel des deux était sorti sans le pull, lequel des deux était le moins frileux, le plus résistant. En même temps, s'ils étaient sortis tous les deux sans le pull, rien qu'en tee-shirt dans le vent glacé, pour lui ça voulait dire qu'ils étaient frères à ce point-là, plus forts que le froid, plus forts que les éléments eux-mêmes, pour Alexandre c'était déterminant de se vivre comme deux frangins, ressentir au plus intime cette fine communauté d'êtres identiques. Dans toute enfance il y a l'allié fondateur, l'*alter ego* avec lequel au-delà de la complicité s'élabore quelque chose de soi-même. Bien souvent, vingt ans après, il ne reste plus grand-chose, au pire la complicité a viré au ressentiment. En grandissant Franck prenait de la distance, il ne suivait plus son frère dans ce besoin de tout défier, de sortir sous les éclairs et d'ouvrir grand la bouche aux pluies d'orages, tout ça ne l'amusait plus. Franck leur laissait cette manière de ne pas s'avouer de faiblesse.

Le cadet le dispensait d'endosser le rôle du successeur, un rôle crucial quand il y a de la terre, surtout des terres profondes et grasses près de la rivière, des terres que tout le canton enviait, sans compter les noyers et les dizaines d'hectares de bois en bord de route, des bois d'œuvre, faciles à débarder. Par la suite Alexandre aura pris la tête du domaine, fier d'assurer la relève, totalement dévoué au sacerdoce, il se levait avec le jour, se couchait bien après la nuit, comblé de vivre auprès des bêtes. Par la force des choses, il s'endurcissait. Comme tous les gars d'ici il passait ses dimanches à traquer le gibier, rêvait de prises toujours plus grosses, participait à tous les ball-traps, il baignait naturellement dans les enjeux de là-bas, un schéma fait de prédateurs et de proies, parce que là-bas un homme c'est aussi fait d'une arme et d'un chien. De tout point de vue Alexandre, c'était le bon fils, il garantissait la pérennité des terres et du troupeau, un genre de cow-boy finalement, il en avait pris l'allure, il avait même mis deux chevaux dans le pré, il n'avait jamais le temps de les monter, mais bon, les chevaux étaient là. Alexandre, c'était devenu cet homme solide au regard bleu et à la nuque tannée, très éloignée de leur peau d'enfance, un pur cow-boy avec les chemises à carreaux et le jean, un cow-boy plus vrai que nature, un cow-boy mort en cow-boy, un fusil à la main et dans l'eau glacée d'une rivière.

En marchant vers le parking, Louise longe toutes ces vitrines aux tenues accordées, sans réelle envie de les posséder, sans réel désir de ressembler à toutes ces filles, à ces mannequins de polystyrène aux poses ridiculement figées. Et pourtant par moments elle s'arrête pour les regarder, elle se sent à peine plus vivante qu'elles. Ce visage inerte au-dessus de cette robe à fleurs, elle a beau lui sonder le regard, elle a beau le regarder bien en face, elle n'y projette rien, sinon une ressemblance. En partant du café, elle a juste répondu à leur au revoir, sans trop insister, quand le serveur lui a dit à demain, le patron aussi, elle leur a souri.

Une moto s'élance juste derrière elle, à chaque fois elle redoute que ce soit lui, qu'il s'arrête à nouveau, et s'avance vers elle, sans même enlever son casque. Dans une ville de province, c'est fatal, on finit toujours par se croiser, dans une ville de province on ne se sort jamais de son passé. C'est arrivé plusieurs fois qu'il la relance, par séquences ça le reprend, il surgit de nulle part et s'avance vers elle pour lui parler. Régulièrement elle tombe sur lui dans la rue, à moto tout le temps, ce garçon ne marche jamais à pied. Au moins vingt fois il lui a fait le coup de lui dire qu'il n'y avait qu'elle, qu'il n'arrivait pas à l'oublier. S'il se pointait là, encore une fois il faudrait ne rien heurter, ne même plus chercher à lui faire comprendre qu'elle ne veut plus le voir, même pas lui parler, et si lui prenait l'idée de lui saisir le bras comme il l'a fait déjà, elle lui opposerait ce silence si facile à tenir pour elle, elle ne répondrait rien, comme les mannequins des vitrines. Depuis qu'elle a déposé une main courante au commissariat il y a trois ans, elle se sent plus ou moins protégée, profondément honteuse mais protégée. Et pourtant, ce type, ça ne l'empêche pas de réapparaître de temps à autre, de se dresser devant elle et de l'approcher.

Depuis la mort d'Alexandre elle n'a fait qu'une rencontre, et il a fallu que ce soit ce dingue, une aventure comme ça d'un soir, un soir qui se sera répété plusieurs fois, un total malentendu. Mais lui il continue d'y croire, il ne lâche pas. Pour elle, c'est comme une plaie qui ne veut pas cicatriser, ce type qui la relance, c'est un cauchemar qui l'élance, un malaise infecté. Pourtant, plus d'une fois elle l'a vu passer avec une fille à l'arrière de sa moto, une nana accrochée à lui, chaque fois elle s'est dit qu'il avait trouvé l'amour, qu'enfin il lui foutrait la paix, et puis non, immanquablement, il y a un jour où ça le reprend.

Pourtant, les rares soirs où ils s'étaient approchés, puis vus, elle y avait mis ce qu'il faut de froideur et d'indifférence pour qu'il ne se fasse pas d'illusions, d'une certaine façon en ne lui disant rien, en ne se livrant pas autrement que par le corps, en ne faisant rien d'autre que l'amour, elle avait été honnête, tout ce qu'elle attendait de lui ce n'était rien qu'un moment, de ces moments dont on veut qu'il ne reste rien, pas même un souvenir ou un verre sale, pas même une trace sur le corps, rien, un homme juste pour l'étreinte, une aventure sans nuit et sans lendemain. Et pourtant cet homme, sans qu'il en sache rien, il lui aura laissé bien plus qu'un lit défait et un prénom à oublier, il lui aura laissé bien plus qu'un visage qu'elle arrive si bien à effacer. Un enfant. Il n'y était pour rien, il n'avait pas à le savoir, d'ailleurs il ne le savait pas. Lui en parler aurait tout dramatisé, ça aurait supposé de s'en rapprocher, basculer dans un enfer d'explications, mais le revoir elle ne le voulait pas, elle le fuyait dès qu'il se pointait, et dès qu'elle entendait de loin le râle d'une moto follement lancée, elle se préparait à ce que ce soit lui. Il ne la lâchait pas. À croire qu'inconsciemment il avait senti quelque chose.

— Tu hériteras de nous le jour de ta mort.
— Tu veux dire, le jour de votre mort.
— Non, tu m'as bien compris.

À l'automne, il arrive qu'une oie lève soudain la tête, signe qu'elle a repéré quelque chose très haut dans le ciel, et là au lieu de continuer à piétiner bêtement la cour, elle se met à battre follement des ailes comme elle ne l'a jamais fait, pour une fois elle brasse l'air jusqu'à se soulever dans une grâce inédite, et en amplifiant le mouvement elle s'envole carrément de l'enclos. C'est qu'elle va rejoindre ce groupe d'oies cendrées qui passent sous les nuages à ce moment-là, des migratrices qui partent plein sud prendre leurs quartiers d'hiver en direction de l'Espagne. De cette oie-là en général, on dit qu'elle ne reviendra pas. Alors que les autres, les vraies migratrices, dans six mois elles seront de retour. Pas la nôtre. Est-ce qu'elle s'est perdue, est-ce qu'elle ne veut plus revenir, on ne le saura jamais. Ce n'est jamais facile de revenir, plus les années passent et plus c'est compliqué.

Sur le quai de Brive, Franck attendait sa correspondance dans cette gare bizarrement suspendue entre deux trains, il se sentait piégé. Il y avait une poignée d'autres voyageurs, des

38

vacanciers plus ou moins hasardeux. Vingt minutes d'attente. Ça lui laissait largement le temps de s'engouffrer dans le passage souterrain et d'aller se prendre un sandwich au buffet de la gare. Là, il trouva la grande salle vide, le long bar qui donnait sur les quais, personne derrière, pas le moindre client. Dehors, sur la place de la gare, le Grand Hôtel était à l'abandon, les fenêtres murées. Le garçon revint de la cuisine, presque surpris de voir un client. Il mit cinq minutes à lui préparer un simple sandwich, beurre et jambon de pays.

— C'est pour emporter ou vous le mangez au bar ?

Franck regarda le bec chromé des tireuses de bières, il songea à la fraîcheur que ce serait.

— Non, je vais le manger sur le quai.

Un jour ou l'autre un remords nous convoque. Il imaginait le genre d'accueil qu'ils lui réserveraient. Ils iraient jusqu'à masquer leur étonnement, par maladresse bien plus que par discrétion. Quand on ne s'est pas parlé depuis dix ans, c'est impossible de reprendre la conversation. De toute façon, même du temps où ils se parlaient, ils n'avaient pas grand-chose à se dire. Depuis l'enfance ça n'aura été qu'une longue séquence de reniements réciproques, une distance où la gêne se confondait à la pudeur, l'incompréhension aux scrupules. L'incompréhension quand elle s'est installée avec les parents, elle ne se règle jamais, et vouloir la régler c'est créer une incompréhension de plus. À la ferme ce n'était pas dans les habitudes de se parler, certainement pas pour se livrer. Ce que chacun pensait de l'autre il le gardait, c'était à lui, c'était son trésor. Ne pas arriver à se dire les choses c'est peut-être la forme la plus édulcorée de la sincérité, ne pas arriver à se parler c'est une façon de retenir les mots à soi, de les penser à un point tel qu'on n'arrive même plus à s'en détacher, de la sincérité à l'état brut.

Ce que Franck disait de sa famille, quand on lui posait la question, c'est qu'ils s'étaient fâchés. Tout le monde en porte en soi, des êtres comme ça, qui existent à l'état de fâchés, qu'on ne voit plus, mais qui sont là, amis ou frères, anciens amants, on est fâchés, on ne se voit plus, on s'en tient là. Au début, quand il partait à l'étranger il leur envoyait chaque fois une carte postale, pour faire signe, sans doute aussi pour leur faire sentir à quel point ça lui allait bien d'avoir fait d'autres choix. La mort d'Alexandre n'avait rien changé, la mort d'Alexandre, avec tout ce qu'elle avait révélé de malaise et d'incompréhension, plutôt que de les rapprocher les avait séparés davantage. Cette mort, plutôt que de leur offrir la douleur en territoire de partage, ça avait été comme un reniement de plus, une manière de se défaire définitivement. Ce malheur, ils ne pouvaient pas le vivre ensemble, il les mettait mal à l'aise ce malheur, ce chagrin qui aurait dû les rapprocher ils s'y sentaient à l'étroit, ils s'y gênaient comme dans un véhicule trop petit. Le jour de l'enterrement ça avait été pire que tout, le coup de grâce, le tombé de hache qui fait se disloquer la souche pour de bon. Surtout qu'avec la perte d'Alexandre, les parents perdaient bien plus qu'un fils, c'est l'illusion de la pérennité qui s'effondrait.

Dans le Montana, Franck y était allé une fois, un hiver, il y avait fait un reportage sur les forestiers, une folie pure, des forçats de la coupe qui se hissent à plus de cinquante mètres pour éhouper des cathédrales de pins blancs, des arbres vaincus qui s'effondrent comme des mondes, et les ruades des Timberjack qui défoncent les chemins en monstres voraces. Le Montana en vrai c'était encore bien plus fort, bien plus grandiose et froid que ce qu'ils en imaginaient, le Montana c'était des silences gigantesques noyés sous des décors de neige, des espaces infinis où le regard se perd comme un lièvre fou, des dizaines de kilomètres sans repère. Calé dans un bus rouge, Franck avait regardé ces paysages tout en se disant que les yeux de son frère ne s'y poseraient jamais, il l'avait ressenti comme une intime trahison, Alexandre n'aura jamais connu que leur Montana à eux. Face à ce décor il s'en voulait de ce non-partage, ça remplissait tout d'une nostalgie à perte de vue. Et pourtant, même là-bas, même paumé dans ce territoire du froid, à la limite il se sentait moins déboussolé qu'en ce moment dans ce train banal qui repart de Brive, replongeant dans ces décors qui lui revenaient plus fort que la mémoire.

On a toujours un peu peur quand on entre dans un parking, il y a souvent un sournois malaise dans ce silence aux effluves pétroliers. Mais pour Louise c'est le contraire. Elle, c'est toujours au moment d'en ressortir qu'une appréhension la tenaille. Tout à l'heure elle a vraiment cru que c'était lui, l'autre dingue, du coup, elle sait que pour la journée, elle va le supposer derrière chaque démarrage de moto, derrière chaque homme casqué.

En remontant cette rampe de béton qui ramène des sous-sols vers la lumière, pendant quelques secondes Louise ne voit plus que le ciel devant elle, le ciel qui occupe tout le pare-brise, c'est le moment de la parenthèse enchantée, d'un coup il n'y a plus de ville, plus d'immeubles ni de passants, le ciel seulement. Pendant ces quelques secondes-là, Louise se dit qu'elle pourrait tout aussi bien rouler sur une route abandonnée de campagne, ou longer un parfait littoral. Seulement, tout en haut de la rampe, la voiture se remet d'un coup à l'horizontale, et très vite la ville revient autour d'elle, comme si elle venait juste d'y atterrir. De nouveau il y a les vitrines, les voitures, les passants, les feux rouges ou les croisements, une foule d'informations à assimiler. Depuis six ans qu'elle habite là, elle ne s'est toujours pas habituée à la conduite en ville, elle a toujours du mal. Jusque-là, elle n'avait jamais conduit qu'à la campagne.

Tout en roulant elle garde toujours un œil dans le rétroviseur. C'est horrible de se sentir suivie. Ce type ce n'était rien, et pourtant il prenait de la place. Physiquement il était solide, mais à côté d'Alexandre ce n'était rien. De toute façon aucun homme n'arrivait jamais à la cheville d'Alexandre. Dix ans après elle l'imagine encore à cette place vide juste à côté, ce siège passager, c'était le sien, et cette impression de force qui se dégageait quand il casait son mètre quatre-vingt-huit, le siège qui pliait, d'ailleurs le siège est toujours reculé au maximum, poussé au bout de la glissière, Louise l'a toujours laissé dans cette position, son siège passager, comme s'il n'attendait que lui.

Mais surtout, ce qu'Alexandre a de plus que les autres, tous ces hommes qu'elle voit passer dans la rue, c'est que pour toujours Alexandre sera beau, pour toujours il sera fort, pour toujours il sera jeune. Alexandre ne vieillira pas, il restera intact, et pour elle c'était mieux qu'un don, il est là fixé à vie dans sa mémoire et plus rien ne le fera changer d'apparence. Alors qu'un homme, n'importe lequel, ce n'est jamais qu'un homme dans tout ce qu'il a de mortel, un homme sans rien de miraculeux, seul Alexandre était doué de cet environnement inédit de l'éternité.

Jamais elle ne pourrait revivre avec un être qui supporte aussi mal la différence. Refaire sa vie ce serait se détacher de l'ancienne, comme s'il y avait une part de soi dont il faudrait se défaire, et ça, elle ne le veut pas. Rien n'effacera Alexandre, elle le sait, elle sait aussi que sa vie on ne la refait pas, c'est juste l'ancienne sur laquelle on insiste.

L'homme à la moto c'était autre chose. Du temps où ils se voyaient, ce qu'elle aimait chez lui c'était ce silence, cette manière de ne pas évoquer la fois prochaine, de ne même pas poser la question de se revoir. C'était cette absence totale de lien qui avait fait qu'ils s'étaient revus. Pour Louise, ce n'était même pas une histoire. Seulement, petit à petit il s'était mis en tête de se confier, avait commencé à parler d'avenir, sans se douter que ce terrain-là, chez elle, était dévoué à la mémoire d'un homme. Quand il repartait de chez Louise, à peine avait-elle refermé la porte, que déjà il n'existait plus.

Ce type, il relevait de la coïncidence, il s'était trouvé là un soir, une des rares soirées où Louise s'était laissé convaincre par ses collègues, histoire de ne pas toujours refuser, un de ces soirs comme il en arrive à tous, on se retrouve au milieu des autres pour la seule raison de les avoir suivis, alors qu'au fond de soi on se sent piégé dans cette ambiance répétitive, on se concentre sur une seule idée, rentrer. En même temps la perspective de rentrer ne résoudrait rien, ça résorberait juste ces conversations qui ne mènent nulle part, ces bruits, ces éclats de rire sur lesquels elle n'arrivais pas à embrayer. C'est là que le blouson de ce type était apparu, et cet inconnu, plutôt que de se mettre à lui parler comme le faisaient tous les dragueurs, plutôt que de chercher à l'atteindre par des banalités, il lui avait juste tendu un casque et proposé de sortir du bar pour faire un tour à moto, c'était puéril et inattendu, c'était pas grand-chose, mais pour elle c'était une façon de ne pas rester là, s'extraire de cette soirée où ses collègues prenaient un plaisir démesuré à danser sur des airs de disco. Ils lui avaient tous dit que ça lui ferait du bien de danser, et finalement c'est eux qui s'amusaient. L'idée du tour en moto ça tombait bien, c'était le parfait prétexte. Il lui proposa de faire une grande balade, après quoi il la ramènerait à leur point de départ, ou bien en bas de chez elle, ce qu'elle préférait.

— Je ne sais pas, on roule.

À partir de là ils ne s'étaient plus rien dit. Il avait démarré plein gaz. C'était la première fois qu'elle se retrouvait si près d'un homme depuis Alexandre. Sans même entendre le son de sa voix, sans même savoir la couleur exacte de son regard. Il n'y avait pas de dosseret à l'arrière, les accélérations étaient violentes, elle était obligée de s'agripper à lui. Très vite il était sorti de la nationale au bord de laquelle se trouvait le club, et il avait pris ces routes sinueuses qui montent vers la chaîne des Puys, sans inter-section ni radar. Ce corps auquel elle se rac-crochait, ce buste sans visage, cet homme dont elle n'éprouvait que le cuir, cette façon de tran-cher les ténèbres sous le pinceau d'un phare, c'était retrouver un peu de la force d'Alexandre, c'était comme se tenir à lui, le suivre dans une fuite qui avait si peu à voir avec la vie. Quand l'homme ralentissait dans l'idée de se poser, de se parler, savoir si elle voulait faire une pause, elle lui disait simplement « encore », et il relançait plein gaz les quatre cylindres du Vmax, il continuait follement, ivre de sa propre vitesse, ivre de pouvoir répondre aussi facilement au désir de cette fille providentielle, d'y répondre par son propre plaisir, ivre de croire lui plaire à ce point-là. C'était un type un peu paumé, il était beau mais sans trop le savoir, un homme rien de plus, un destin qui s'accommodait du simple orgueil de défier les règles, de repousser des limites aussi abordables que les contrôles de vitesse, la loi de la gravité et la peur de la mort. Un cocktail dérisoire et tentant. Lui tout ce qu'il voulait c'était brûler, brûler sa vie, ses heures, brûler son petit néant dans la fureur des vibrations mécaniques. Ça se sentait dans la façon qu'il avait de frôler de trop près la voiture qu'il dépassait, ça se sentait dans cette folie de se rabattre au dernier moment face à celle qui arrivait en face. Louise ne voulait rien voir de tout ça, simplement elle fermait les yeux, elle n'éprouvait pas d'appréhension, pas la moindre peur, elle avait tout de suite repéré que ce type était de ces êtres que rien ne pourrait atteindre, des êtres suffisamment forts pour n'être centrés que sur eux-mêmes, pas le genre à se laisser influencer par le moindre sentiment. C'est pour ça sans doute qu'elle avait bien voulu le revoir, une semaine plus tard ils s'étaient retrouvés sur cette base-là, de n'être l'un pour l'autre qu'un frisson momentané, aller déjouer la peur, la mort comme le désir, qu'importe, pour peu qu'ils l'évitent au dernier moment. Il n'avait jamais vu ça, une fille qu'il trouvait belle, mais qui ne l'appelait pas, qui ne cherchait jamais à le joindre, qui ne cherchait même pas à lui faire promettre quoi que soit, une fille qui n'attendait rien. C'est à cause de ce silence, de ce vide total qu'elle entretenait entre eux, qu'il s'était mis à la vouloir, justement parce qu'elle ne l'appelait pas. Comme elle s'était mise à enchaîner les missions d'intérim dans des boutiques ou des hypermarchés, il ne savait jamais vraiment où elle était, où la trouver, parfois elle répondait oui à son texto, quand il lui proposait un tour de moto, mais ne lui disait pas où la rejoindre. La plupart du temps elle mettait des jours à répondre à un appel, ou ne répondait pas. Quand elle était d'accord, il passait la prendre à la sortie d'un boulot ou dans un café, il savait que ce serait pour rejouer cette partition-là, de la folle balade, une improvisation sur le fil du rasoir.

La vitesse est une folie qui résout pour un temps la question de la peur, en roulant à fond, sa peur on la décide, on la repousse de plus en plus loin, quand elle vient de soi, la peur, pour le coup elle n'effraye pas, on la contrôle, d'un simple mouvement du poignet on l'attise ou on l'éteint. Une fois sur sa moto cet homme avait ce pouvoir-là, et chez lui elle n'admirait que cela. De semaine en semaine il la propulsait dans un oubli que seule elle n'arrivait pas à atteindre. Le printemps venant, ils partaient en fin de journée, ils se fondaient à des soleils couchants ou des parcours de pluie, ils prenaient l'autoroute qui remonte au nord de Clermont, ou alors ils partaient le long des départementales sinueuses à flanc de montagne, ils roulaient des heures, enveloppés d'à-coups et de pulsations totales, et là dans la vitesse et dans ce bruit elle se lavait de tout un vécu, ce deuil qui ne passait pas elle avait l'impression de le défier, de le regarder d'en haut, là dans la folie de l'instant la peur résorbait tout, oubliés tous ces boulots idiots où elle était toujours sur le point de partir, oubliée cette vie qui ne se faisait plus.

Quand ils s'arrêtaient à une station-service, ou dans le moindre bar en bord de route, il la regardait, il cherchait ce regard qu'elle ne faisait que perdre, parfois pourtant elle se laissait prendre la main, moins par tendresse que par charité, il se disait que cette fois ça y était, elle céderait peut-être, elle lui souriait, il la désirait, là sur l'instant, comme chaque fois qu'il y pensait, il croyait bien qu'au bout de ces chevauchées ils finiraient par aller chez elle, qu'il trouverait la clé de cette tendresse infiniment enfouie, et puis un soir, alors qu'il n'y croyait plus elle lui a donné son adresse, deux ou trois fois il était revenu, mais dans l'amour elle ne retrouvait rien de cette fulgurance, elle ne retrouvait rien de cet éclat qu'il y a à tutoyer le danger, tout de suite après elle se levait, elle allait s'asseoir dans la cuisine, il restait là sur le lit, jusqu'à ce que lui vienne le sentiment de gêner, sans qu'elle lui demande de partir, il partait.

Elle est sûre d'une chose, plus jamais elle ne pourra faire l'amour avec un homme pour lequel elle aurait des sentiments, elle ne supporterait plus cette manière d'affoler l'affection, ce risque fou auquel ça expose d'aimer.

Elle craindrait même de se rapprocher d'un homme qu'elle n'aimerait pas, mais qui serait là, ce serait terrible de s'habituer à sa présence, le manque que ça ferait naître si là encore, pour une raison ou pour une autre, il devait disparaître ou s'éloigner. Aimer, ce serait de nouveau s'exposer à la peur, la peur d'être dépossédée une seconde fois. Cet homme qu'elle aimait avant, il lui servait de repère et de raison d'être. Dans l'amour il y a bien plus que la personne qu'on aime, il y a cette part de soi-même qu'elle nous renvoie, cette haute idée que l'autre se fait de nous et qui nous porte. D'autant que cet homme-là, il l'avait accueillie dans son univers, il lui apportait tout, une vie, un décor, une famille, un équilibre, cet homme-là c'était tout un monde. Sans qu'elle s'en rende compte il dessinait les contours de son existence. C'est toujours dangereux de miser son destin sur un homme. C'est si fragile, un homme.

Franck fut tiré de son sommeil comme par un coup de feu, autour de lui le train freinait dans un crissement total, toutes roues bloquées, il continuait de glisser dans une odeur d'amiante qui prenait le nez comme de la fumée. Un à un les voyageurs essayaient de comprendre, il n'y avait pas de réelle panique, juste une frayeur très étirée. Une dernière secousse et le train s'immobilisa tout au bout de son grincement, le silence s'ajouta à l'hébétude. D'un coup, plus de climatisation, plus de percussions de bogies, rien. De l'autre côté de la vitre, la nature semblait arrêtée. Franck s'était assoupi, il ignorait s'il y avait eu un choc avant ça, ne ressentait pas d'autre collision que la sienne, sa tête mal calée était allée taper sur le siège devant, du sang ruisselait de son cuir chevelu. Il saignait facilement depuis les anticoagulants. Il tira un kleenex de sa poche et le plaqua sur son front. Dehors il n'y avait pas de dégât apparent, le train ne venait pas de franchir un pont ni un passage à niveau, on ne voyait pas de débris de quoi que ce soit. Le machiniste et le contrôleur remontaient le long du train en regardant dessous. Franck résorba sa plaie avec le kleenex. C'était étrange de saigner déjà. Physiquement ce voyage l'entamait. De l'autre main il sortit sa caméra de son sac, comme un réflexe il se mit à filmer au cas où.

La dizaine de passagers du wagon, tous parfaitement indifférents jusque-là, tous isolés dans leur voyage, du coup se mettait à se parler :

— J'ai entendu un choc.

— Moi aussi. Juste avant.

— Pas vraiment un choc, mais un bruit mat.

— Oui, quelque chose de sourd...

Franck ne pouvait rien relayer de tout ça. Il s'était endormi après Brive, la nuque tordue dans une position impossible. Ils étaient tous d'accord sur un point, ce n'était pas une pierre, ni une voiture, mais quelque chose de souple, oui, de vivant, disait un habitué.

— Par ici ça arrive souvent avec les vaches, depuis que les haies ne sont plus entretenues, elles traînent sur les voies !

— C'est pour ça qu'ils ont fermé la ligne, celle qui monte sur l'Auvergne, certains matins ils retrouvaient carrément le troupeau au milieu des rails.

— Non, quand un train tape une vache je vous prie de croire que ça se voit, il y a des morceaux de barbaque partout sur le bas-côté, une vraie boucherie, alors que là y'a rien.

Pour lui-même, Franck pensa que ce n'était pas un suicide, le machiniste et le contrôleur n'auraient pas cet air étonné, en cas de suicide ils ont tout de suite en tête la procédure macabre à assumer, ils ne se mettent pas à faire le tour du train comme ça.

Un peu plus tard, une annonce par haut-parleur prie les passagers de ne pas descendre sur la voie et les prévient que le train restera immobilisé un temps indéterminé. Un à un ils prennent leur téléphone pour un à un découvrir qu'il n'y a pas de réseau. Franck se voyait soulagé. Au moins il n'avait pas à prévenir de son retard. De toute façon, aux Bertranges, personne n'allait jamais chercher personne à la gare, ça ne se faisait pas, non pas par rudesse ni par sauvagerie, c'est juste que la gare était loin, et l'habitude voulait qu'une fois descendu du train on prenne le car pour les trente derniers kilomètres.

Sans climatisation, la chaleur devenait tellement suffocante que le contrôleur concéda de déverrouiller les portes pour faire des courants d'air. Les voyageurs en profitèrent pour descendre sur la voie. En les voyant faire, le contrôleur reprit le micro pour ordonner de surtout bien rester sur le côté, à gauche, contre le train. Pas de chance, l'ombre était à droite. Le soleil tapait. Pour la première fois Franck posa les pieds dans ce décor mille fois traversé. Mille fois il sera passé par là, pour les week-ends ou pour les fêtes, ces paysages à force il les connaissait par cœur, au fil des kilomètres il avait ses repères, un fond de vallée en contre-bas, une ancienne carrière, des ruines insolites, autant de jalons éparpillés qui marquaient la progression. C'était inédit d'y marcher. Il n'y avait rien d'extraordinaire mais il filmait quand même. D'être sur le qui-vive avec une caméra donne l'illusion qu'il peut toujours se passer quelque chose. Il tâtait sans cesse ce sparadrap sur son front, une passagère lui avait trouvé un vieil Urgo au fond de son sac, il avait la sensation démesurée d'en mettre partout, alors que ça ne saignait plus. Un petit groupe s'était formé devant la motrice, le contrôleur disait de ne pas s'avancer, que tout était dangereux, si un train passait sur l'autre voie, l'effet de souffle serait tel qu'ils seraient aspirés, il disait aussi de ne pas jeter les mégots par terre, de ne pas s'approcher de la motrice, le risque était omniprésent. Le conducteur se frottait la nuque pour s'éclaircir les idées, il n'avait rien vu au moment de l'impact, juste le bruit, pour se dédouaner il montrait le chasse-pierres déformé par le choc, ce n'était pas grand-chose mais il fallait prévenir les gars pour le redresser.

— ... Ben oui, c'est pas là pour décorer.

Il montra aussi les traces de sang, une giclée furtive juste au-dessus des phares, une éclaboussure, et non pas cet impact coagulé comme c'est souvent le cas. Franck se rapprocha pour filmer. Le gars disait que c'était arrivé pile pendant qu'il jetait un œil à ses fiches horaires. En même temps, les possibilités étaient minces, un cheval qui d'un bond supplémentaire aurait basculé vers l'au-delà, Pégase rappelé par Zeus, ou bien un homme directement déglouti par l'enfer. Toujours est-il qu'il n'y avait rien sous le convoi, pas de corps ni de carcasse.

Le soleil cognait fort sur les têtes nues, la pierre noire du ballast réfractait la chaleur, là-haut dans le ciel une buse tournoyait d'un vol pesant, elle dessinait des cercles dans ce silence parfait, pile dans l'axe du soleil. De là-haut, elle devait voir le train immobilisé sur les rails étincelants, le convoi de métal posé au milieu d'une saignée qui traversait la campagne de part en part, elle devait voir les voyageurs suants qui par petits groupes reprenaient le chemin de leur wagon, ils se hissaient difficilement, la première marche est rudement dure à atteindre depuis le ballast.

Dans le vieux Corail ils n'avaient pas prévu de bouteilles d'eau. Entre fin juillet et début août, tous les repères flottent un peu. Franck avait le sentiment de se retrouver piégé dans sa propre initiative. Faire demi-tour ne rimerait plus à rien. Passé quarante-cinq ans, l'expérience aidant, certains ont au moins compris cela d'eux-mêmes, ils ont au moins identifié cette constante, quelle que soit la décision qu'ils prennent ils savent d'avance que ce ne sera pas la bonne. De ce point de vue-là faire demi-tour ou continuer c'était pareil. Alors autant continuer.

Chaque jour elle passe devant la clinique, en ressortant du centre-ville c'est obligé. Elle a du mal avec le mot « maternité ». À force, ce n'est qu'un immeuble comme un autre, détaché de tout affect, pour peu tout de même qu'elle ne le regarde pas trop, qu'elle ne s'appesantisse pas sur cette façade blanche aux néons bleus. Quand elle a admis qu'elle était enceinte, qu'il y avait donc bien une cause à ses curieux malaises, ce jour-là elle a appelé l'homme au blouson pour qu'ils se retrouvent le soir même. Il n'en revenait pas que ça vienne d'elle, pour une fois. Ce jour-là, elle voulait qu'ils roulent encore plus follement que d'habitude, pousser l'aiguille au fond de cette zone rouge sur le compte-tours. Plusieurs soirs de suite elle a voulu foncer comme ça, elle l'incitait même à boire des bières quand ils s'arrêtaient, elle leur commandait des cognacs, plus incapable que jamais de parler, elle en était à ne désirer que cette issue, se volatiliser dans un fracas de nuit fendue, anéantir ce trio irresponsable en tentant le diable. Lui, voyant que chaque soir elle le rappelait, que chaque soir elle se cramponnait à lui pendant des heures, il a bien cru que cette fois elle se rapprochait pour de bon, qu'elle avait vraiment besoin de le revoir.

Puis il y a eu cette image qui a tout changé, l'échographie des douze semaines, un choc qu'elle a pris comme un appel, à partir de là tout s'éclaircissait. À partir de là, plus elle sentait venir ce petit être en elle, et plus elle rejetait cet homme qui en était la cause. Au point qu'elle ne pouvait même plus le voir, il n'existait pas, il fallait qu'il n'y soit pour rien.

Du coup il ne comprenait plus, il ne savait plus à quoi s'en tenir, ça le rendait fou. Non seulement elle ne l'appelait plus, mais elle ne répondait même plus à ses appels, il venait en bas le soir, il insistait, jusqu'à rester des heures au pied de l'immeuble assis sur sa moto avec son casque, elle ne lui a jamais donné le code d'entrée mais il lui arrivait pourtant de monter, il savait qu'elle était juste là, de l'autre côté de la porte, alors il attendait, il en est venu à ça, à sonner jusqu'à l'obsession, à donner des coups de poing sur une porte qui restait muette, écœuré de lui-même, écœuré de devoir se rabaisser à ce point. Il aurait bien pu s'allonger là, dormir sur le pas de cette porte, elle ne lui aurait pas ouvert, elle faisait comme s'il n'avait jamais existé.

Le médecin lui a conseillé de ne pas rester seule. Chaque fois on lui disait de partir un peu, de prendre l'air, d'aller quelques jours dans sa famille, on lui demandait si elle en avait de la famille. À partir de là il n'y avait qu'eux, Michel et Marthe, et surtout la chambre bleue qui ouvre en grand sur les prés, d'instinct elle le sentait, seule la chambre bleue lui ferait du bien. Les derniers jours de sa grossesse elle les aura passés là-bas, aux Bertranges, de ce côté-ci du lit, celui qu'elle avait occupé avant, laissant intacte cette place vide où dormait Alexandre. La chambre d'Alexandre, c'était devenu la leur, pendant plus de huit ans, cette chambre c'était tout un monde pour elle, elle s'y sentait protégée, la seule fois en fait où la vie lui avait paru ordonnée et précieuse, c'était là. Le temps qu'ils avaient passé tous les deux dans cette chambre, c'est la seule période de sa vie où elle s'était sentie réellement en paix, où elle s'était endormie sans plus rien craindre de la nuit. Le temps qu'ils y avaient vécu dans cette chambre, tout allait bien. C'est à partir du moulin que les choses avaient changé, à compter du jour où ils étaient partis s'installer dans les pierres humides et froides tout était devenu compliqué et hostile, glacial, même Alexandre était différent, constamment préoccupé, alors que dans la chambre bleue au bout du couloir, dans cette sphère-là ils étaient un couple, doux et heureux, adultes mais en même temps toujours un peu enfants, elle ressentait cela, le fait de vivre sous le même toit que les parents, de savoir que leur chambre se trouvait à deux portes de la leur, elle y retrouvait un peu de cette magie de l'enfance, une insouciance dans laquelle on se sent protégé du monde. Pour la première fois de sa vie elle avait eu le sentiment d'être vraiment à l'abri, entourée d'une famille bienfaisante et d'un univers solide, rien ne pouvait leur arriver dans cette chambre, d'ailleurs s'ils y étaient restés dans la chambre bleue au lieu de se mettre en tête d'habiter au moulin, rien de tout ça ne serait arrivé, s'ils étaient restés dans la chambre bleue, elle serait toujours bien à l'abri dans cet éternel présent.

Ça ne donnerait sans doute rien, mais Franck filmait quand même. Il zoomait au travers de la vitre pour s'enfoncer du regard dans les sous-bois. Le train avançait en marche à vue. Les troncs au premier plan scandaient un curieux image-par-image, parfaitement hypnotisant. La rame roulait lentement jusqu'à la prochaine gare, une fois là-bas les gars de l'équipement seraient en place pour redresser le métal. Pour Franck ce serait le moment de descendre.

Dans les clairières au milieu des chênes verts, les barbelés étaient distendus et les abreuvoirs rouillés. Les branches mal taillées s'approchaient de la voie, griffant les vitres par endroits. Les wagons étaient les mêmes depuis trente ans, des sièges au tissu vert d'eau, dans les années 1980 ce vert-là était moderne. La vitre était dépolie par une buée qui persistait. Franck zooma plus profond dans le sous-bois, et c'est là dans le flou de l'image qu'il les aperçut, il les vit qui s'engouffraient vers les buis, filant ventre à terre comme ce fameux soir avec Alex et la grand-mère.

La grand-mère, tous là-bas l'appelaient la Reine, déjà parce que c'était son prénom, sans doute aussi parce qu'elle avait des dons, cette femme-là coupait le feu avec une pièce en argent et sortait l'eau des os par des prières, la grand-mère elle charmait, ce n'était pas de ces conteuses qui enchantent le réel dans la tonalité des fables, non, les miracles elle les accomplissait pour de vrai. Une enchanteresse.

Au printemps à la tombée du jour, elle partait dans la forêt de Bellary avec des sacs énormes, et quand ils étaient vraiment trop lourds, elle demandait à Franck et son frère de lui donner le coup de main. Il la revoit s'avancer devant eux sous les grands arbres, toujours plus profond, de plus en plus loin. Elle s'arrêtait toujours auprès du même chêne, et une fois sur place, elle se mettait à appeler un allié imaginaire, elle appelait sans élever la voix, et immanquablement au bout de cinq minutes, les buis tout au fond se mettaient à bouger, des grognements et des bruits de pas se rapprochaient en résonnant dans le sol, jusqu'à le faire trembler.

C'était un genre de rendez-vous, à la saison des semis, quand les jeunes pousses sortaient tout juste de terre, elle amenait des résidus et du vieux pain aux sangliers, des sangliers adoucis par les intonations de la Reine, ces mêmes bêtes après lesquelles les hommes épuiseraient leur dimanche. Elle répandait cette pitance par terre en l'écrasant le plus possible avec les talons, histoire qu'ils fassent tout de même l'effort de fouiller le sol.

Elle était liée à eux par une sorte de pacte, elle les agrainait histoire qu'ils restent dans la forêt, et qu'ils n'aillent pas la nuit retourner la terre et saccager les semences fraîchement poussées. Elle leur passait la main sur le poil pour bien montrer que ça n'avait rien de maléfique un sanglier, des monstres d'un quintal pourtant, solides comme des souches, des souches grouillantes et vives, armées de vraies lames au coin de la gueule, des bêtes capables de dévorer un chien et même un homme s'ils se sentent coincés. La Reine leur disait simplement d'approcher, signe qu'en plus de la reconnaître ils l'écoutaient. Vu de l'enfance ça confinait à la divinité.

Mais ce fameux soir, après une demi-heure à les appeler ils n'étaient toujours pas là. Franck ressent encore la main d'Alexandre dans la sienne, il revoit ces arbres que le jour abandonnait, la nuit tombe vite en forêt, le soleil se cache d'un coup et le froid monte comme une crue, pourtant la Reine voulait attendre. Ce soir-là la harde se profila lentement, macabre. La grand-mère en cherchait un du regard, le jeune mâle à la traîne, il avait les pattes arrière ruinées, une balle sans doute, une voiture, peut-être un train.

— Tant qu'il arrive à suivre, les autres ne le lâcheront pas. C'est la nature qui veut ça.

À la croire, les sangliers avaient cette ressource-là, de refuser de mourir, même avec une blessure radicale la mort procède toujours de leur choix. Certains traînent longtemps comme ça, entre épuisement et résurrection.

— Mais s'il s'arrête ils le lâcheront.

Par la vitre Franck suivait ce groupe qui s'enfonçait dans le bois pour repartir vers les souilles, là où la forêt est humide et dense, impénétrable. Trente ans après il les avait retrouvés. Dans le flou des branches il devinait le jeune mâle qui vacillait à l'arrière, celui qui refusait de mourir.

— Vite, ramassez les sacs.

La nuit était tombée. La Reine s'était remise en marche vers la 4L. Il se revoit avec son frère, essayant de replier ces sacs énormes à la va-vite, des sacs de semence au papier tellement épais qu'ils avaient un mal fou à les ratatiner, les petits bras d'Alexandre n'en faisaient pas le tour, la grand-mère était loin devant déjà, ils s'activaient pour ne pas la perdre, à un moment ils ne la virent plus, il faisait noir. Trente ans après il savait qu'elle l'avait fait exprès.

En traversant la zone commerciale à la sortie de la ville, Louise s'arrête sur le parking vide de la grande boutique discount. Elle a encore une bonne heure devant elle avant d'embaucher. Ce soir elle va voir l'enfant, alors lui vient l'envie de ne pas arriver les mains vides, à ses beaux-parents aussi elle offrira deux-trois bricoles. À cette heure-là il n'y a personne dans les grandes allées de l'hyper. Dans ce genre de magasin tout est tentant, parfaitement inutile mais tentant. Elle traîne au milieu des rayons, il n'y a que des bêtises à cinq ou dix euros, des bijoux aussi bien que des meubles, des chaussures comme des jouets. Elle aime bien l'idée qu'il y ait plusieurs petits paquets à ouvrir. Cet enfant, c'est le sien, mais à chaque fois elle sent le besoin de lui offrir un petit quelque chose, comme s'il s'agissait de l'apprivoiser, elle n'arrive même pas à se dire que c'est son fils, alors que lui pourtant, il la voit bien comme une maman.

L'enfant, c'est par peur qu'elle s'en était tout de suite détachée, par peur d'en devenir trop proche. Elle en est là, à se dire qu'aimer ce serait s'offrir à toute sorte de périls, toute sorte d'occasions de souffrir. L'enfant elle ne l'avait pas abandonné, simplement elle savait qu'il serait mieux là-bas, à l'abri d'elle. D'ailleurs dès le départ, plus de sept mois avant la naissance, le médecin lui avait demandé si elle voulait le garder.

— Vous pouvez réfléchir encore un peu si vous le souhaitez ?

Avant même qu'il soit là pour de bon, déjà on lui posait cette question. C'était étrange ; le garder, ça voulait dire qu'elle l'avait déjà.

— Prenez encore un peu temps si vous voulez.

Cette inquiétude suspecte avec laquelle on la jaugeait, cette manière de la culpabiliser, cette incrédulité, tous ces doutes ça l'avait blessée.

— Oui, je le garde.

Comment dire non ? Comment dire non à ce petit être qui venait en elle ? Comment ne pas faire vers lui ces quelques pas, alors qu'il en avait fait tellement déjà ? Elle ne se sentait pas de lui faire ça, de le refuser, de ne pas être là pour l'accueillir. En même temps, dès le départ elle se disait : « Je le garde pour mieux le leur donner, je leur dois bien ça, ce sera comme leur rendre un peu de leur fils, le faire revivre. »

Ce bébé elle l'aura porté uniquement pour le transmettre. Elle en est bien heureuse de cet enfant, au moins il donne à d'autres ce qu'elle ne sait pas donner, il est l'émanation de tout cet amour qui brasse en elle mais qui ne se trouve jamais, cette lave infiniment ravalée.

Elle en est là, à remplir son caddie de petits cadeaux inutiles, le genre de choses qui amu-

sent sur le coup, et qu'on oublie dès le lendemain. Mais ce n'est pas si souvent qu'elle achète
de la nourriture ou des objets pour quelqu'un
d'autre qu'elle-même. Elle en souffre de ce
manque de générosité, mine de rien, faire les
courses, c'est au moins penser à l'autre.

Tout le temps qu'elle a été enceinte, Louise
pensait plus que jamais à Alexandre, il lui manquait, pire qu'une partie d'elle qu'on lui aurait
arrachée. C'était lui, un soir il y a treize ans,
qui s'était mis à lui parler d'enfant. Malgré les
étables neuves et les dettes qui s'accumulaient,
malgré l'incertitude de plus en plus grande sur
ce métier et les cours qui s'effondraient, malgré
la charge d'assumer tous les risques et de
reprendre un jour la succession d'une exploitation de moins en moins viable, un soir il avait
eu la délicatesse d'aborder doucement le sujet,
elle avait été touchée par cet air timide, doux,
lui si solide d'habitude, il parlait d'un enfant,
il voulait qu'à partir d'eux deux naisse une nouvelle famille, il avait la force de tout surmonter,
c'était pour ça que dès le mois d'octobre il
s'était mis à faire ces travaux au moulin. Une
fois sa journée de travail terminée il passait ses
soirées à rendre ces vieilles pierres habitables,
il se levait à cinq heures et se couchait à
minuit, dès qu'il trouvait le temps il travaillait
à leur prochain chez-eux, il prévoyait trois
chambres, avant même que le premier soit né
il parlait déjà d'enfants au pluriel. L'ancienne
ferme, la vieille bâtisse ce serait pour les
parents, qu'ils y restent, qu'ils y vieillissent
tranquilles. Alexandre il avait cette vision-là des
choses, il voyait à dix ans, vingt ans, trente ans

devant, il avait cette vision de l'avenir qu'ont les planteurs d'arbres.

Louise avait bien vu que cette idée de leur vie future le rendait lumineux. À partir de là ils auront passé des mois à guetter la réponse, à attendre sans se poser trop de questions, sans se soupçonner, sans rien de blessant. Au bout de deux ans, la question s'était posée de consulter, ils s'en parlaient, jusqu'à le faire un jour vraiment. Alexandre, c'était vraiment pas le genre à aller chez un médecin, et pourtant un samedi ils s'y étaient résolus, ça leur faisait bizarre de consulter à deux, de se retrouver à deux devant un médecin, comme s'ils ne faisaient qu'un seul corps.

Des années plus tard, quand elle a appris qu'elle était enceinte, elle a tout de suite pensé à Alexandre, c'est pour ça qu'elle était si sûre d'elle en disant « oui, je le garde ». Cet enfant, c'est comme s'il venait de ce temps-là, de cette période où ils le désiraient tant, c'est un peu comme s'il avait mis dix ans à venir.

L'assistante sociale, les médecins, ils n'avaient pas à tout connaître de son histoire, eux, ils voyaient juste une femme un peu trop seule, sans boulot stable, une fille un peu paumée. Ils ne pouvaient pas comprendre qu'elle n'aimerait plus jamais, que cette partie-là d'elle-même était donnée, résolue, abolie.

Depuis la mort d'Alexandre, plus personne n'occupera jamais ses pensées, elle ne le veut pas. Elle est trop bien placée pour savoir tout ce qu'il y a à perdre dans cette affaire-là, de tenir à l'autre. Souvent le soir, il y a bien sûr le vertige de se retrouver seule, de subir ce silence, cette tranquillité qui vire à l'abandon, mais au moins elle sait l'enfant là-bas. Cet enfant, elle l'a tout de suite vu comme une chance, pour qu'une vie neuve se fasse en dehors d'elle, pour être aimée sans être impliquée en quoi que ce soit, même absent il la sauve. Son enfant, c'est tout ce qui reste d'elle à aimer, alors autant qu'il soit loin d'elle, au moins elle ne l'abîme pas, cette part hautement aimable d'elle-même, cette seule part infiniment estimable.

Cette fois le coffre est rempli, elle a tellement envie de faire plaisir qu'elle ne sait pas s'y prendre.

L'ironie du sort, c'était que ces types-là l'aient récupéré. Du coup Franck se retrouve là, mal assis à l'arrière d'un pick-up, coincé entre une lame de bulldozer et des bidons d'essence, essayant de caser ses jambes au milieu de ce bazar. Le hasard est parfois d'une inspiration maléfique.

Que ce soit eux qui le ramassent au bord de la route, c'était comme une forme de mise en scène inéluctable du passé. Ballotté sur la plate-forme du 4×4, sans rien qui protège du soleil, Franck avait le sentiment d'être tombé pile dans le genre de situation qu'il voulait éviter. Au cours des tournages dans les pays compliqués, il lui arrivait souvent de finir par en vouloir à ses routeurs, ces parfaits inconnus dont il se retrouvait totalement tributaire. Mais là, c'était pire.

Depuis le plateau arrière du vieux Chrysler, Franck les voyait de dos, tous deux dans l'habitacle. Sans rien en montrer, il avait tout de suite reconnu le fils Berthier, le grand solide au volant, celui qui s'était arrêté pour lui faire signe de monter, de monter mais à l'arrière, entre les bidons d'essence et la lame, dans un sourire il lui avait même dit de faire attention, elle était bien arrimée, la lame, mais on ne sait jamais, tout en le prévenant que ça secouerait sec.

— Désolé, mais à l'avant y'a que deux places !

— Pas de problème, ça ira.

Quant à l'autre, côté passager, ça ne pouvait être que le frère, Franck se souvenait juste du surnom, « le Rouge », à cause de ses joues, sa tête aussi lui revenait, ce visage rond aux pommettes sanguines, cette mollesse tourmentée d'un regard nerveux, le visage de l'adulte avait trahi les traits de l'enfant, il en avait tout gâché. Souvent il suffit de gommer pas mal de pesanteur, de détresse ou de désillusion pour retrouver le visage du môme sous celui de l'adulte. Les Berthier, vus de la vallée, c'étaient les paysans d'en haut, ceux du causse, avec des prés en pente et des terres pierreuses, des gars rudes. C'était périlleux à travailler, les terres penchées, on les labourait toujours à la limite de la renverse, et les pierres faisaient de la casse, ces terres usaient les hommes comme le matériel, là-haut, l'été l'eau venait vite à manquer, on se prenait tous les orages de plein fouet et au plus fort de l'hiver, le froid vous attaquait les premiers, là-haut le monde n'était qu'une menace. Mais surtout depuis là-haut, c'était de là qu'on convoitait le mieux les terres d'en bas.

Franck était en plein cagnard, il avait soif, il n'en pouvait plus tellement il avait soif. Il se voyait mal leur demander à boire. De toute façon ce genre de types ne se baladait jamais avec une bouteille d'eau. Il les observait au travers de la vitre. Leur nuque était maintenant d'une tout autre écorce que leur cou d'enfant, la peau tannée par les années de plein air, on y lisait les traces de ces journées passées au soleil, les charges endurées, des cous à la rugosité d'un tronc. Franck gardait un œil sur cette lame, elle mesurait plus de trois mètres, à chaque soubresaut il avait le sentiment qu'elle le visait, il ne voyait pas bien ce qu'ils pouvaient faire d'un outil pareil, sinon armer un bulldozer et ratiboiser des hectares de souches et de buis, foutre en l'air tout ce qu'il y avait de maquis dans leur territoire pour essayer de libérer des parcelles, à coup sûr c'était ce qu'ils faisaient.

Franck sortit sa caméra pour suivre ce long travelling qui le ramenait vers la ferme, les secousses étaient infernales, il fit pivoter la caméra vers les deux frères vus de dos, deux carrures aux sursauts parfaitement synchronisés. De leur côté ils le voyaient bien faire par le rétro, ils devaient le prendre pour un fou.

Eux aussi l'avaient reconnu, puisqu'il allait aux Bertranges, ça ne pouvait être que lui, « le Parisien ». Les Berthier, ce sont eux qui avaient retrouvé le corps d'Alexandre ce matin-là. Une aube à l'air glacé comme de l'eau froide, les chiens étaient partis loin devant pour suivre les traces de pas, à l'oreille les chasseurs les devinaient le long des reliefs, des sous-bois qu'ils ont tous en tête là-bas. Seulement ce jour-là, au lieu de se mettre à aboyer comme ils le faisaient toujours, au lieu de durcir la course et d'affoler les grelots en direction de la rivière, ce jour-là il y eut quelque chose de follement plus sidérant, un silence, plus de bruits de grelots, plus d'aboiements, rien, les piqueurs éparpillés essayaient d'interpréter les indices, des coups de trompe tentaient de relancer les chiens, sans effet, c'en devenait des appels tragiques, ça lacérait ce silence sans échappatoire, les chiens ne réagissaient pas, seul le dartois lâchait des abois avec une parcimonie tragique, un aboiement qui ne ressemblait à rien, la partition s'était figée dans le froid des collines, jusqu'à ce que les Berthier arrivent sur place et voient les chiens, tête basse, ne reniflant plus rien, sans aucune fierté. Dans l'eau ils avaient vu cette masse inerte retenue par les pierres, ce jour-là c'était un homme.

Mais de ce jour de chasse-là, il ne faut pas en parler, car ce n'était pas un jour de chasse, ce n'était même pas un jour, c'était une nuit. Ils étaient sortis à la pleine lune comme ça se fait ici, chaque fois qu'un solitaire saccage les champs hors des périodes de chasse, les hommes se rassemblent et sortent de nuit avec les fusils au nom d'un droit qu'ils s'inventent. Seulement ce jour-là, vers trois heures du matin, d'un coup le ciel s'était inversé, couvert de nuages, et la lune éteinte, on n'y voyait plus rien, ce jour-là, ils avaient mis un temps fou à se retrouver, et vers cinq heures du matin ils avaient fait le point, toujours pas de sanglier, mais un homme manquait, tout s'inversait, à partir de là ce n'est plus un sanglier qu'ils se sont mis à chercher mais un homme. Jusqu'à l'aube ils l'ont cherché. Seulement, de cette mort-là, on ne doit pas en parler.

Vers treize heures, Louise repasse chez elle avant de filer au boulot. Son petit T2 restera vide pendant une semaine, elle veut fermer tous les volets pendant son absence, qu'il garde le frais. Elle rentre prudemment les fleurs de la balconnière, des lierres et des thyms avec des jacinthes, dans l'immeuble elle ne voit personne à qui demander de les arroser. Dans cet immeuble personne ne se parle, on ne fait que se croiser, on ne sait déjà pas bien qui est son voisin, alors elle se voit mal du jour au lendemain, demander à l'un d'entre eux de s'occuper de ses plantes. Depuis deux jours elle a déjà commencé de préparer sa valise, elle sera prête ce soir au moment de partir. En roulant de nuit au moins elle est sûre d'éviter la chaleur, après sa demi-journée de travail elle fera encore quelques courses, et elle prendra la route. À la Comex elles lui disent toutes que ça lui fera du bien de prendre l'air, c'est même elles qui lui ont suggéré l'idée, de partir se reposer quelques jours. Cette semaine de vacances, ce sont les filles qui la lui ont offerte, c'est un cadeau de ses collègues, une sorte d'avance sur ses congés.

Pour le reste elles s'arrangeront, si l'inspection du travail devait passer elles trouveront bien le moyen de faire diversion.

Avant de ressortir, Louise a encore le temps de regarder un peu la télé, elle se pose sur le canapé en fumant une cigarette. Le journal de TF1 parle toujours de petits villages à la campagne, des reportages légers qui lui font comme une respiration, elle n'est pas faite pour vivre en ville, elle le sait bien, chaque fois que sur l'écran elle voit une prairie, des collines lointaines avec des vaches en pâture, elle ressent la douleur d'un exil, cette vie-là lui manque aussi fort qu'un passé.

Les Bertranges lui manquent, seulement elle ne pouvait pas rester vivre là-bas. Après la mort d'Alexandre, là-bas aux yeux de tous elle était la fille qui a perdu son homme, elle s'en excusait presque, ça tendait un genre d'ombre tout autour d'elle, ça la désignait comme un maléfice.

Elle n'en pouvait plus de leur compassion, de leur apitoiement, de leur silence. Elle a vite compris que si elle restait, elle serait à jamais enfermée dans ce rôle, éternellement environnée de l'obscur parfum de la fatalité. Si elle restait, on guetterait à jamais cette part d'elle-même qui souffrait, et dans le même temps, si elle ravalait un peu de cette douleur, si par orgueil elle la cachait sous un semblant de gaieté, on le lui reprocherait.

Le malheur c'est comme un visage sur le visage, quand la vie vous a marquée d'une épreuve, le risque c'est de ne plus exister qu'à travers ça, d'être à jamais perçue comme la veuve, piégée à vie dans la teinte. Déjà que soi-même on n'arrive pas à se sortir de sa douleur, déjà qu'on a tant de mal à s'en déprendre, il faut en plus que les autres vous résument à ça, c'est comme d'être malade, les autres ne voient plus que ça de vous, un malade.

Pour se défaire de cette damnation, il n'y avait qu'une solution, partir des Bertranges, ne pas rester sous les regards intimes de cette sphère trop familière, partir pour s'installer dans une ville tant qu'à faire, se noyer dans ces flots d'inconnus pour chasser cette image, cette impression d'avoir le malheur accroché à elle. Elle était venue se perdre en ville convaincue que ça changerait tout. À la campagne les autres ce sont toujours les mêmes, il y en a peu, alors qu'en ville ils se renouvellent sans fin, d'une façon miraculeuse, quasi magique, c'est ce qu'elle croyait, parce que dans le fond une ville de province ce n'est pas vraiment la ville. En s'installant en ville, elle voulait se fondre dans la masse, à une exception près elle y avait réussi.

Parfois elle se demande si derrière cette application à fuir sa vie, il n'y aurait pas le secret dessein de n'avoir pas à la regretter, de tout rater pour ne rien avoir à perdre au moment de la quitter. Elle s'efforce de se convaincre qu'on est responsable de ses malheurs, qu'on est pleinement ordonnateur de ce qui nous arrive. Elle en est à se dire que le meilleur de sa vie est passé, que le bonheur est derrière elle, c'est déjà ça de pris, ne reste plus qu'à vivre en dehors de toute attente, vivre pour soi, par soi et en soi, ne plus être influencée par personne, ne plus rien partager, pas même un lit, pas même une nuit, encore moins un matin, rien.

Elle attend comme ça 13 h 35, 13 h 35 c'est la fin du journal, 13 h 35 c'est l'heure pour elle de revenir au monde, à une forme très édulcorée de raison d'être. À 13 h 38 elle est au volant de sa vieille Golf pour être pile à l'heure à la Comex et arriver à 14 h 00 précises, surtout pas au-delà. La Comex est un peu en dehors de la ville, dans la zone industrielle, elle croise assez peu de voitures en roulant sur ce parcours-là, à coup sûr pas de piétons, des feux rouges qui donnent leurs ordres dans le vide. La Comex c'est là qu'elle travaille, un travail où depuis deux mois on ne travaille plus vraiment.

La position était intenable. Une fois sorti de la départementale la route était de plus en plus défoncée. Ils y allaient de cette conduite nerveuse de ceux qui connaissent le trajet par cœur et survolent l'accident. Avec ces suspensions flinguées, des tas d'objets sursautaient sur le plateau arrière du pick-up, ça faisait un boucan infernal, une pluie de grêlons sur de la tôle ondulée. À croire qu'ils le faisaient exprès. Franck ne perdait pas de vue cette lame qui lui faisait face. Il se retenait de formuler la moindre remarque, il ne leur ferait pas ce cadeau, il se cramponnait tout en se souillant de cette graisse tenace qu'il y avait en tout.

De toute façon il n'avait pas eu le choix, c'était même miraculeux que ces types soient passés pile à ce moment-là. Sans eux il y serait encore. Après plus d'une demi-heure à attendre sur le bord de la route, voyant qu'aucune voiture ne s'arrêtait, Franck s'était préparé à ce que ça dure, au pire il se voyait même appeler à la ferme pour qu'on vienne le tirer de là. Ç'aurait été pitoyable comme réapparition. Le train était arrivé avec du retard, il était prévu qu'il reste sur place le temps que les mécanos redressent le métal. Dans la petite gare il n'y avait toujours pas de passage souterrain, il n'y en aurait jamais. Franck avait dû faire tout le tour de la rame immobilisée pour franchir la voie, puis il avait longé la gare, c'était étrange de sentir dans son dos ce train qui ne repartait pas, qui vrombissait sur place comme un dragon blessé.

En marchant vers la gauche, il n'avait pas retrouvé le point de départ habituel du car, ni le panneau avec les horaires. Sur les murs il y avait des affiches délavées, des slogans bricolés, « Contre la suppression de la ligne de car », « Pour le maintien des trains directs », des affiches qui dataient de deux ans. Ceux-là s'étaient battus pour rien.

Trois personnes étaient descendues en même temps que lui, un couple d'une soixantaine d'années, un jeune avec un sac à dos. Ils s'étaient tous engouffrés dans la sphère climatisée de la seule voiture qui attendait là sur le parking, une Clio bleue qui repartit aussitôt. Franck s'était retrouvé seul devant la gare, oublié par cette voiture et ce train échoué, dans ce grand nulle part qu'il ne connaissait que trop. La gare était en dehors du village, aux alentours il n'y avait que le café en face, l'hôtel de la gare, fermé depuis trente ans, au moins ce n'était pas une surprise. Derrière le rideau de fer le décor devait être intact, le bar à gauche, le flipper, le baby-foot dans la salle du fond, des journaux datés de la veille sur des tourniquets grinçants. À l'époque le patron faisait aussi taxi, il était mort dans les années 1980, en même temps que sa DS.

À l'étranger, Franck ressentait souvent cette sensation d'être paumé, à la limite ce n'était pas désagréable, ça donnait l'illusion d'un renouvellement, de se sentir vierge de tout passé, parfois c'est bon de se sentir perdu, surtout quand on sait un repère imminent, un contact ou un rendez-vous.

Les roulettes de son sac étaient trop petites pour ce bitume granuleux, du coup il n'avait pas marché bien loin, seulement le long de l'allée de platanes qui menait à la départementale, et il s'était mis à faire du stop. Ça faisait des années qu'il n'avait pas levé le pouce. Avec son sparadrap sur le front, ces taches de sang sur son tee-shirt, il sentait qu'il faisait moyenne impression. Même môme, il n'aimait pas cette situation-là, il fallait vraiment que la mobylette soit en panne ou qu'ils traînent tard le soir, dans ces cas-là Alexandre prenait les choses en main, il se mettait devant et levait le pouce, il était suffisamment convaincant pour qu'une voiture s'arrête. Là en vingt minutes, trois voitures étaient passées sans ralentir, avec toujours ce même coup d'œil du conducteur qui voit sans regarder. D'avance il présumait de cette contrainte de devoir faire la conversation à un inconnu sur trente kilomètres, mais c'est là que le pick-up s'était arrêté.

Franck avait un mal fou à se stabiliser, il se cramponnait, ça tournait à l'épreuve de force, plus question de filmer, il avait reposé sa caméra sans la ranger. Les frangins devaient faire exprès de prendre les virages à fond la caisse, sans ralentir. En traversant la forêt de Bellary, les feuilles faisaient comme une voûte au-dessus de la route, un bain d'ombre fraîche, Franck bascula la nuque et regarda ce vert profond là-haut, il buvait la voûte émeraude des arbres, ces éclats du soleil qui scintillent comme sur de l'eau, il se sentait flotter dans le vert liquide, un vert limpide le dominant, un lac inversé encore plus beau que s'il fermait les yeux, il retrouva cet air, cet espace qui emplit naturellement les poumons, une plongée à la bienfaisance totale, et là il identifia sa préoccupation essentielle ces derniers temps : un profond besoin de convalescence.

Dans l'habitacle, les frangins se parlaient en tirant sur leur cigarette, avec cette manière plutôt fréquente chez ceux d'en haut, de faire des gestes pour appuyer la voix. Il ne les avait pas revus depuis des années, mais déjà il s'était fait à leur nouvelle apparence. Le plus jeune c'était ce môme sauvage qui restait tout le temps là-haut, l'été il dormait dehors pour garder les brebis, on le disait un peu bizarre, on le dit facilement de tout un tas de gens. Il se souvenait avoir dormi chez eux une nuit, entre Noël et le jour de l'an, pour assembler leurs trains électriques histoire d'en faire un géant. Noël c'était précieux, comme cadeaux les femmes offraient des cartouches aux hommes, aux femmes on offrait des truffes dans une poche de velours, de vrais bijoux. Le lendemain ils avaient tous choppé la grippe là-haut, tous sauf Franck. De là ils en avaient conclu que c'était lui qui la leur avait refilée. Une paille de plus dans le nid des vieilles rancunes, toutes ces rivalités ancestrales pour des histoires de terre ou de chasse, de bornes ou d'eau. Franck n'avait plus rien à voir avec ça, ce passé ne l'avait jamais vraiment concerné. Ça lui paraissait incroyable d'avoir été proches de ces deux types à une époque, d'avoir participé aux mêmes jeux, aux mêmes sorties au Pim's, les cons ! Il le pensa si fort qu'il laissa échapper le mot, les cons, peut-être que c'était aussi ce qu'ils se disaient de lui, croyant sans doute qu'il revenait pour récupérer la ferme, pour les emmerder.

Le pick-up freina sèchement devant l'entrée du chemin des Bertranges sans s'y engager.

— Ça ira, là ?

C'était l'aîné qui posait la question, sans même se retourner, juste en regardant dans le rétro. Ils laissèrent Franck se déplier douloureusement, il dégagea sa valise de tout ce bric-à-brac et sauta par-dessus bord. Il s'épousseta, frotta toutes ces traces qu'il avait sur le pantalon, il regarda cette lame comme un ennemi déjoué, puis il s'approcha de l'habitacle pour les remercier. Éric, l'aîné, le prénom revint à Franck d'un coup en le voyant bien en face, c'était de ces provocateurs qui vous fixent droit dans les yeux comme s'il était sur le point de dire quelque chose, puis qui ne disait rien. Toujours à la limite de la bravade, pas méchante, mais viscérale. Avec pas mal d'ironie il désigna ce pansement que Franck avait sur le front.

— Tu t'es battu ?

— Non, c'est un sanglier.

Les deux frères se regardèrent, puis regardèrent Franck, comme s'il fallait voir là une allusion.

— C'est le train, on s'est pris un sanglier, rien de plus.

— Fallait le ramener, dans ta valise on y mettrait un veau !

Franck ne sourit pas, il avait la gorge tellement sèche que ça aurait pu être pris pour de l'émotion.

— Alors comme ça, tu reviens pour la ferme ?

Il ne répondit pas. Il n'avait pas envie de se sentir lié par la moindre conversation avec eux. Les frangins en revanche avaient cette assurance hautaine de ceux qui se savent sur leur terrain, et qui sont deux.

— C'est une vraie mule ton père, il se fait vieux tu comprends, on veut pas trop le brusquer, mais maintenant, si c'est toi...

— Moi quoi ?

— Eh ben, avec toi on pourrait s'entendre, tu nous ferais pas d'histoires, toi, pas vrai...

Franck retombait de plain-pied dans ces rivalités, il n'en avait rien à foutre de ces querelles, et surtout il ne voulait rien réendosser de la fratrie.

— Avec toi on pourrait causer d'égal à égal, et puis toi t'es encore en forme, pas vrai ?

— Ça va, merci.

Ça fit tousser de rire le Rouge à côté, qui s'allumait déjà une nouvelle clope.

— Et sinon, en gros, qu'est-ce que tu viens foutre là ?

— Rien. Passer un jour ou deux.

— Y a eu du changement tu sais !

Ça fit sourire le Rouge à côté.

Le conducteur fixa Franck, avec toujours cette manie de soutenir fermement le regard, en même temps ils ne voyaient absolument pas quoi se dire de plus. Franck ne savait pas bien où ils en étaient de cet antagonisme familial, pour lui tout ça, c'était balayé, éventé, ça n'existait même pas. Du temps où ils se téléphonaient encore avec son frère, Alexandre lui parlait souvent d'eux, de ces embrouilles que les Berthier lui faisaient pour des questions de pompes, de passage, ou de chasse, Franck écoutait ça de loin, sans que lui vienne l'idée de venir prêter main-forte à son frère, sans lui demander s'il avait besoin d'un coup de main, ce genre de rivalités mineures, c'était tout ce qu'il fuyait, c'est pour ça qu'il avait voulu courir le monde. L'ironie, c'est qu'il lui sera souvent arrivé de tenir sa caméra pour rendre compte de spectacles tout aussi désolants, des rivalités tout aussi sordides, allant jusqu'au massacre.

Berthier fit hurler l'embrayage en enclenchant la première, le pick-up eut un genre de soubresaut chevalin. Tout en redémarrant, le frère côté passager ressortit la tête et lança tout en désignant la caméra :

— En tout cas si tu veux faire un film d'action, on compte sur toi ! Pas vrai ?

Là-dessus les deux gars se marrèrent comme pour une blague fameuse.

Avec leur 4×4 ils auraient largement pu faire les cinq cents derniers mètres jusqu'à la ferme, et déposer Franck dans la cour. Mais non. Là il lui fallait remonter le chemin de terre jusqu'aux bâtiments. S'il marchait en plein milieu du chemin les roulettes se prenaient dans l'herbe, en revanche s'il traînait le sac dans la zone tassée, elles se coinçaient dans la castine. Quant à la bandoulière, elle était cassée depuis longtemps, de toute façon il était assoiffé, les bières lui avaient desséché le gosier, il avait deux médicaments à prendre.

Sa vieille Golf, elle, est fidèle, elle ne l'a jamais lâchée jusque-là, elle ne l'a toujours pas abandonnée. À force, entre Louise et sa vieille Golf s'est tissé un lien de l'ordre de l'affectif, elle ne lui aura jamais fait faux bond la vieille Golf, c'est même la seule qui l'aura suivie partout depuis tout ce temps, depuis Toulouse, les Bertranges, et Clermont maintenant. Elle l'avait eue l'année de ses vingt ans, un gage de liberté. Ce n'est qu'une voiture, mais c'est pourtant le seul élément de son environnement à n'avoir pas changé. La vieille Golf, elle assure, elle tient le coup sans rien demander, elle la voit comme une alliée, un être aimant, elle n'est pas comme tous ces autres qui consolent ou s'apitoient, jamais réconfortants. Autant elle se dispense facilement des autres, autant sans sa vieille Golf elle ne s'en sortirait pas. En province, sans voiture on ne s'en sort pas, pas question de trouver un travail, encore moins de passer d'un boulot à un autre pour les temps partiels, et de rentrer chez soi le soir, parfois elle en prend conscience avec effroi, si sa voiture venait à la lâcher, si elle perdait ça, alors elle serait réellement coupée de tout, seule, parce que dans les périphéries jamais on n'embaucherait une salariée qui n'a pas de voiture.

En passant la grille d'enceinte de l'entreprise, maintenant il y a toute la place qu'on veut pour se garer. On pourrait même se garer à l'ombre des hangars, car ils n'abritent plus de stock, il n'y a plus aucune de ces grandes palettes recouvertes de plastique blanc prêtes pour le départ, aujourd'hui la seule marchandise ici, c'est le vide.

À la Comex, Louise avait envoyé son CV sans illusions, c'était un travail qui supposait une expérience qu'elle n'avait pas, et surtout il ne fallait pas craindre de passer d'un poste à un autre en fonction des commandes, glisser de la soudure au poste de colle, de l'expédition à l'emballage, elle n'y connaissait rien en soudure, pas plus qu'elle ne faisait la différence entre un pôle positif et un pôle négatif, elle avait postulé sans y croire. Et pourtant c'est elle que les autres filles avaient choisie, parce que c'était aux ouvrières déjà en place d'élire leur nouvelle collègue, l'ancien patron voyait les choses comme ça, un genre d'être humain.

Au début tout se passait bien. La sortie de l'hiver accompagnait sa période d'essai, en mai elle signait son CDI, elle avait au moins cette sécurité-là, les choses se goupillaient à merveille, un travail à mi-temps c'était le compromis parfait, on a un boulot, et en même temps on garde ses matinées pour soi. Seulement fin mai, après des semaines d'incertitude, il y avait eu ce rachat de la boîte par un groupe britannique. À cause de la hausse folle des composants et de la baisse brutale des carnets de commande ce fut une incroyable succession de mauvaises nouvelles, c'est tout le problème des sous-traitants, d'être tributaires de la santé de tout un secteur, la première branche à couper.

Depuis le plan social du repreneur, elles étaient toutes les six dans l'attente d'une décision du tribunal de commerce. Elles s'en sentaient presque coupables. Depuis, chaque nouvelle journée est une avancée dans l'inconnu, elles se raccrochent à un sort qui leur échappe. En même temps elles n'osent pas se plaindre, tous les autres de l'entreprise avaient giclé. Dans ces cas-là, les petites mains, on les garde au cas où les affaires redémarrent, en revanche les cinq commerciaux et les administratifs, ceux-là, ils avaient tous été remerciés dès le premier plan, et soi-disant remplacés par des cadres que personne n'a jamais vus, là-bas en Grande-Bretagne.

Dans le journal et à la télé, on parlait de nouveaux dispositifs qui devraient être mis en place par l'État pour aider le secteur automobile, du coup ce gouvernement qui en temps normal semblait si loin, toutes ces mesures et ces promesses qui ne veulent rien dire tellement ça semble abstrait, voilà qu'elles en attendaient concrètement quelque chose. Elles écoutaient les infos avec cette sensation qu'on parlait d'elles, suspendues aux bonnes nouvelles, elles guettaient la croissance comme on espère une armée de libération.

En attendant le résultat est là, depuis deux mois la boîte tourne à vide, d'ailleurs elle ne tourne même pas. Du coup, pour Louise comme pour les cinq autres, elles ont certes bien un travail, un travail où on ne travaille pas, comme une vie dans laquelle on ne vivrait pas.

L'air chaud ondulait en flaques au-dessus du chemin, comme devant les yeux des duellistes dans les westerns, la main posée sur la crosse. Franck n'en revenait pas que les chiens ne l'aient toujours pas senti. La chaleur aidant lui revenait la sentence du grand-père, « toujours offrir son bras gauche au chien qui attaque », d'expérience il leur enseignait ça, qu'en cas d'attaque il fallait sacrifier le bras gauche pour garder la main droite intacte, et cogner sec sur le plat de la gueule.

Franck approchait de la ferme, plutôt étonné de voir que les prés étaient laissés en friche, la terre tellement sèche qu'elle en paraissait oubliée, il n'y avait plus de bêtes dans l'étable, pas de bourdonnement de tracteur, rien. À la campagne quand on approche d'une ferme, même en plein cagnard, même à l'heure de la sieste, le chien c'est toujours le premier signe de vie. Là, il n'y avait pas d'autre bruit que le couinement pathétique des roulettes de son sac qui raclait la terre sèche. Franck s'arrêta au milieu de la cour, c'était spectaculaire, pas âme qui vive. Les granges bâillaient dans l'ombre, pas le moindre bruit de machine au loin qui dise une activité. Dans le Lot, au plu du zénith, le soleil vide toujours les dé mais pas à ce point-là.

Depuis des générations il était question de f des travaux pour rafraîchir la bâtisse. Visib ment ils les avaient faits. L'hiver dernier san doute. Jamais Franck n'avait vu ces trois bâti-ments aussi nets, comme rectifiés, sans doute aussi neufs qu'à l'origine même de la ferme en 1882. La date était gravée dans la pierre au-dessus de la porte, quand ils étaient mômes ça leur semblait tellement loin 1882. 1882, en Amérique, c'était la ruée vers l'or. Ici, des hommes avaient bâti cette ferme.

Ce n'était plus la vieille cour irrégulière et traîtresse avec ses îlots de graviers, maintenant il y avait un parterre d'herbe courte, un genre de pelouse brûlée par le soleil. Entre les pierres de taille ils avaient fait ressortir le crépi blanc, pire que pour une résidence secondaire. Le plus saisissant c'était ces hangars vides, inchangés mais vides. Avant, les bruits ici, ça fusait de partout, comme autant de signes de vie, les bêtes dans le bâtiment à gauche, cette présence massive et chaude qui s'en dégage, il y en avait toujours pour beugler ou taper les barrières, plus le bruit que faisaient les tracteurs ou les vis sans fin, et immanquablement les chiens, tous les chiens au fil des époques qui vécurent là, Vic le bas-rouge qui aboyait sur tout, Dora, Balle l'épagneul, Fox en remontant encore plus loin, toujours des syllabes qui claquent, parce qu'un chien c'est fait pour être appelé.

s loin dans le temps, la grand-mère elle
avait sa partition, sa manière de chanton-
qui la signalait, elle n'avait rien de jovial
elle chantonnait en permanence, un genre
mouvement de l'âme. Au-dessus de tout il y
ait l'oncle qui modulait les percussions,
oncle dont la moindre intervention se soldait
par le choc d'une pièce de métal contre une
autre, il fallait toujours qu'il tape pour enclen-
cher une prise de force ou préparer une
remorque, retaper une roue ou redresser une
lame, sa spécialité c'était de cogner, de couper,
de réparer, l'oncle il s'accomplissait dans les
tâches ingrates, le dimanche c'était lui qui
dépeçait les sangliers pour les autres, c'était
dans sa remise que les lots de la chasse se dis-
tribuaient, ça amenait plein de voitures, tout
ce que les autres ne voulaient pas faire c'était
son domaine. Au moins il était sûr d'être indis-
pensable l'oncle, il était le seul à régner sur un
tas de choses, libre pour la simple et bonne raison que personne ne trouvait à redire, et au
pire s'il ne faisait rien, alors il mettait sa radio
pour de la politique ou un match. Il habitait
cette bicoque à gauche totalement gagnée par
l'abandon, c'était cruel à voir.

Franck se sentit atteint par le paradoxe de
regretter très précisément ce qu'il avait fui. Ces
changements il les vivait comme une trahison,
depuis l'enfance ces décors continuaient d'exister en lui dans une permanence fantasmée, il
les imaginait intacts, comme si tout ici eût dû
être immuable. La ferme telle qu'elle était
avant, il devait y en avoir des photos, des cli-
chés pris à un peu toutes les époques, c'est tou-

jours faisable de retrouver les images, mais pour ce qui est des sons il n'y aurait plus jamais de trace. Même ces films super-huit qu'il faisait à l'époque, des films de deux minutes trente qu'il assemblait sur des grandes bobines, de vrais petits films pleins de couleurs et de vie, ils étaient muets. Ils auront fini par lui offrir une caméra, une sale manie qui coûtait cher et exaspérait tout le monde. Filmer les autres à tout bout de champ pour eux ça n'avait pas de sens, tout le monde s'en foutait de ses films, jusqu'au jour où il les aura fait changer d'avis, un soir qu'il projetait sur le mur de la salle à manger, sans le faire exprès il avait passé le film à l'envers, et là en marche arrière, pour le coup ça devenait drôle, tout le monde se marrait de voir ça, c'était d'un comique total de voir l'oncle ou la grand-mère marcher à reculons dans des allures de marionnettes, et les vaches qui rentraient le cul en premier à l'étable, de voir tout le monde aller à l'envers dans le village, le curé en queue de sa procession, comme les étourneaux aspirés par le fil électrique, voilà que pour le coup, ça devenait carrément hilarant. Vu dans ce sens-là le monde était pris d'une folie enchanteresse, tout devenait pathétique et maladroit, bancal, seuls les chevaux restaient élégants. Les chiens devenaient grotesques, et les vaches encore plus flemmardes. Il se souvint de ces danseurs du 14 Juillet, des valses aux vertiges inversés, c'était irrésistible. Même l'oncle, lui qui ne riait pas, lui qui tenait toujours une distance critique vis-à-vis de ces modernités, ça le pliait de rire de se voir danser à l'envers, ou de curieusement rebondir sur son tracteur traçant droit vers l'arrière alors même que sa fumée de Gitane maïs lui revenait magiquement à la bouche, ça lui soulevait des rires dont lui-même ne revenait pas.

Franck jeta un œil à son sac par terre, à ses pieds comme un chien. C'était la première fois qu'il ressentait de la nostalgie pour cette époque. Pourtant il n'y avait rien à retenir de cette enfance, rien à regretter.

Il n'y avait pas de voiture sous le hangar. Tout était fermé. Détail idiot. Il se demanda s'ils habitaient toujours bien là.

Quand Louise rejoint les autres dans la cuisine, elle a toujours son couvert et son assiette qui l'attendent, les filles lui ont préparé sa part de déjeuner, une salade et un plat à réchauffer au four à micro-ondes. Les collègues, elles sont là depuis neuf heures, elles ont déjà fait leur matinée et pris le repas dans la cuisine. Depuis toujours elles fonctionnent comme ça, pour déjeuner elles ont un arrangement, elles cuisinent à tour de rôle, et ça tombe bien, comme il y a cinq jours dans une semaine de travail, c'est chacune leur tour. Aujourd'hui en rentrant, Louise a tout de suite reconnu l'odeur du gratin de courgettes de Malika. Elles lui en ont réchauffé une assiette. Du gratin par cette chaleur, elle se dit qu'elle n'y arrivera pas, même pour faire plaisir. Elle aurait rêvé d'une salade. Mais elle ne veut pas froisser, alors elle mange comme si elle en avait envie, les autres restent autour d'elle à parler, le sujet du jour c'est ce congé que Louise prend ce soir, normalement elle n'a pas encore le droit de poser des jours, mais les autres la couvrent.

Les cinq autres filles se connaissent depuis longtemps, elles sont habituées à ce partage des tâches, à cette bienveillance mutualisée, au moins de ce point de vue-là, pour elles rien n'a changé. Elles travaillent toutes là depuis des années, près de quinze ans pour Gisèle, à fabriquer des boîtiers, depuis quinze ans c'est comme si la question du travail était résolue, fabriquer des télécommandes de portes de garage, ce devait être une filière inépuisable, un prolongement naturel de l'humain, les télécommandes, il y en aura toujours besoin, de plus en plus, d'ailleurs il y a six mois encore les carnets de commandes étaient pleins, la donne était tout autre. Seulement voilà, depuis mai tout a changé. Parfois Louise songe à ça, elle se dit que finalement c'est depuis qu'elle a été engagée que tout va mal.

Un travail à mi-temps, ça n'est jamais qu'un demi-salaire mais pour Louise ça réglait toutes ces histoires de paperasses qu'il y a quand on ne travaille pas, tous ces fils concrets par lesquels la société nous retient, les assurances sociales, les prestations et le reste, tout ce qu'on peut perdre à tout moment et qui ferait dire que cette fois on n'est plus raccroché à rien. Un travail à mi-temps ça lui permettait surtout de payer le loyer et l'essence, de manger le soir, c'était tenable de survivre, à condition de faire attention. Faire attention, ça devient vite comme un réflexe, un mode de vie. Son seul loisir en fin de compte c'était ce café pris en terrasse tous les matins.

Depuis les nouveaux repreneurs il n'y avait plus rien à faire, il fallait juste attendre que le temps passe. Une fois que Louise a mangé, le rituel est toujours le même, l'une qui remplit la bouilloire, une autre sort de l'armoire le grand coffret en bois, une boîte à thés aux étiquettes multicolores, des rangés de sachets aux arômes différents, parfaitement synthétiques, Cannelle, Réglisse, Mélange oriental, Saveurs d'été ou Menthe.

À quatorze heures trente elles ressortent de la cuisine et elles ont fait place nette. Elles n'ont jamais été aussi précises dans les horaires, il n'y a pourtant ni pointeuse ni supérieur, pas de chef de service, personne vraiment qui régisse ou qui surveille, tout juste le gars de l'inspection du travail qui passe de temps en temps. Seulement elles tiennent à ce respect scrupuleux des horaires, moins par peur qu'on leur reproche quelque chose que par besoin de se raccrocher à des certitudes, de ne pas trop s'éloigner de tout repère. Le respect scrupuleux de l'horaire, ça offre la sensation très concrète d'être ancré dans son schéma, de toujours y avoir sa place.

Après la cuisine elles s'installent dans la salle de réunion. C'est confortable, et surtout stratégique comme endroit, il y a le téléphone à portée de main, l'ordinateur et une connexion Internet au cas où un mail arrive de Grande-Bretagne. C'est tout ce qu'elles en connaissent du nouveau siège social, une adresse mail, rien de géographiquement avéré. Avec le siège là-haut, la communication ne se fait que comme ça, des mails impromptus qu'elles ouvrent chaque fois avec l'appréhension totale que ce soit pour leur annoncer la fin, que la liquidation est prononcée, elles redoutent aussi qu'on leur annonce qu'ils déplacent la production vers l'Inde ou la Roumanie, et que se pose la question de savoir si elles voudraient vivre là-bas, elles en rigolent tout autant qu'elles en tremblent. Dans les derniers jours du mois, à partir du 25, c'est toujours avec la peur au ventre qu'elles vont au distributeur de billets pour essayer de retirer, avec l'angoisse que le distributeur cette fois ne veuille plus, que ce coup-ci le virement n'ait pas été fait.

Franck retrouva l'astuce de déverrouiller le volet et de se glisser par la fenêtre. Gosses c'est ce qu'ils faisaient pour ressortir et rentrer en pleine nuit. Mais là, une fois posé dans ce décor, il s'y sentait totalement déplacé, en éprouvait même le sentiment de l'infraction, se demandant si on est toujours réellement chez soi chez ses parents après tant d'années, ou bien si on viole un ailleurs interdit, un ailleurs inchangé. Il n'y était définitivement plus à sa place. En hissant son sac par-dessus le rebord il eut le réflexe de ne pas faire de bruit, comme si un esprit des lieux dans l'ombre le regardait faire. Le téléphone était toujours à la même place, le modèle gris en bakélite. Le fil était ramené sur le cadran, comme souvent dès lors qu'il était question d'orage et de grosses chaleurs, ou même la nuit, ici il y avait mille raisons de se méfier du téléphone, une manie héritée de la grand-mère, pour sa part elle refusait d'y toucher à ce téléphone, elle trouvait fou qu'un jour les parents décident finalement de l'installer et elle invoquait le diable chaque fois que ça sonnait.

À l'intérieur il faisait bon, quinze degrés de moins par rapport à la cour, les pièces étaient emplies de cette fraîcheur gagnée sur le dehors. Le silence était cisaillé par le zigzag d'une mouche, chloroformé par le tic-tac de la comtoise, le soulagement était total. Dans la cuisine ça sentait un mélange de lointaine lessive et de fruits mûrs. Ils devaient être partis faire des courses, ou à donner le coup de main vers la ferme de la Touche ou chez les Bériac. Ce que Franck avait constaté des terres alentour, c'est qu'elles n'étaient plus entretenues, signe que, jusqu'au bout, les parents feraient tout pour que la Safer ne les contraignent pas à vendre, surtout pas aux Berthier.

À l'intérieur c'était l'envers du décor, la partie du temps arrêté, toujours la même peinture jaune citron délavée, les murs nus, rien pour polluer le quotidien, le même formica sur les portes de placards, tout un univers exclusivement fait de choses utiles. Franck chercha un sirop de fruit sous l'évier, bizarrement il y en avait trois arômes différents. Pour se souvenir de la place des verres il dut ouvrir un à un les placards, toute chose lui revenait dans un parfum de gâteaux secs et de poivre, la boîte de métal dans laquelle se casait le rectangle de sucre, le chocolat blanc et les Pailles d'or, il revivait le souvenir de ces faims totales après un après-midi de vélo ou de travail dans les champs, à l'époque c'étaient des faims solaires à se jeter sur tout, les gâteaux, le pain, les bananes, c'étaient des soifs surtout, des soifs à gober les oranges sans même les éplucher, les sucer jusqu'à l'écorce, mordre là-dedans comme si c'était l'été lui-même qui s'offrait dans la bouche, palpitant et concret, on se sentait être soi jusqu'aux limites de l'être. Comme à l'époque il but trois grands verres de sirop de citron sans même reprendre sa respiration, un quatrième dans la foulée. Là en plus il prit un médicament.

L'été, l'eau du robinet n'arrive jamais vraiment fraîche. C'est pourquoi Alexandre avait mis au point une astuce, celle de placer en permanence un verre humide dans le coin du freezer, son « verre-glaçon » comme il disait. Les autres quand ils voulaient boire frais, ils mettaient simplement de la glace dans leur verre, mais pour Alexandre, le « verre-glaçon » ça tenait du rituel. Et si quelqu'un se servait de son « verre-glaçon » sans le remettre à sa place, ça le foutait en colère. Les parents prenaient toujours son parti. De toute façon Alexandre quoi qu'il fasse, il avait raison. Le dernier-né dans une famille c'est souvent le préféré, parce que c'est celui qui fait croire aux parents que le temps ne passe pas, qu'il y aura toujours de l'enfance à pousser derrière eux, il entretient en eux cette illusion de jeunesse, alors qu'en regardant l'aîné ils se sentent déjà vieux.

La télé par contre, elle ne leur ressemblait pas, un écran plat équipé de décodeurs, cet élan technologique, ça ne pouvait pas venir d'eux. Il sursauta au déclic du frigo, toujours le même déclenchement électrique qui amorce le moteur, ce ronronnement qui embraye, dans le silence il prend une proportion gigantesque, ça fait toujours un bien fou quand il s'arrête. Quand ils vivaient à quatre ici, et même à six du temps de la grand-mère et de l'oncle, il débordait, ce frigo, il en aura donné, de la vie. Franck l'ouvrit avec la crainte qu'il soit désert, mais comme un mirage de l'enfance tout lui revenait intact, il y avait de tout, des fromages, du lait frais, des radis, des morceaux de motte de beurre simplement emballés dans du papier, de larges entrecôtes dans une assiette, des confitures, d'un coup tout lui faisait envie. Il ouvrit le compartiment congélation, « le verre-glaçon » était là lui aussi. Par superstition sans doute, les parents ne l'avaient pas enlevé, ils n'osaient pas. Franck plongea sa main dans ce bric-à-brac de victuailles congelées qui craquelaient dans la glace, il cherchait un esquimau ou une glace quelconque, n'importe quoi de glacé, mais chaque fois il tombait sur des plastiques transparents, il les inspectait un par un, des légumes, des morceaux de viande, les fameux pains de secours, et là d'un coup il vit cette chose, des yeux noirs qui le fixaient au travers d'une poche translucide. Passé la stupéfaction, c'était une peluche rigide, un nounours congelé. Il posa la pauvre bête sur la table. Dans l'air ambiant, l'enveloppe de plastique s'embua jusqu'à devenir floue, complètement opaque, le regard obscur disparut sous une pellicule de condensation, ça paraissait extravagant de retrouver ce vieux doudou d'Alexandre, quelle idée de le foutre là-dedans. Il l'y remit quand même.

Une fois qu'elles ont pris leur thé, elles lavent chacune leur tasse dans une sorte de rituel sonore et elles vont toutes fumer dehors. Cette cigarette-là c'est la meilleure, celle de la digestion. Rien ne les empêcherait de l'allumer dans la salle de réunion, pas plus que dans n'importe quel autre endroit de l'usine, si c'est interdit il est bien certain que personne ne leur en ferait la remarque, elles étaient libres de faire ce qu'elles voulaient. Et pourtant elles vont toujours fumer dehors. Elles font plusieurs fois le tour de la grande cour, en marchant au plus large, longeant les contours de l'usine pour trouver de l'ombre, un périmètre qu'elles ont approximativement mesuré un jour, en comptant le nombre de pas, plus ou moins quatre fois deux cents pas de chaque côté, ce qui doit faire dans les 800 mètres.

Elles auraient pu aller au-delà, sortir pour marcher le long de la zone industrielle, vers les terrains vagues tout au bout de la rue, il y a même des bosquets chétifs dans les friches, quelque chose qui ressemble à la nature, mais elles préfèrent rester à proximité de l'usine, pas trop à distance du bâtiment au cas où le téléphone se mettrait à sonner ou qu'un fax arrive, une commande pourquoi pas, ce n'est pas impossible qu'une commande arrive, d'ailleurs c'est bien pour ça qu'elles restent là, c'est bien pour ça aussi que le repreneur en Grande-Bretagne les garde sous le coude, au même titre que les machines. Il est bien clair qu'un jour une commande reviendra, dès que les gens se remettront à acheter des voitures, ils auront besoin de parkings et de télécommandes pour ouvrir les portes, pour qu'elles revivent il suffirait juste que les gens veuillent bien se remettre à acheter des voitures.

En attendant, crise ou pas, elles veulent que tout soit prêt, elles ont juré être partantes pour sortir dix mille pièces en un mois s'il le faut, quitte à travailler jusqu'à neuf heures par jour, pas besoin de commerciaux pour sortir dix mille pièces, ceux d'Angleterre suffisent, d'autant que pour les derniers contrats, c'est elles qui ont tout réglé, la dernière fois c'est Gisèle qui a reçu les clients, Aïcha qui s'est mise aux devis, et aussitôt la blouse enfilée elles sont retournées chacune à son poste, à la colle ou à l'assemblage, qu'importe, elles peuvent permuter, c'est leur force, de pouvoir faire le boulot de l'autre, elles modulent en souplesse, d'ailleurs elles n'attendent qu'une chose, enlever ces grandes housses blanches sur les machines, et redonner vie à toutes ces masses dormantes dans l'atelier, ces silhouettes qui dans la pénombre ont des allures de fantômes.

Une fois sa glace avalée, Franck resta planté là, comme ce fameux matin où il avait remis les pieds chez lui, dans ce même silence total, ce jour-là aussi il ne savait plus par où commencer, n'avait même pas la force de soulever son sac, ce même sac. Faute d'ascenseur les ambulanciers l'avaient soutenu sur cinq étages, deux braves types qui plaisantaient de tout avec une sympathie un peu mécanique, puis ils les avaient déposés là, lui et ses affaires, au beau milieu de la pièce avant de repartir aussitôt. Franck était resté un temps debout, sonné, la porte même pas refermée.

Les premiers jours, il ne pouvait pas sortir, il en était incapable, d'autant que c'était un mois de janvier glacial balayé de vagues de froid polaire, les rues étaient assaillies de neige et de verglas. Il avait choisi de se faire les piqûres lui-même, matin et soir, ça évitait les frais d'infirmière, après coup il s'en voulut, de ne pas avoir ces moindres présences humaines. Dans l'immeuble il ne connaissait personne, il se voyait mal sonner chez un voisin pour lui demander subitement de lui rapporter du pain, de l'eau, de lui faire carrément ses courses. Depuis des mois déjà il ne répondait plus aux mails, pas plus qu'aux vagues textos, à force il n'en recevait plus, autour de soi le vide a vite fait de se faire dès lors qu'on ne répond plus.

Les deux premiers jours il avait composé à partir des plats cuisinés qui traînaient dans le freezer, à partir du troisième jour il s'était arrangé avec les paquets de pâtes et les boîtes de conserve, du coup il aura mangé des coquillettes au thon, des coquillettes aux sardines, des coquillettes au pâté, des coquillettes aux petits pois, et finalement des coquillettes tout court, sans beurre ni gruyère. Le pain frais lui manquait vraiment, et surtout le goût d'une boisson autre que l'eau du robinet. Mais le grand problème dans tout ça, c'était la poubelle, déjà remplie dès le deuxième jour. Le soir, vers dix heures, il se motivait pour descendre les cinq étages, pour trouver la force de les vider enfin, mais d'avance il sentait qu'il n'y arriverait pas, dès qu'il ouvrait la porte ses jambes vacillaient, l'air glacé du palier s'engouffrait et décuplait le vertige, ces cinq étages plongés dans le noir et le froid, jamais il ne les remonterait. D'être resté alité pendant des semaines, et l'effet rebond des antidouleurs lui liquéfiaient les muscles, les nausées venaient par bouffées, d'un coup la sueur le prenait, en dix secondes il ruisselait pire qu'une serviette qu'on essore, les murs se mettaient à tournoyer, ce n'était pas jouable. Ses poubelles il ne pouvait pas non plus les jeter par la fenêtre, alors il les accumulait le long de sa porte, à l'intérieur, des sacs plastique qui s'amoncelaient, au bout de trois jours c'était moche, au cinquième ça se mettait à sentir, au huitième ça sentait mauvais, la solitude ça a vite fait de tourner au cauchemar. Il touchait cette fragilité totale de ne pas être entouré.

Depuis des mois il n'appelait plus personne, aucune envie de se montrer dans cet état-là, de voir qui que ce soit, d'ailleurs des amis est-ce qu'il en avait vraiment. Depuis sa séparation avec Helena, c'est comme s'il s'était séparé de tout. Sa vie elle l'avait refaite, loin d'ici, à Londres, elle avait radicalement tourné la page, ils ne se parlaient plus, ne s'appelaient même pas, c'était devenu une inconnue. Là encore lui remontait ce péril qu'il y avait à vivre seul. Il n'était pas à jour au niveau de ses droits, sans assurance ni mutuelle, sans arrêt maladie, il avait toujours négligé cet aspect-là d'une vie, la paperasserie, il trouvait déjà miraculeux qu'un hôpital l'ait pris en main pendant des mois. De négliger ses papiers, il l'avait toujours ressenti comme une émancipation, l'illusion d'être en dehors du système, d'être au-dessus de ça. Seulement depuis quelques mois il voyait les choses autrement, il se sentait bien plus fragile qu'enfant, jamais il n'avait eu la sensation d'être à ce point démuni, sans personne. Un an après le départ d'Helena, il prenait la mesure de tout ce qu'ils n'avaient pas construit, de ce vide qu'il restait, treize ans de vie commune qui n'auront accouché de rien, ils se seront d'abord aimés, ensuite ils seront restés ensemble, sans désir ni projet, et n'auront pas eu d'enfant. L'enfant, c'est toujours une manière de s'inventer une suite, de se construire un avenir, en dehors de quoi il ne reste plus rien, d'un couple une fois défait il ne subsiste plus rien, sinon des murs parfois, des souvenirs éparpillés dans la tête de chacun, mais les souvenirs, c'est rarement les meilleurs qui dominent, c'est souvent les derniers.

Franck pivotait sur lui-même en faisant un panoramique au milieu de la cuisine. Regarder un décor au travers d'une caméra, c'est à la fois être en plein dedans, et se sentir totalement extérieur à lui.

Puis il avança en plan large le long du couloir, le corridor sans fenêtre qui distribuait les pièces. Il reconnaissait chaque dalle de carrelage, ce même papier peint sur les murs, l'ampoule suspendue au bout de son fil. Protégé par sa caméra, Franck baladait son regard, approchant tel ou tel détail. La première porte à droite, c'était la chambre des parents, elle fut celle des grands-parents dans le temps. Celle-là il n'essaya pas de l'ouvrir, de toute façon elle était souvent fermée à clé, à cause du placard à fusils, il se doutait que cette chambre devait être intacte dans son dénuement rudimentaire, un lit, une armoire, le fameux placard rectangulaire et étroit où dorment les armes à feu, les parents n'avaient pas besoin d'ornements, une simplicité d'âme qui aidait à vivre sans doute.

Au fond c'était la chambre de la grand-mère. Franck approcha l'objectif de la poignée, il repoussa la porte au dernier moment, et là il découvrit le même vieux lit, l'édredon épais, la photo du grand-père au mur. Dans la famille, il n'y aura que le grand-père à s'être fait immortaliser, ça procédait d'une forme de prémonition. Franck ne l'aura jamais connu qu'à travers cette photo, il en fit un gros plan, comme s'il s'approchait du vrai visage. De cet homme, pour toujours il ne resterait qu'une photo. À la mort de son mari la grand-mère était venue s'installer dans cette chambre, elle avait laissé la chambre principale à sa fille et à son gendre, manière de leur passer le relais, de leur faire toucher du doigt que la ferme, c'était la leur. Elle savait sa fille mariée à l'homme idéal, un gars solide aux manches relevées été comme hiver, de ces gaillards fiables qui sont comme un axe autour duquel le monde tourne.

La porte au fond à droite, c'était la chambre d'Alexandre, la chambre bleue, ce n'est pas parce qu'Alexandre était mort que ce n'était plus sa chambre. Alexandre et Louise y avaient vécu tous les deux, ils y avaient habité jusqu'à temps qu'Alexandre se mette en tête de rénover le moulin, ça avait duré des mois ces histoires de travaux, ça n'en finissait pas, il n'avait même jamais fini.

Le premier soir passé au moulin, exceptionnellement Alexandre avait téléphoné à Franck, un genre d'appel au secours que Franck avait sous-estimé, il avait juste froidement écouté son frère, soudain pris par le besoin de se confier. Ce n'était pas rien comme changement. Ce jour-là il pleuvait des cordes, ça avait été toute une histoire de faire les deux kilomètres le long de la rivière avec les meubles sur la remorque, de garnir le moulin du minimum vital. À l'intérieur c'était aussi humide qu'à l'extérieur. Le moulin en l'état c'était sommaire, pas encore de chauffage, toujours pas l'eau courante, pas de confort vraiment, sinon une cheminée et six stères de bois. Ils auront passé deux ans comme ça, dans ce moulin froid, en permanence dans les travaux, du coup c'était moche, finalement ça avait mal tourné. Pourtant les parents devaient aimer l'idée de savoir l'héritier juste là, d'autant que Louise, ils l'aimaient bien, pas bavarde, un peu absente, mais elle n'était pas fainéante, agréable comme on dit. Alexandre et Louise ne parlaient pas de se marier, mais l'essentiel c'était bien qu'ils soient là, avec des enfants ce serait encore mieux, une garantie sur l'avenir. Rien de tout ça n'aura eu lieu. Finalement ce n'était pas pour rien que la grand-mère disait tout le temps de se méfier de l'ancien moulin, déjà quand ils étaient mômes elle leur disait de ne pas aller y jouer, parce que ce vieux moulin c'était la mort, cette vieille roue de bois usée que l'eau ne faisait plus tourner, elle ne faisait que brasser le mal.

Devant la porte de sa chambre, Franck refit le plan de sa main qui approche de la poignée, d'avance il connaissait la suite, son grand lit entouré d'affiches, une étagère de médailles et de coupes, trophées d'une adolescence passée à se croire un destin, tout ça il le revoyait déjà, seulement là, en poussant la porte il tomba sur ce mirage, cette vision improbable plongée dans l'ombre, une disposition surgie de très loin dans le temps. Ce n'était pas son grand lit d'adolescent qui trônait au milieu de la pièce, mais son petit lit d'enfant, le lit bateau bleu auréolé d'une moustiquaire de mousseline blanche, avec les ancres marines et les faux hublots sur les montants, ce même lit qui avait ensuite servi à son frère pendant des années, avant d'échouer dans la poussière de la grange, démantelé par le temps, voilà qu'il était revenu le petit lit bleu, flambant neuf à nouveau. Franck baissa la caméra et décolla l'œil du viseur. Il se revoit là-dedans, les nuits passées sans océan, il y aura dormi jusqu'à ses huit ou neuf ans, et un dimanche son père l'avait sorti dans la cour pour le poncer, le repeindre, et on l'avait remplacé par un grand.

Franck s'avança dans la pénombre, il écarta la gaze blanche du bout de l'objectif, le lit avait retrouvé sa couleur turquoise, dans son souvenir il l'aurait cru en forme de barque, en fait c'était un rectangle simple, avec des ancres dorées, les hublots à miroir, c'était bien le même. Il était fait de propre, à l'ancienne, les draps bleus tendus étaient bordés serrés aux quatre coins, les deux oreillers de plume ventrus au-dessus du traversin, le couvre-lit était impeccablement lisse, sans un pli.

Le lit ne faisait pas plus d'un mètre cinquante, Franck s'y allongea pourtant, moins pour récupérer de son voyage, de cette fatigue qui l'alourdissait, que pour renouer avec une sensation perdue, l'odeur des draps séchés sur le fil à linge du jardin, ce parfum de grand air piégé dans les oreillers, et la perspective insolite une fois couché de revoir la chambre au travers d'une gaze de nylon blanc. Tout lui revenait, cette fraîcheur qui baignait la pièce, le parfait contraste avec la chaleur du dehors, la présence du tilleul de l'autre côté des volets, le frémissement des feuilles au moindre souffle, le roucoulement d'une tourterelle, de mémoire il aurait parié qu'elles ne chantaient que le matin, ou le soir, mais pas dans un plein après-midi de soleil comme celui-là, un autre bruit se dessinait très loin, une moissonneuse qui faisait ses allers-retours, des notes agiles d'étourneaux fusaient dans le ciel, tout ça lui revenait comme revient une mélodie quand on se met au piano, une partition qui pour peu qu'on se laisse aller, qu'on se relâche vraiment, mènerait droit vers le sommeil. L'enfance, c'est ce territoire juste là, intact mais parfaitement inatteignable, à moins de fermer un peu les yeux, de s'assoupir dans le parfait coton d'un parfum retrouvé.

— Dans une légende irlandaise, *La Pauvre Fille qui devient reine*, un roi, pour se faire bien voir de ses sujets, déclara dans un élan de bonté machiavélique qu'il était prêt à épouser n'importe quelle pauvre paysanne, même la plus miséreuse, pour peu qu'elle ne soit pas déjà mariée. Et pour pousser encore plus loin la promesse, il déclara aussi que cette élue-là aurait le droit de promener son âne aux écus d'or, de le balader partout et autant qu'elle le voudrait dans le royaume, un âne qui comme tous les ânes mangeait l'herbe et les feuilles des talus, mais restituait le tout sous forme d'écus flambant neufs, étincelants comme des soleils.

Rien qu'à entendre cette annonce, déjà on trouvait que c'était un homme magnifique, on le supposait sublimement généreux. Mais le souverain ajouta les clauses suivantes, il décida que la prétendante ne serait élue qu'à condition qu'elle vienne le trouver dès le lendemain matin au château, qu'elle se présente au bas des marches, mais que pour cela elle ne s'y rende ni en calèche, ni à dos d'animal, ni à pied, ni portée d'aucune façon, et sans être habillée ni nue... Ainsi, il était bien certain de rendre la chose irréalisable. Pour autant on ne pouvait que lui reconnaître sa grande qualité d'âme, une pure générosité, ne serait-ce que pour avoir lancé la proposition.

Une jeune paysanne eut l'idée de résoudre l'impossible en s'enveloppant dans un filet de pêcheur qu'elle attacha à la queue d'une mule, une mule que par la voix elle guidait, et elle arriva ainsi jusqu'au bas des marches du château, sans être habillée, ni nue, ni portée, ni à cheval, ni à pied, ni en calèche, mais tout bêtement traînée dans le filet. C'est là que le roi piégé par sa propre parole l'épousa, et que la paysanne enchantée devint reine, et fit promener l'âne aux écus d'or dans tout le village pendant toute sa vie.

— Mais pourquoi tu nous lis celle-ci ?

— Mais enfin, vous ne voyez pas ? C'est nous, c'est notre histoire !

Gisèle les fait rire. La bonne humeur chez elle c'est comme un don. Elle a apporté un livre de chez elle, un de ceux qu'elle a achetés à sa fille la semaine dernière pour ses cinq ans, tous les soirs au moment de se coucher elle lui lit une histoire pour qu'elle s'endorme, en y mettant bien les intonations.

Les enfants, c'est un sujet qui revient souvent entre elles. Louise, dans ces cas-là, sans être mal à l'aise, sent bien qu'elle ne participe pas du même monde, des mêmes préoccupations. Elle ne leur a jamais rien dit. Pour elles toutes, Louise n'a pas d'enfant, d'ailleurs elle n'en a pas, ou alors c'est qu'on peut avoir un enfant sans l'avoir vraiment, sans être mère pour autant.

— C'est qui, idiot ?

Il y avait la petite voix du téléphone, la petite voix qui s'immisçait dans le rêve, Franck avait la très nette impression de l'entendre pour de vrai, comme si elle venait de ce monde flou de l'autre côté de la gaze. Les premiers moments de la sieste plongent toujours dans ce genre de confusion, un simple assoupissement et mine de rien on fait un bond gigantesque dans le temps, on s'écarte un peu du réel pour s'élancer vers une autre rive du présent, on flotte dans une somnolence parfaite.

Dès qu'il s'était posé sur le lit, Franck s'était calé en étendant ses jambes autant que possible, et s'était instantanément endormi, rêvant à des scènes de passagers affolés le long de la voie ferrée, et là, même à terre, même avec la tête en sang, le contrôleur lui demandait de lui présenter son billet, ça faisait toute une histoire, ils se mettaient tous à le secouer pour qu'il se relève, pour qu'il le retrouve son billet, qu'on en finisse et que le train reparte...

— Oh, c'est qui, idiot ?

C'était pour de vrai qu'on lui tirait le pied, une main le tirait pour le sortir du lit. Au travers de la moustiquaire Franck devina une silhouette en transparence, il fut instantanément envahi par cette sensation de déjà vécu, il voyait son frère qui le chahutait, son frère obstiné qui ne lâchait jamais la prise, une séquence intacte du passé. Une petite tête se glissa dans l'ouverture de la mousseline blanche, celle d'un môme pas très stable, étonnamment droit, avec dans le regard, l'énergie têtue de ceux qui poussent le jeu jusqu'à l'excès.

— Ici c'est mon lit !

— Eh, oh ! D'où tu sors toi ?

Le môme s'acharnait sur le pied de Franck en essayant de lui enlever sa chaussure, empoignant sa prise vraiment en y mettant toutes ses forces.

— C'est mon lit !

À l'autre bout du couloir Franck entendit une voix connue qui rappelait l'enfant à l'ordre avec un ton de parfaite intransigeance.

— Alexandre ! T'es où, nom de Dieu ?

Franck devina la scène au travers de la gaze de mousseline blanche, la silhouette de son père qui rentre dans la chambre, son père qui s'approche du lit, qui entrouvre énergiquement le voile et lui jette un regard parfaitement éberlué.

— Ben, qu'est-ce que tu fous là-dedans ?

Ce qui l'emportait dans l'effet de surprise ce n'était pas tant que Franck soit là, qu'il soit revenu aux Bertranges, mais bien qu'il ait pris l'initiative de s'allonger sur ce lit.

— Enlève tes pieds, il lui faut pas de saletés.

— Quelles saletés ?

— Il fait de l'asthme,

— Oui, moi c'est malade, il faut pas toucher les poussières et les animaux, il faut pas aller en ville non plus.

Franck ne bougeait plus. Le souvenir qu'il avait du visage de son père s'estompa immédiatement pour faire place au visage qu'il voyait là, lourd de dix ans de plus. Il lui trouva l'allure moins droite, les cheveux totalement blancs, une vigueur d'autant plus désamorcée que maintenant il tenait une canne. Le père de son côté devait faire pareil. Il n'en disait rien. Il avait le visage fermé de celui qui ne lâchera pas la moindre émotion, qui ne posera même pas de question, cette rudesse qui passe immanquablement pour de l'indifférence.

— Je te préviens, si t'es venu pour nous voir, on part demain.

— Ah bon ! Mais où ?

— Tu demanderas à ta mère...

— Et lui, c'est qui ?

— Moi, c'est Alexandre.

L'enfant était parvenu à lui délacer la chaussure, il s'attaquait à l'autre, visiblement ça l'amusait beaucoup. Franck tenta de se redresser sur les coudes mais il n'arrivait plus à bouger, ses jambes étaient totalement engourdies par les fourmillements. Il s'était endormi dans une position impossible, ses muscles anesthésiés le clouaient sur place, pendant ce temps-là le môme s'acharnait à le remuer en tout sens, ça lui faisait mal, ça le submergeait d'une envie de rire totale.

— Attends, petit, lâche-moi, tu vois bien que je ne peux pas me relever !

— C'est mon lit !

— Je te dis que je suis coincé !

Le père les regardait faire, sans trop savoir quelle réaction adopter. Sur l'instant en découvrant Franck, il n'avait pas esquissé la moindre poignée de main, il ne s'était même pas rapproché, comme s'ils s'étaient vus la veille. Franck avait mille fois imaginé la scène, se revoir après tout ce temps, il redoutait un genre de serrement dans le foie, qu'ils soient tous deux piégés par l'effusion ou la colère, une émotion, pourquoi pas. En fait non. Franck n'arrivait pas à trouver une phrase adaptée à la situation, surtout que là, ne pouvant même pas se relever, il se sentait totalement neutralisé. De toute façon l'émotion ce n'était pas leur genre, il n'avait jamais vraiment été question de ça, entre eux tout passait par autre chose, bien à distance l'un de l'autre, tout ce qui normalement s'exprime par la parole, entre eux ça passait par d'autres signes, dans un regard ou un silence, un soupir souvent, il était souvent question de ça, de soupirs, dans un soupir il y a bien plus à entendre que dans une phrase. Là-bas dans le couloir on entendit la mère qui marchait depuis la cuisine, elle s'avança et se posta dans l'encadrement de la porte sans rentrer. Franck à la lutte parvint à se relever, mais déjà le petit se jetait sur lui.

— Ben, t'es là depuis quand ?

— Une demi-heure. Une heure peut-être, je sais pas.

— Ah bon, et faut encore cacher la clé de la cave ?

— Non, j'ai arrêté.

— Depuis quand ?

— C'est toute une histoire.

La mère entra dans la chambre pour prendre le gosse et le ramener vers elle, mais l'enfant tout excité par cette nouvelle présence se jeta de plus belle sur le lit pour chahuter, il en profita pour essayer de saisir la caméra.

— Ne le laisse pas faire, il va te la casser !

— T'en fais pas.

— Mets pas tes chaussures sur le lit...

— Quoi, moi ?

— Oui toi !

— Moi ?

— Non, Alexandre !

La présence de ce gamin improbable faussait tout. Sa folle vivacité masquait le malaise, du coup c'est lui qui l'emporta sur l'intensité du moment. Franck s'était pourtant promis de filmer ce moment précis où il reverrait ses parents, où il retrouverait leur visage. Il n'en eut pas le temps.

Le petit s'agitait en tout sens, ça basculait dans le cocasse. En même temps ça les arrangeait, ça évitait d'avoir à se dire les choses, ils en étaient bien incapables de se parler, même les phrases les plus simples ne venaient pas, du genre qu'est-ce que tu fais là, ou ça fait plaisir de te voir, ou t'as pas changé, ou même t'as rien à faire là, qu'importe, enchaîner trois mots dans l'intention de faire du sens, s'exprimer ne serait-ce que dans la banalité, et au pire pourquoi pas, aller jusqu'à lui dire qu'ils ne voulaient plus entendre parler de lui.

— C'est qui, ce môme ?

— Moi, c'est Alexandre, comme ton frère. Mais moi je suis pas ton frère.

Ça faisait longtemps qu'on ne lui avait pas parlé droit dans les yeux, à même le regard, ça faisait longtemps qu'on ne lui avait pas envoyé une phrase aussi explicite et crue, d'une naïveté primitive et d'une netteté radicale. Le décalage était total entre l'aplomb du propos et ses attitudes de clown, cet enfant avait la tête d'un petit génie étrange, le teint très pâle, les cheveux blonds, un regard à la fixité intense, il parlait à Franck en se tenant bien en face de lui, le cherchant des yeux, comme s'il se plaçait devant un miroir pour mieux piéger son reflet.

— Ah bon, mais il est à qui ?

Ce n'était pas qu'ils ne savaient pas par où commencer, c'est juste que pour eux c'était l'évidence même, du coup ce fut le petit qui enchaîna, comme s'il avait à ce point pris l'ascendant.

— Toi, c'est Franck. Je le sais, tes parents, ils cherchent ton nom à la fin des émissions, quand c'est fini ils se mettent devant la télé pour lire les petites lignes.

Là-dessus le môme se redressa sur le lit pour mimer la chose, il plia le dos, l'index pointé en avant pour déchiffrer.

La mère l'empoigna en lui disant « ça suffit ».

— Oui, avec les lunettes y cherchent pour voir, mais t'y es jamais dans les petites lignes, moi je t'ai jamais vu à la télé.

Le père tourna les talons et dégagea. La mère s'approcha du lit pour récupérer Alexandre qui essayait maintenant de s'allonger à côté de Franck.

— Ça suffit, arrête de l'embêter, file à la salle de bains que je te mette ta pommade.

La mère toisa Franck et lui lança sans ménagement :

— Maintenant ici c'est sa chambre. Si tu restes dormir t'as qu'à te mettre dans celle de ta grand-mère.

Franck n'osa pas dire d'emblée qu'il ne le pourrait pas, que ça lui semblait impensable de dormir dans le lit de l'ancêtre, mais ce serait prendre le risque du conflit dès le premier échange, de faire des histoires déjà. Les chambres ici ça relevait du sacré, une sphère totalement imprégnée de la personnalité de celui qui y avait dormi, ici même les morts gardaient leur chambre, elle restait à eux bien au-delà du simple détail de ne plus être en vie. Franck n'avait jamais couché dans la chambre de la grand-mère ou de son frère, le faire maintenant ce serait comme de le faire dans leurs dos, par scrupule et par superstition c'était impensable. Puis au fond, il voulait récupérer sa chambre, il s'y voyait déjà dormir comme un enfant, du même sommeil qu'avant, la fenêtre grande ouverte sur le silence des prés derrière, qu'importe que le lit soit trop petit, c'est là qu'il voulait se poser, c'était sa chambre.

Complètement sonné par ce mirage, Franck se laissa retomber sur le lit, ne voyant plus bien ce qu'il foutait là. Il entendait les résonances depuis la salle de bains, le môme qui chahutait et la mère qui le reprenait, comme une séquence resurgie du passé. Mais déjà la petite tête se frayait un passage pour glisser jusqu'à lui, déjà il avait échappé à l'attention de la mère, il colla son visage contre le sien.

— Dis, tu vas me filmer, dis ?

Dans le même mouvement il ressortit de la moustiquaire pour l'agiter autour de Franck, il feignait de l'y prendre comme dans un filet. Au travers de la mousseline de nylon, Franck le voyait faire sans réagir, de l'autre côté du tulle blanc il vit sa mère qui rattrapa le môme, d'un geste elle le ramena à elle et le cala sous son bras, sans effort, sans même marquer un temps, à soixante-douze ans elle avait le même allant que quand elle soulevait son frère, elle le tenait avec la même radicale affection. Le petit se débattait en gesticulant, il riait aux éclats tout en feignant d'avoir mal. Franck retrouvait le mirage d'une scène mille fois vécue, quand Alexandre venait près de lui et n'en bougeait plus, refusant l'idée de devoir se coucher plus tôt que l'aîné, il se réfugiait auprès de son frère pour que le soir dure encore un peu.

Franck prit sa caméra et filma au travers de la moustiquaire, Alexandre se raccrochait en agrippant tout ce qu'il trouvait, riant de cette résistance féroce qu'il opposait à la mère, décuplé par cet écart qu'il y avait entre son petit gabarit et la force d'un adulte. Comme pour mieux répercuter le souvenir, la mère lui donnait des tapes sur les fesses, parodie de fessée – « veux-tu lâcher ça ! » Le ton montait comme il monte vite avec les enfants, ça dégénérait, comme du temps où la mère domptait le vrai Alexandre, l'autre en tout cas, un jeu toujours sur le point de virer à l'aigre.

Le petit ne lâchait pas l'affaire, la chambre était saturée de cette tonalité un peu crispante que répand un môme qui se met à en faire des tonnes.

— Ça va mal finir !

Ils étaient maintenant loin dans le couloir, les échanges entre la mère et le môme devenaient indistincts, mais Franck entendit bien que le petit prononça plusieurs fois son prénom, et Franck ceci, et Franck cela, le petit qui disait « je veux aller jouer avec Franck, je veux sortir faire du vélo », et la mère qui reprenait le dessus en haussant la voix, jurant bien que Franck il fallait le laisser.

Du coup il se retrouva planté là, comme s'il n'était pas venu, comme si sa présence n'était d'aucun effet, seule la voix de l'enfant avait prononcé son prénom, il n'y avait eu que ce môme improbable pour lui parler vraiment, et à l'avoir touché.

Pour ressouder le groupe, les activités naissent d'elles-mêmes. Entre les conversations et les confidences, les états d'âme et les jeux, elles trouvent toujours à faire. L'ennui se déjoue plus facilement dès lors qu'on s'y met à plusieurs.

Mais aujourd'hui il fait vraiment trop chaud pour rester dehors, surtout que dans cette grande cour il n'y a pas un arbre, pas de banc, il n'y a même plus les grandes rangées de palettes pour s'asseoir, à cette heure-là de l'après-midi l'ombre du mur est avare, il vaut mieux retourner à l'intérieur, au moins en ouvrant en grand les fenêtres, ça fait un semblant de courant d'air. Martine a gardé une forme de prédominance parce qu'elle était la chef d'équipe, sans jamais s'en prévaloir, elle lance l'idée du Scrabble, idée pas trop nouvelle, elles y jouent au moins trois fois par semaine, pourtant l'évocation d'une partie les enthousiasme presque.

Louise aime bien ce jeu-là. Ce qui est fascinant dans ce jeu, c'est le naturel avec lequel ça amène à se concentrer sur autre chose, à réquisitionner toute sa capacité de penser, à peine on commence la partie que l'enjeu existentiel, ça devient de combiner une poignée de lettres pour en sortir un mot. C'est magnifique, l'oubli dont ça enveloppe, et tout ce qu'on y investit de son ego, ça peut même aller jusqu'à la fierté en fonction du mot trouvé. Pendant la partie de Scrabble, Louise focalise toute sa concentration sur ces petits carrés écrus, d'autant que par orgueil on est radicalement pris par l'idée de bien faire, d'en remontrer aux autres, même si entre elles, la hiérarchie est établie depuis le temps, Gisèle est de loin la meilleure parce qu'elle lit beaucoup, elle leur trouve toujours un terme inédit que le dictionnaire valide. Louise aime bien cette ambiance mi-studieuse, mi-songeuse, ça lui laisse largement le temps de rêvasser, mais surtout ça lui offre la parfaite opportunité de lancer des mots pour une fois, des mots complètement détachés de son histoire, des mots qui n'ont rien à voir avec elle, ni avec tout ce qui lui passe réellement par la tête, des mots qui viennent pourtant d'elle, mais n'en révèlent rien, sinon ce vocabulaire tout de même qu'elle a, pour quelqu'un qui ne parle pas, oui, ça l'aide beaucoup ces mots qu'elle décoche comme des flèches dans le silence des autres, un simple mot sur lequel tout de suite les collègues se penchent, un mot qu'elles soupèsent de près, elles y mettent même une note à son mot, en plus de faire un petit commentaire ou un compliment, dans ces cas-là pour Louise chaque mot compte, chaque mot est précieux, parce que tous ces points accumulés dans sa colonne façonnent une présence, tous ces mots qu'elle leur lance, ils camouflent au mieux sa totale envie de se taire, une parodie de conversation, du coup on la trouve moins sauvage Louise, pas si lointaine que ça, absolument pas détachée, au contraire, elle devient très proche, très présente, dans ces moments-là du jeu la symbiose du groupe est totale, surtout quand elle laisse échapper un petit rire comme ça, parce que le mot est cocasse ou qu'il rapporte beaucoup, elle est attendrissante comme une gamine, Louise, la jeune femme avec ce chagrin sur le visage.

Il est hors de question d'amener une télévision dans la salle de pause, pas plus que de chercher à brancher celle de la salle de réunion sur une antenne quelconque, cet ancien téléviseur dont se servaient les commerciaux pour faire des démonstrations aux clients. Pourtant ce serait tentant de regarder des DVD, ou même n'importe quel feuilleton à la télé, là, assises dans les fauteuils larges, les pieds sur la table, de se plonger dans on ne sait quelle fiction, de faire canapé et d'aller à tour de rôle à la cuisine pour faire marcher la bouilloire ou la machine à café, ramener des gâteaux, varier les infusions. Mais c'est impossible, elles tiennent toutes, et pas seulement Gisèle, à ce qu'il reste un semblant de lucidité dans tout ça. Que ce soit un peu comme dans un vrai travail, et finir sa journée en ressentant la satisfaction d'avoir fait quelque chose, de l'avoir mérité. Leur paye, jusque-là, depuis deux mois on la leur verse, la même qu'avant, mais par moments ça fait naître pas mal d'états d'âme, d'être payé comme ça, à ne rien faire, du moins, à ne pas travailler. Pour peu qu'on y réfléchisse trop, ça devenait humiliant.

À l'automne ce n'est pas le froid qui chasse les hirondelles, c'est le manque d'insectes. C'est une constante du vivant, d'être convoqué par sa faim, et si les hirondelles reviennent avec les beaux jours, ce n'est pas pour honorer le printemps, c'est juste que là où elles étaient, à nouveau il n'y avait plus rien, disparues ces myriades d'insectes nés après les pluies.

La dernière fois que Franck était venu ici de son propre chef, c'était il y a dix ans. Il avait seulement appelé la veille pour demander s'il pouvait descendre. Sa mère au bout du fil, gommant toute surprise, avait juste répondu :

— Tu viens bien quand tu veux.

Ce fils qui ne donnait jamais de nouvelles, ce fils qui depuis des années faisait comme s'ils n'existaient plus, elle avait trouvé plutôt étrange qu'il ait soudain envie de les revoir comme ça, du jour au lendemain.

Une fois arrivé là-bas, après un accueil sans humeur ni malaise, la porte bien refermée parce que ce jour-là il faisait froid, sa mère avait préparé le café. Franck avait posé deux-trois questions au sujet de la ferme, sur leur santé à tous les deux, il leur avait demandé le nom du nouveau chien, celui qui l'avait reniflé en traversant la cour, mais après un long silence il avait rassemblé ce qu'il avait d'audace et de sincérité pour de but en blanc leur balancer sa requête : qu'ils lui fassent un genre d'avance sur cette terre qui un jour ou l'autre lui reviendrait, pourquoi attendre que le domaine soit vendu, puisque c'était maintenant qu'il avait besoin d'argent, de toute façon un jour ou l'autre il lui appartiendrait, ce domaine, après tout il était le seul descendant. Sur le coup son père n'avait pas répondu. Sa mère avait évacué la gêne en se concentrant sur l'eau chaude qu'elle versait sur des cuillerées de café soluble. Un long silence d'où plus personne n'avait su sortir. Le père soufflait méthodiquement sur son café avant chaque gorgée, sa paume épaisse lui permettait de ne pas se brûler en tenant son verre à pleine main, il avait pourtant vite fait de le boire, ce café bouillant. Puis il s'était frotté le visage pour évacuer la fatigue, là-dessus il s'était levé et avait demandé à son fils de le suivre dehors, c'était en novembre, il faisait froid, la pluie n'en finissait pas de tomber, dehors c'était bien le dernier endroit pour se parler. De là le père s'était pourtant mis à marcher en direction des terres hautes, comme s'il s'agissait d'être à l'écart, seul à seul pour se lier par une confidence ou un secret. Une fois entré dans les champs Franck avait du mal à le suivre, il continuait pourtant d'avancer sans se retourner, avec ses bottes il traçait sans problème dans les labours trempés jusqu'au beau milieu de la parcelle, Franck était à plus de cent mètres derrière lui, instable avec ses baskets blanches, se salissant de partout, gueulant au père que ça ne servait à rien de s'éloigner ainsi, et là, au beau milieu de ce grand nulle part, le père s'était arrêté, il avait attendu que son fils soit à sa hauteur et plongé les mains au sol pour en remonter deux pleines poignées de terre, deux pleines mains d'une terre humide et lourde qu'il avait tendues à Franck, tiens vas-y, prends-la, sers-toi. Comme Franck ne réagissait pas, son père lui avait fourré la terre dans les poches, mais vas-y, prends, te gêne pas, vingt hectares, c'est ta part. Le père s'était baissé à nouveau pour regarnir le manteau du fils.

— Pourquoi attendre qu'on soit plus là, pourquoi attendre qu'on soit crevés ta mère et moi, cette terre tu vois bien qu'elle nous épuise, que mes bras bientôt ne vaudront plus rien, alors vas-y tant qu'on est en vie, surtout celle-là, c'est la meilleure, sers-toi.

Du coup Franck ne bougeait plus, il regardait son caban maculé de boue haineuse, sans y croire. Le père s'était relevé tout en gardant une dernière motte dans la main, il avait un temps regardé son fils droit dans les yeux avec l'idée de la lui caler dans la bouche, de faire taire ce sourire qui ne venait pas, cette incompréhension totale, mais il ne l'avait pas fait.

Depuis ce jour-là, ils ne s'étaient plus reparlé. Franck était parti le soir même, il avait attendu le dernier car le long de la départementale, à pied sous la pluie. En remontant à Paris, il s'était juré de ne plus les revoir, de ne plus y foutre les pieds, dans ce trou, tout ce qu'on se dit pour se convaincre qu'on a raison, qu'on est comme neuf, même si on se blesse à penser ça, sans se douter qu'à la longue ça fait un mal fou d'en vouloir aux autres.

Par la fenêtre, la vue sur les champs derrière était métamorphosée. On ne voyait plus ces sillons tendus qui ouvraient le panorama jusqu'au vallon des Chambrières, on ne voyait même plus les Roches hautes, maintenant c'était un maquis d'arbustes et d'herbes folles, des terres veuves ne servant même plus de pâture, les broussailles bouffaient tout, la nature reprenait le dessus. Par le volet entrebâillé de sa chambre, Franck filmait cette verdure cramée en pleine lumière, il eut intuitivement ce réflexe, la sensation du gâchis, quelle folie de ne pas les louer ces terres, de ne pas y mettre au moins des brebis, signe qu'un instinct en lui subsistait. Il se doutait bien que si le père les laissait à l'abandon, c'était pour ne pas les vendre à ceux d'en haut. En cas de vente, la Safer ne lui laisserait pas le choix, les Berthier seraient prioritaires, et cette idée devait le rendre fou, céder sa terre à ces types-là, se retrouver cerné, enclavé à vie dans leur territoire, ce serait pire qu'une humiliation.

La chaleur était un peu retombée, les chants d'oiseaux s'emmêlaient dans une partition solaire, ça gazouillait dans tous les sens, Franck ne saurait plus dire le nom des oiseaux, hirondelles ou martinets, mésanges, les tourterelles en revanche il était sûr de les reconnaître. Sur la droite, son père était déjà occupé dans le jardin, il raccommodait les filets anti-oiseaux qui recouvraient les arbustes, des grands filets en maille qui enveloppaient les fruitiers, avant c'était la mère ou les mômes qui s'occupaient de ça, qui reprisaient les trous que faisaient les geais, des becs solides qui ne craignent pas de s'attaquer au nylon. Franck zoomait sur le père, du coup il voyait très bien son visage, là pile dans son viseur il le voyait bien, cette expression cadenassée, cette tête de mule, comme on disait. D'avance il le savait, ils n'arriveraient jamais à se reparler.

À bien le regarder, le père était moins impressionnant, il avait minci, les cent kilos n'y étaient plus, ou ce n'étaient plus les mêmes, ses gestes étaient moins vifs, ses attitudes moins décisives. Le père, avant c'était une force de la nature, un homme qui se levait tôt et durait plus longtemps que le soleil, son père c'était ce qu'il y avait de plus solide sur terre, bien plus solide que ces arbres qu'il abattait, plus solide que ces pierres qui se fendent dans le gel, l'hiver le père ne prenait jamais froid, et le père, l'été, même s'il passait toute une journée en plein cagnard, sous la chaleur, il ne bronchait pas, le père il ne craignait pas plus le chaud que le froid, il était de ces hommes conçus pour le dehors, solide comme un chêne.

Même si l'exploitation ne tournait plus, il devait passer son temps à l'extérieur. Son idée de la vie était simple, il y a toujours à faire, ça n'a pas de sens de s'arrêter, se poser c'est se perdre, perdre bien plus que son temps. Quelles que soient l'heure ou la saison, il ne restait jamais à la maison, sinon pour manger et dormir, et même s'il n'y avait plus ni bêtes ni cultures, il devait continuer de s'occuper sans cesse.

Dans certaines attitudes, on retrouvait cette allure de l'homme au dos bien droit, les reins dans l'axe de la nuque, de loin ça dessinait cette silhouette reconnaissable entre toutes, seulement maintenant dès qu'il bougeait il y avait cette claudication qui faussait tout. Il boitait franchement. D'avoir du mal à marcher, pour lui c'était bien plus qu'une gêne, un déclassement, l'amorce d'une fin, dans sa façon de voir, il en allait d'un homme comme d'un cheval, dès que la bête avait du mal à marcher elle était foutue. Pour caler les filets au sol, il devait faire rouler une bûche du bout de sa canne, il la faisait rouler depuis le fond du jardin jusqu'aux arbustes, ça prenait un temps fou mais il y arrivait, il la guidait comme s'il s'agissait d'une couleuvre qui lui tenait tête, une couleuvre inerte, ça disait ce pouvoir qu'il avait perdu sur les choses.

Le père à l'origine ce n'était qu'un journalier, c'était la mère qui avait hérité du domaine. Quand ils s'étaient mariés, le père n'avait pas de terres, pas de bêtes, ses parents vivaient dans une simple maison de deux pièces, tombée en ruine depuis longtemps. À naître dans une maison de paysans, on comprend vite que la seule vraie place, c'est dehors. Entre quatre murs il avait toujours l'air gauche, sorti de son élément, le journal l'occupait un temps sur un bout de table, il regardait tout ça de loin.

Le retour de son fils ne l'avait pas chamboulé. Au bout du compte, ils ne s'étaient même pas dit bonjour, déjà le père était passé à autre chose, la priorité absolue c'était que les pieds de cassis et les groseilles soient bien protégés des oiseaux.

Franck aurait dû se sentir blessé par cette apparente indifférence, d'un certain point de vue c'était blessant. Il pouvait aussi y voir le contraire, ce détachement, c'était peut-être une manière de montrer qu'il n'y avait rien d'extraordinaire à ce qu'il soit revenu, ça disait peut-être le caractère tout à fait naturel de la situation, ce n'était en rien des retrouvailles, après tout Franck était ici chez lui, à quoi bon tout compliquer avec des mots.

Le soleil était encore haut mais le père ne portait pas de chapeau, rien qui protège. Franck le filmait en pleine lumière. Le père se baissa pour caler les filets avec la bûche, la douleur le saisit, cruelle d'un coup, il se redressa lentement tout en maintenant une main au sol.

Un jeune chien n'arrêtait pas de jouer autour de lui, un épagneul au poil bien clair, il courait large dans le pré et revenait sans cesse, cherchant le regard du maître dans l'attente d'une instruction, mais puisque le père ne lui prêtait pas attention, le chien jappait et repartait comme un fou, ivre de sa propre course.

En voyant son père avec ce tout jeune épagneul, Franck repensa à ce que disait le grand-père, que les chiens on les aimait en leur supposant une longévité, chaque fois qu'un chien mourait on en prenait un nouveau, jusqu'au jour où vient le chien ultime, celui dont on sait qu'il nous survivra, que celui-là à coup sûr vivra plus loin que soi. Ce chien-là du coup on ne le regarde plus de la même façon que les autres, on en devient presque envieux, on passe son temps à déjouer cette idée de la peine qu'on lui fera en partant avant lui. Il y a cinq chiens dans la vie d'un homme.

Le père avait sûrement fait ce calcul en allant chercher ce chiot chez l'éleveur, ce chien infatigable qui n'en finissait pas de tracer des cercles, à coup sûr ce jour-là il avait dû se dire que ce serait le dernier, que cette force de vie un jour continuerait sans lui.

Franck avait un mal fou à quitter sa chambre, se résoudre à ne pas s'y retrancher, il s'y sentait bizarrement arrêté, avec ce décor prêt à le reconquérir, comme s'il suffisait d'un simple effort de mémoire pour mobiliser des ribambelles de souvenirs.

Que ce soit devenu la chambre d'un autre faussait le jeu, ça voulait dire que ces murs, toutes ces séquences de jeunesse vécues, toute cette mémoire s'étaient parfaitement passés de lui, son enfance n'avait plus rien à lui dire. Ces décors, maintenant, c'étaient ceux d'un autre, à moins qu'il n'ait définitivement plus l'âge de se reconnaître dans ses souvenirs d'enfant.

Elles aimeraient bien savoir ce que Louise va en faire, de ces six jours de congé, est-ce qu'elle va rester chez elle, est-ce qu'elle va partir ? Elles lui posent la question, bien sûr, mais Louise répond juste qu'elle va prendre l'air, rien de plus.

— J'ai compris, c'est que tu vas à la mer...

— T'as rencontré quelqu'un, c'est ça ?

Elles s'en amusent de ce mystère que Louise entretient, au sujet de ses six jours, ça leur permet de supposer.

— Alors, il est comment le prince charmant ?

Qu'elles pensent qu'elle ait rencontré quelqu'un, ça ne la fait pas rire, ça lui fait presque mal.

Par moments, Louise est sur le point de se confier, de tout leur dire, de livrer ses secrets tout frêles, leur parler de cet enfant, parler aussi de ses anciens beaux-parents, et d'Alexandre, de cette vie d'avant. Elles sont toutes tellement bienveillantes avec elle, parfois Louise s'en veut de ne pas jouer le jeu.

Seulement il n'y a pas que la pudeur au moment de se confier, il y a surtout la certitude de ne pas être comprise, elle porte ça en elle comme une évidence, elle ne cherche pas à cultiver le mystère, au contraire, elle en est prisonnière. Elle ne s'estime pas supérieure ou indéchiffrable, c'est juste qu'elle ne sait pas s'y prendre, et pas seulement avec les autres, avec elle-même non plus. Du coup elle se sent parfois un peu coupable de leur cacher tout ça, et en même temps, elle ne voudrait pas courir le risque qu'on la plaigne encore une fois, d'exister une fois de plus dans le regard des autres sous l'angle de la compassion, et que chacune y aille de sa suggestion, qu'elles cherchent à la couver.

Pourtant, c'est déjà un peu ce qui se passe, elles sont un peu comme des grandes sœurs pour elle. De fait, elles sont liées.

Autour de boissons fraîches, pour changer de sujet les filles se remettent à parler de stratégie. L'approche de la fin du mois décuple toujours l'appréhension, la peur que le chèque ne tombe pas. Louise ne participe pas à ces conversations autour de leurs droits, ces prétendues manœuvres ou revendications, simplement elle écoute, elle laisse faire. Souvent leur vient cette expression, de dire qu'elles sont toutes dans le même sac, ce qui montre bien à quel point elles sont proches. À elles six, elles sont tout ce qui reste de l'humanité dans ces murs, *l'unité de fabrication*, la dernière unité pour reprendre le vocabulaire de l'avocate, comme si on parlait de bataillon, comme s'il y avait quelque chose de l'ordre du dispositif militaire, de la manœuvre désespérée, du régiment perdu dans un désert, parfois elles voient un peu les choses comme ça, elles se vivent comme retranchées derrière une ligne abstraite à essayer de contenir l'ennemi, à déjouer la peur surtout, la peur de tout perdre, de finir comme les autres tombés avant elles, à commencer par les intérimaires, puis la flotte des commerciaux, la flotte entière, ils étaient tous tombés, basculés en préretraite ou éliminés.

Depuis six mois le miracle est entretenu par les engagements du député-maire, avec le mirage de cette fameuse commande pour le compte d'un fabricant de portes de barrières automatisées. Des séries de lots qui ont d'abord été prévus pour février, puis repoussés en mars, puis en juin, pas moins de 100 000 télécommandes de toutes sortes. Les jours passant, elles se sont dit que la fabuleuse commande, ce serait pour l'été, ou juste avant les élections, elles s'y préparent, quitte même à sacrifier un peu de leurs vacances, quitte à ne pas en prendre, c'est plus prudent de rester là, au cas où. Seulement l'été maintenant, elles sont en plein dedans, un été abasourdi de chaleur, et maintenant que les élections sont passées, que le député-maire a été réélu, du côté de la mairie on ne sait plus.

Du coup elles n'osent pas poser un jour de congé, par peur qu'on le leur reproche, et par superstition sans doute, comme si le fait de ne pas venir, d'être absentes ne serait-ce qu'un jour, devait par le jeu d'on ne sait quelle instance surnaturelle les punir. Pour Louise, elles en ont parlé entre elles, Louise ce n'est pas pareil, Louise elle a besoin de faire un break, ça se voit. Et même si elle fait mystère de là où elle va, que visiblement ça lui coûte de le leur dire, par camaraderie elles n'insistent pas. Elles supposent bien qu'il y a un homme là-dessous, un homme de loin, mais certainement pas un enfant. D'ailleurs elles en sont presque à souhaiter qu'il y ait un homme, histoire que Louise ne se retrouve pas seule au cas où ici ça tournerait mal.

Ce fut toute une histoire de se mettre d'accord sur le lit, et de décider en fin de compte dans quelle chambre il s'installerait. À travers ces négociations Franck retrouvait chez sa mère cette forme d'intransigeance qui aurait pu passer pour de la mauvaise volonté. Sous cette discussion âpre, cette difficulté étonnante à trouver un terrain d'entente, affleurait déjà le remords d'être venu, de devoir se replonger dans tout ça, Franck touchait du doigt ce qui le tenait à distance de ses parents depuis tant de temps, à quel point il faisait bien de ne plus les voir ni les appeler, il n'y avait rien à regretter, la lointaine évidence remontait en lui, ils n'avaient rien en commun.

— Et là, devine, c'est quoi comme animal ?

Pour la dixième fois Alexandre lui faisait le coup de mimer grossièrement une bête quelconque. Ce môme, mine de rien il détendait l'atmosphère, avec ses gestuelles comiques il récupérait chaque fois l'attention, des singeries cocasses qui attendrissaient la mère en même temps qu'elles l'exaspéraient. L'enfant

141

lançait des propos bizarres, des questions comme des fléchettes dont on s'étonnait de l'impact, il intervenait dans ce mélange de tergiversations et de reproches, il se mêla même au débat et décida de la chambre où coucherait Franck. Lui ce qu'il voulait, après tout il était chez lui, c'était laisser sa chambre à Franck, il la lui prêtait, d'autant que ça lui fournissait le prétexte d'aller lui-même s'installer dans la chambre bleue, celle où coucherait sa mère cette nuit en arrivant, c'était toujours là qu'elle dormait quand elle venait, comme ça elle le rejoindrait directement dans le lit, et cette idée le ravissait. Mais là bizarrement la mère ne voulait pas.

— Tu crois pas que t'as passé l'âge de dormir avec ta maman ?

— Mais laisse-le faire, tu vois bien que ça lui fait plaisir, il n'attend que ça. Et du coup, moi je retrouve ma chambre, et tout le monde est content.

— Écoute Franck, si tu veux dormir là, eh bien vas-y, mais je te préviens ce sera dans ce lit.

— Comment veux-tu que je rentre dans ce lit bateau ?

— T'imagines le bazar que ce serait de te redescendre un grand lit du grenier et de remonter celui-là à la place, tout ça pour que tu dormes une nuit... De toute façon tout est rouillé là-haut, depuis le temps tout est rouillé.

Franck tâta piteusement le petit lit, jamais il n'arriverait à caser ses jambes, même en se repliant au maximum ce n'était pas jouable, il percevait une mauvaise volonté révoltante dans l'attitude de sa mère, avant de se raviser, s'efforçant de considérer qu'elle avait peut-être raison. Après dix ans sans s'être parlé, voilà qu'à nouveau ça virait au conflictuel. Dans son idée du retour, il se serait plutôt vu dans la position de celui qui s'excuse, le déboussolé qui vient chercher auprès des siens un peu de compassion, ce genre d'empathie qui vient d'elle-même et se passe d'explication. Sans se l'avouer il y avait cru. Mais là, il se sentait coincé, il était dans cette maison depuis moins de deux heures et déjà il avait l'envie de repartir, de prendre l'air, de souffler.

Le môme profita de ce flottement pour chiper la caméra que Franck avait rangée dans son sac. Poussant cette facétie extravagante il se débina avec, mettant au défi qu'on le rattrape, tout en étant persuadé que ça filmait.

— Non, s'il te plaît pose ça, déconne pas, c'est pas un jouet.

Franck craignait vraiment pour sa DV, il essaya de rattraper le môme mais il fila vite, il s'engouffra sous la moustiquaire, disparut pour réapparaître là, du coup ça fit rire la mère, elle riait tellement qu'elle n'en arrivait plus à parler, sans conviction elle tenta de reprendre un peu d'autorité pour dire au petit de reposer ça, alors qu'en fait, ça l'amusait.

— Alexandre, veux-tu !

De voir le môme qui sautillait dans ces vieux décors, d'entendre l'éclat de son amusement total, cette vie que ça donnait, Franck ressentit ce fossé que cela créait entre lui et ses parents, de ne pas avoir d'enfant, un manque quasiment mécanique, une faille entre deux générations, à cause de lui la chaîne avait été rompue. Ne pas avoir d'enfant, c'était se condamner à rester l'enfant de ses parents. Passé quarante ans, si l'on n'a toujours pas de môme, il est sans doute impossible de s'émanciper de sa propre jeunesse, de s'en dégager définitivement, de devenir autre chose pour ses parents que leur enfant. Il faut sans doute attendre de dépasser quarante-cinq, voire cinquante ans pour que tout se dénoue, il doit y avoir un moment où l'on cesse d'être l'enfant de ses parents pour les rejoindre dans une forme de communauté d'âge plus équivalente, un moment où l'on perd de cette fraîcheur terrible qui distingue de ses géniteurs, on en vient presque d'égal à égal.

Une faille de ce genre, chez les sangliers ça ne se pourrait pas, ou même chez les hirondelles, chez les renards, ou les merles, et les épagneuls aussi bien. Une forme de nécessité de la nature procède de la pérennité de l'espèce, sortir de ce schéma, c'est interrompre la chaîne, les enfants c'est le tribut offert à la génération d'avant, ils font d'eux des grands-parents, et les petits-enfants, ça relance leur vie d'un mobile vital.

Alexandre était sorti et s'échappait vers les granges avec la caméra. Franck commença à lui courir après, la mère lui emboîta le pas, ordonnant au petit de s'arrêter, mais il n'écoutait rien. Quand il fila vers le vieux hangar ils durent s'y mettre à deux pour essayer de le coincer, Alexandre se faufila sous une ancienne remorque avant d'en ressortir par-devant, ils s'essoufflaient à ce petit jeu alors que le petit courait toujours, il se planqua sous la vieille huche à pommes de terre, hors d'atteinte des grands, à moins de se baisser vraiment, de se contorsionner pour le cueillir.

Franck regarda sa mère qui reprenait son souffle, elle ne tenta même pas de se baisser, elle ne le pouvait pas. Lui aussi hésitait à se lancer là-dessous. Il prit alors conscience de cette forme de communauté d'âge justement, qui fait qu'on en devient presque à égalité.

— On va attendre, dit la mère, il va bien finir par ressortir, t'en fais pas. T'as plus la souplesse pour te glisser là-dessous.

Piqué au vif, Franck s'allongea de toute sa longueur sur ce sol de terre battue, oubliant qu'il avait un tee-shirt blanc, il engagea sa tête sous cette antiquité de meuble, là-dessous il découvrit le visage réjoui de l'enfant qui le visait de sa caméra, à sa stupéfaction Franck découvrit que le bouton rouge de la touche « record » était allumé, ce môme le filmait, il avait trouvé le truc pour l'allumer, le comble c'était qu'il le filmait dans cette grimace impro-bable qu'on fait quand on se tord pour se glisser sous un meuble, face contre terre, tout en essayant de glisser son bras là-dessous. Franck força jusqu'à attraper la cheville de l'enfant, à coup sûr le môme avait filmé une des images les plus insolites et les plus défigurées qu'on ait jamais vue de lui.

Franck pêcha Alexandre qui se bidonnait tout en le filmant toujours, il le ramena à l'air libre, et il récupéra sa caméra avec un soulagement démesuré. Il pressa le bouton « off ».

— Moi je serais toi, je la planquerais cette caméra, sinon t'en as pas fini, il ne va pas arrêter de te la chiper.

Une fois la journée terminée, Louise repasse chez elle pour prendre sa valise, mais avant de se lancer sur la route, elle tient à acheter un parasol. Aux Bertranges, l'idée de s'asseoir sous ce genre d'ustensile relève de l'incongru, jamais les beaux-parents n'auraient ce genre de fantaisie. Pour faire de l'ombre il y a des arbres, et une fois qu'on est dehors ce n'est pas pour rester assis sous les arbres. C'est leur façon de voir. Louise se doute bien que cela leur fera moyennement plaisir qu'elle ramène un grand machin jaune comme ça, mais cette fois, elle a plus que tout envie d'aller se poser au bord de la rivière, de s'immerger dans cette nature qui lui manque tellement, comme le ferait cette citadine qu'elle est devenue.

Dans la zone commerciale, elle s'arrête au Carrefour avant de s'engager sur la trois voies qui mène à l'autoroute, elle cherche une place sur le parking bondé à cette heure, du coup elle est obligée de se garer loin. Une fois à l'intérieur elle choisit un des modèles de parasols jaunes exposés à l'entrée, un qui a l'air solide, elle manque de s'énerver parce qu'elle doit faire la queue au milieu de ces familles aux caddies bien remplis, il y a un monde fou, dix-neuf heures c'est pile le moment où tout le monde fait ses courses, les gens qui travaillent comme les juillettistes qui sont en vacances. Elle ressort de là-dedans avec un réel soulagement, seulement, en marchant sur le parking, elle le voit là-bas avec sa moto, il s'est arrêté juste en face de la Golf, de toute évidence il l'attend.

Ce soir, vraiment elle n'a pas envie de ça. Ce soir, elle n'a aucune envie de se confronter à ce type, pour se laisser contaminer par sa dérive. Quand il voit Louise qui revient vers sa voiture avec un grand parasol jaune dans les bras, il lui demande sèchement :

— Tu vas à la mer ?

— Fiche-moi la paix.

— Eh ben, tu peux me le dire, tu vas où ?

En faisant mine de rien, Louise ouvre le coffre arrière pour installer le parasol, il est tellement grand qu'elle a du mal à le faire rentrer.

— Tu veux que je t'aide ?

— Bon sang, laisse-moi tranquille.

— Mais tu vas où ?

— Fous-moi la paix !

Au beau milieu du parking, elle fait l'effort de ne pas laisser monter la colère, seulement il s'est adossé contre la portière de la Golf, il l'empêche de rentrer. Là ce soir, à nouveau elle sent bien qu'il est sur le point de jouer de sa force, déjà il est costaud, mais avec son blouson et son casque sa présence prend encore plus d'impact. Il a laissé tourner le moteur de sa moto, plein phares alors qu'il fait jour, comme

148

s'il affirmait quelque chose de sa puissance. Là ce soir, une fois de plus il lui fait peur, mais elle ne veut rien en montrer.

Pour s'en défaire elle lui dit qu'elle est en retard, que cette fois elle part, loin, qu'elle ne reviendra pas, que plus jamais on ne la reverra par ici, cette fois c'est bon, elle disparaît, il a gagné...

— Mais dis-moi juste où tu vas !
— Ça ne te regarde pas.
— T'as rencontré quelqu'un, c'est ça ?
— J'ai besoin de personne.

Il est habitué à cette résistance qu'elle lui oppose, seulement là ce soir, ce qui le rend fou c'est de voir tous ces sacs sur le siège arrière, tous ces paquets avec des emballages cadeaux, autant d'indices qui disent qu'elle va sûrement rejoindre quelqu'un. Alors il veut savoir, s'il y a un autre homme, si elle a rencontré quelqu'un, voilà des années qu'ils n'ont plus couché ensemble, seulement ça reste pour lui une hantise, une obsession, qu'elle rencontre quelqu'un.

Louise ne l'avait jamais vu comme ça, il devait avoir bu, elle le sentait.

— Vas-y, c'est qui ? Dis-moi !

Là-dessus il lui prend fermement le bras pour l'attirer à lui, puis se ressaisit tout de suite, fait juste un pas de côté, essayant de se reprendre.

— Je le saurai de toute façon, je le saurai.

Chaque fois qu'il tombe sur elle, c'est la même histoire, sans forcément qu'il la suive, fatalement ils se croisent. Qu'il force ou non le hasard, régulièrement il apparaît au détour d'une rue ou sur un parking, comme ce soir.

En revanche il n'ose plus passer directement chez elle, depuis la main courante il ne va plus vers les immeubles.

C'est tout le paradoxe de l'attirance, plus Louise se fait lointaine, et plus il a envie de la revoir. Dès qu'il en a fini avec une autre, il revient vers Louise. Encore une fois il veut tout reprendre depuis le début, alors qu'il n'y en a même pas eu, de début.

Louise se redresse, elle abandonne l'attitude de baisser la tête pour susciter la clémence, et elle lui oppose un regard froid, en lame. Elle le pousse pour le dégager de devant sa portière.

— Laisse-moi partir, laisse-moi partir.

Mais il ne veut pas, il a quelque chose à lui dire, il la reprend par le bras puis il serre, il tient la prise, ne voyant pas bien de quelle façon prolonger son geste, il regrette déjà sa violence, mais c'est trop tard, du coup il serre plus fort, alors elle se dégage fermement, jusqu'à se blesser avec ses clés, sous le coup de la douleur elle crie et elle s'engouffre dans sa voiture, sans un regard. Il se plante devant la voiture pour l'empêcher d'avancer. Tout autour il y a d'autres voitures garées, derrière comme sur les côtés, Louise ne peut pas se dégager, il reste planté devant la Golf, les deux mains sur le capot, comme s'il la mettait au défi de rouler. Avec son casque il a quelque chose de terrorisant, comme un robot. Elle met le contact, elle n'ose plus bouger, elle sent le sang-froid qui la déserte, elle passe la vitesse, prête à se dégager.

— Eh idiot ! T'en veux, du chocolat ?

— Alexandre ! Veux-tu bien ne pas l'appeler comme ça, il a un prénom.

Sa mère réprimandait le petit comme s'il venait de s'en prendre à un invité de passage, comme si Franck n'était qu'un visiteur, un intrus.

— Non, laisse-le faire, ça ne me gêne pas.

Franck tempérait l'intransigeance de sa mère, en même temps, de se faire appeler idiot par un parasite qui squattait sa chambre, un mioche qui venait de lui rayer sa caméra, ce n'était pas ce qu'il y avait de plus exaltant comme idée du retour. Face à un enfant qui joue trop vite la connivence, qui se montre d'emblée familier, on ne sait jamais vraiment à quelle distance se tenir. Franck sentait qu'il devait garder sa réserve, ne pas trop marcher dans le jeu de la complicité, ne pas afficher une attitude trop sympa.

— Tu ferais bien de ne pas te laisser faire tu sais, sinon il aura vite fait de te manger la laine sur le dos.

Franck avait oublié jusqu'à l'existence même de cette expression-là, « te manger la laine sur le dos », sa mère l'employait souvent cette image, comme si ce devait être chez elle une angoisse existentielle, qu'on abuse.

— T'en fais pas mamie, lui c'est ton fils, je vais pas l'embêter ton fils. Je l'aime bien ton fils !

Franck n'en revenait pas de ce mioche, de l'inédit total que ça générait d'avoir ce petit personnage dans les pattes. Déjà, à cause de lui, il n'avait plus sa caméra sous la main, il avait dû la planquer tout en haut des placards de la cuisine, une planque que jamais l'enfant n'atteindrait, il lui en voulait, à ce môme, de se sentir dépossédé de son objet fétiche, sa caméra il aimait la sentir toujours à portée de main, ça le rassurait.

Le môme lui faisait des grimaces indéchiffrables au-dessus de son bol. Franck avait noté que sa mère l'appelait Alexandre, elle arrivait à faire ça, à dire « Alexandre », lui en retour l'appelait mamie. Entre eux la complicité semblait profonde, il y avait même de ces automatismes comme on les retrouve entre une mère et son fils. Elle lui vissa une bise attendrie sur la joue, par espièglerie le môme la repoussa, ne se laissant pas faire, il regardait Franck comme s'il guettait une forme de coopération, en fait ce qu'il voulait c'était qu'on le laisse badigeonner sa tartine de Nutella.

— Regarde un peu ce que tu fais, t'en mets partout ! Veux-tu bien te tenir droit. Alexandre, s'il te plaît !

Franck assistait à ces scènes irréelles, comme s'il se retrouvait passager d'un vieux souvenir, assistant à son propre passé, il flottait dans un pur anachronisme en revivant le climat des gamineries d'avant, quand cette même mère parlait à son frère sur ce même ton, comme si la voix, les intonations, les tics de langage, tout ce dispositif de petite autorité domestique n'avait pas changé. Dès que sa mère tournait le dos pour continuer de préparer la pâte feuilletée pour une tarte, le môme lui faisait des grandes mimiques et des singeries, il cherchait le regard de Franck pour l'attirer dans son jeu. Franck n'arrivait pas à dire « Alexandre », « Alexandre », ça ne venait pas. Visiblement ses parents n'avaient pas ce problème, pourtant un surnom, ça aurait pu être la parade, l'astuce pour contourner la confusion.

Avant de se décider à venir, Franck avait tenté de se représenter le moment où il se retrouverait dans cette cuisine, ce qu'il leur dirait une fois assis à cette table. De toute évidence il s'attendait à une tout autre ambiance, lourde, une gêne, un mélange de scrupules et d'hésitations, au lieu de quoi il se retrouvait planté face à un spectre qui prenait toute la place, qui trempait ses tartines et ses Choco BN dégoulinants de Nutella dans un bol avec des Mickeys, un grand bol jaune qui sentait bon le chocolat chaud, il avait l'air de se régaler, exagérant toute une pantomime de satisfaction.

— En fait, je crois que je vais m'en faire un, moi aussi.

Franck se leva pour prendre un bol mais déjà le môme sautait de sa chaise, sa chaise qu'il glissa jusque sous le placard pour attraper un de ses bols à lui, un bol d'enfant avec des oreilles et des motifs de bandes dessinées. Pour ce qui est de préparer le chocolat avec du lait de ferme et du vrai cacao, sa mère dit à Franck de ne pas bouger, à nouveau elle reprenait ce pli de tout faire elle-même, c'était moins l'effet d'une pure bonté qu'une manière d'être sûre que les choses soient faites à sa façon, très précisément comme elle le voulait.

Deux minutes plus tard Franck se retrouva dans la même position que ce môme assis en face de lui, devant un bol bleu avec des héros de bandes dessinées qu'il ne connaissait même pas. Alexandre lui servit les corn flakes en attendant que le chocolat soit prêt, finalement tout lui faisait envie, déjà il se sentait influencé par la personnalité de cet être dont il ignorait l'existence il y avait encore une heure de cela, alors que le petit à l'inverse semblait le connaître et le deviner depuis toujours. Franck se retrouva à grignoter des gâteaux face à un pitre à la spontanéité troublante, il répondait à ses grimaces par des sourires maladroits, le petit modulait le jeu avec des attentions surprenantes, lui tendant son paquet de gâteaux, déballant un Babybel avant de le lui offrir dans un sourire rayonnant.

Franck avait beau se laisser aller à l'insolite de la situation, il n'empêche qu'une fois de plus il se retrouvait piégé en plein non-dit. Depuis une heure il côtoyait cet Alexandre improbable, et il n'arrivait toujours pas à poser la question de savoir ce que ce môme faisait là. Ils ne s'en étaient pas dit un mot. Comme s'il allait de soi qu'il devinerait. Alors, ne serait-ce que pour briser les habitudes, que les choses soient dites pour une fois, Franck voulut mettre les pieds dans le plat et affirmer quelque chose de lui-même, il posa frontalement la question :

— Mais c'est le fils de Louise, c'est ça ?

— Ben oui, pourquoi tu ne me le demandes pas à moi ?

La mère, sans se retourner, lâcha un petit soupir amusé, elle continuait de malaxer une pâte feuilletée sur le plan de travail près de l'évier.

— Sa mère, eh bien tu vois je lui prépare une tarte au citron, à sa mère. Comme ça, elle en aura demain matin pour son petit déjeuner. Mais c'est pour elle, faudra pas y toucher ce soir !

Là-dessus elle se retourna, et lança aux deux attablés un regard faussement sévère et dit sur un ton d'autorité aussi ferme qu'affectueux :

— Vous n'y toucherez pas, c'est promis ?

Franck, sans décoller le nez de son bol, essayait de se convaincre en se répétant pour lui-même « non, je ne rêve pas ».

Vraiment elle ne sait plus quoi faire, plus quoi dire, elle a envie de partir, de faire comme si cette situation n'existait pas, seulement il ne bouge pas, elle fait mine d'accélérer en poussant les régimes, mais il ne bouge pas, ce soir elle sent bien qu'il est fou, ce soir il serait même capable de la suivre sur trois cents kilomètres, ce serait un drame s'il la suivait jusque là-bas, une pure folie. En même temps elle s'en veut de lui faire du mal, au fond elle s'en veut, ça lui coûte de le voir se mettre dans des états pareils. Chaque fois elle croit bien que ce sera la dernière, qu'il finira par comprendre, qu'il finira par tomber follement amoureux d'une autre, puisqu'il est beau, et qu'il y a la moto, les blousons, et le reste, mais non, c'est elle qu'il veut, et ça, elle ne le comprend pas, qu'un homme puisse à ce point s'obstiner, la vouloir, ça dit bien que ce type-là n'est absolument pas lucide en tout cas.

Autour d'eux les gens passent, devinant plus ou moins la situation, c'est toujours délicat. Ils doivent croire à une histoire de couple, deux amoureux qui se déchirent, prêts à foutre en l'air une belle soirée d'été, prêts à tout gâcher. Et c'est comme ça qu'on en vient à se répandre à la face du monde, qu'on se livre en spectacle, en pleine rue. Sept heures du soir, c'est l'heure où l'avenir est immédiat, à sept heures du soir si l'on n'y voit pas bien clair au-dedans de soi on risque de tout rater, le dîner, la soirée, la nuit, la journée du lendemain, un couple en crise une soirée d'été, c'est la plus rude façon qu'a le jour de tomber. Autour d'eux des gens sortent du Carrefour avec des caddies, un à un les coffres s'approvisionnent, les familles se regroupent autour de la voiture, les moteurs redémarrent, ils rejoignent tous le cours des choses. Eux deux restent statiques au milieu de ça, piégés dans leur propre silence, ça jure. Certains passants les regardent d'un sale œil, d'autres n'osent pas, on a beau être voyeur, on ne regarde pas les plaies ouvertes quand on les a sous le nez. À un moment le réflexe lui revient, de baisser la tête, mais déjà elle se redresse, elle ne veut plus le voir, faire comme s'il n'existait pas, prête à lui rouler dessus. C'est sans issue. Alors elle se concentre sur sa colère et prend l'initiative de passer la vitesse, elle débraye d'un coup sec, il recule d'un bon mètre puis il se replante devant, les mains sur le capot à nouveau, alors elle débraye un peu plus cette fois, il recule à mesure qu'elle avance, elle a face à elle ce visage derrière son casque, visière baissée elle ne voit pas son regard, mais tout de même, devant tant de détermination, parfois elle en vient à se demander s'il n'a pas un peu senti, par une forme de prescience instinctive, quasi animale, qu'elle a un enfant de lui. Pour autant, ça ne fait pas de lui un père, pour autant il ne l'est pas, loin de là, il n'est rien, alors elle donne un grand coup de volant pour se dégager par la droite et renverse la moto qui tombe à terre dans un bruit déchirant, il n'en revient pas, il court un temps derrière la voiture en donnant des grands coups sur la vitre arrière et en hurlant :

— Je te retrouverai, je te jure que je te retrouverai, où que tu ailles je te retrouverai...

Maman, le mot ne venait pas. Franck était totalement incapable de dire maman, de le prononcer – « maman », il n'y arrivait plus, pas moyen de faire une phrase à partir de ce mot-là. Le pire c'est qu'il ne voyait pas comment l'appeler, sa mère, par son prénom sûrement pas, il ne l'avait jamais fait, jamais il n'avait appelé sa mère par son prénom, pas une seule fois il ne l'avait énoncé devant elle. Du coup il ne disait rien.

La mère tout en fouillant dans le frigo sortit la peluche glacée du congélateur. Franck la questionna :

— Pourquoi tu mets sa peluche là-dedans ?

L'enfant devança la mère :

— C'est pour tuer les microbes !

— Ah bon, parce que tout à l'heure quand je suis tombé dessus, ça m'a fait bizarre !

Franck se sentit coupable, en disant cela il avouait qu'il avait déjà fouillé partout. Il voulut s'en sortir en faisant de l'humour :

— En même temps, c'est plus prudent que de la mettre dans le four.

La mère ne riait pas, l'enfant en revanche trouvait ça drôle.

— Dans le four, mais il est bête ton fils !

La mère sortit pour suspendre la peluche au volet avec une pince à linge. Puis elle revint, silencieuse toujours. Cette peluche qu'il fallait aseptiser la renvoyait sans doute à cet inconvénient, cette peine intime de savoir le petit fragile.

Pour dissiper le malaise Franck avait besoin de sortir, de marcher, de faire une bonne virée à vélo, histoire de prendre l'air, de renouer avec les parages, de faire un parcours dans ces chemins connus par cœur, pour voir aussi où il en était physiquement. Il demanda à sa mère sans la moindre assurance, sans du tout trouver le ton juste, à mi-chemin entre le phrasé de l'adulte et celui de l'enfant qui redoute d'avance la réponse :

— Dis, il reste des vélos ?

— Pourquoi ?

— J'ai envie de faire un tour.

Pour le coup, c'est lui qui redevenait l'enfant, c'est lui qui se plaçait en position de demander la permission en tout.

— Oh ! oui, moi aussi, j'veux aller faire du vélo avec Franck, j'ai le mien !

— Non, Alexandre tu restes là, c'est plus l'heure d'aller faire du vélo.

Dans les intonations de la mère, Franck retrouvait ces phrases calquées sur celles d'avant, quand ils étaient gosses. Le petit n'en démordait pas :

— Viens, viens on y va.

— Moi je veux bien, petit.

— J'ai dit non !

Malgré lui, Franck se surprit à réendosser le rôle de l'aîné, celui qui oscille entre le sens des responsabilités et l'insouciance totale de l'enfance, il se retrouvait trente-cinq ans en arrière.

— Je m'en occupe, t'en fais pas, je vais le prendre avec moi, on restera sur les petits chemins. Dis-moi, les vélos, ils sont toujours dans la grange ?

— Quels vélos ?

— Je ne sais pas, il y en avait plein avant.

— Plus personne ne fait du vélo ici.

— Il doit bien rester celui d'Alexandre !

— Oui, moi je te prête le mien.

— Non, pas toi, et d'abord toi tu restes là je t'ai dit !

Plutôt que de les écouter, Alexandre était déjà parti vers la véranda pour en revenir avec son vélo d'enfant, le petit vélo rouge équipé de ses roulettes stabilisatrices.

— Tiens, j'te le prête.

Une fois de plus, Franck tenta d'appeler ce môme Alexandre, mais décidément il n'y arrivait pas.

— Gamin, tu vois bien que si je monte là-dessus je vais le casser.

— Si, prends-le, et moi je te suis derrière avec mon tracteur.

Du coup le petit enfourcha son tracteur à pédales, prêt à partir.

— Ça suffit, lança la mère, tu restes à la maison, on va bientôt se laver et préparer le repas, de toute façon y'a trop de poussière en ce moment pour que tu fasses du vélo.

— Mais moi je vais pas respirer les poussières, et puis je mets un mouchoir.

Tout en disant cela Alexandre sortit une petite serviette de table du tiroir et il tenta de se la nouer en foulard devant le visage.

— Arrête avec ça, c'est pas un foulard, mais qu'est-ce qu'il a ce soir, il n'écoute rien.

Franck le prit un peu pour lui, le vieux réflexe de se sentir visé. Du coup il sortit vers la grange et déjà il entendait le môme dans la cuisine qui se mettait à chialer.

Dans la grange il retrouva cette odeur de terre battue et de pomme fraîche. Le premier vélo qu'il trouva là ne devait pas avoir servi depuis trente ans, les chambres à air avaient fondu dans les pneus, les deux autres étaient à plat eux aussi. Vers le fond il y en avait un autre, plus vieux encore, celui du grand-père, rouillé peut-être, mais avec les roues quasi dures. Franck l'extirpa en renversant tout un tas de choses, il passa de l'huile sur le pédalier, haussa la selle. À ce moment-là le môme apparut devant la porte, avec son petit vélo à quatre roues, il soudoya Franck à l'amitié :

— Dis, tu me les enlèves ?

— Quoi ?

— Les roulettes.

Quand ils ressortirent de la grange, la mère les rappela depuis le pas de la porte de la maison et se dirigea vers eux.

— Dis, tu vas pas l'emmener sur la route quand même !

— T'en fais pas, on restera sur les chemins derrière, jusqu'aux noyers.

— Ben, il a enlevé ses roues lui ?

Franck ne réagit pas.

— C'est toi qui les lui as enlevées ?

— T'en fais pas, il va y arriver, t'en fais pas.

La mère s'approcha de Franck et lui glissa un spray de Ventoline dans la main, sans lui en dire plus.

— Fais attention à lui.

Ils s'élancèrent. Franck pila dans un grand grincement de frein, en réalisant qu'il n'avait pas pris sa caméra, mais à l'idée que le môme passe son temps à essayer de la lui piquer, il se dit que ça ne ferait que l'encombrer.

Le père revenait du jardin.

— Prends pas ce vélo, c'est le vieux !

— C'est pas grave, ça lui fera du bien de prendre l'air.

— Mais bon Dieu ! il y a les vôtres dans le cellier !

— Mais non, c'est parfait comme ça, ça va aller.

— C'est pas vrai, ne me dis pas que t'aurais pas pu foutre un coup de compresseur là-dedans, il est même pas gonflé !

— Mais si, c'est bon !

L'épagneul, excité par l'activité soudaine qu'il y avait là, courait après les vélos en essayant de les faire tomber, le môme déstabilisé par le chien fou le repoussait en hurlant, plus il le refoulait et plus le chien aboyait.

— Arrête, arrête !

— Rix, viens là !

Ils s'éloignèrent. Les parents les regardèrent partir, sans émotion. La mère retourna dans la cuisine et le père entra dans le cellier, il dégagea des vélos calés tout au fond, derrières des planches, et il mit le compresseur en marche, le bruit du moteur résonnait dans les vieux murs, depuis la cuisine le batteur à œufs tintait dans une casserole en inox, le chien aboyait en tournant en tout sens comme s'il attendait un ordre, il gueulait, il gueulait, tout ça parce que dans le fond, il avait envie de tracer avec les cyclistes, de filer loin vers les noyers, alors il gueula sur place avant de s'échapper, la cour retrouvait tous ses bruits, ce n'était plus la même cour, c'était une cour en vie.

Elle roule maintenant depuis une heure. Elle garde un œil sur le rétroviseur. Par moments elle se demande s'il est vraiment capable de faire ça, de la suivre. Dès que le phare d'une moto se profile derrière, elle se dit que cette fois c'est lui. Elle essaie d'envisager les moyens qu'il aurait d'espionner sa route, un GPS quelconque, elle éteint même son téléphone portable, sa griffure de clés dans la main lui fait mal, rétrospectivement elle revoit sa peur, elle a eu peur, peur autant d'elle que de lui.

Sur l'autoroute, il se tient peut-être très à distance, il la file comme dans les films, une fois la nuit tombée il serait capable de rouler sans phares pour ne pas qu'elle le repère, il était capable de tout, rouler à fond dans la nuit ils l'avaient déjà fait tous les deux, ça la saisit.

Elle s'arrête à la station-service comme le font les fugitifs pour voir s'ils sont suivis. De toute façon il faut de l'essence. En entrant dans cette boutique étonnamment grande, un vrai supermarché, Louise a envie d'une boisson fraîche, puis de barres chocolatées, et même d'un de ces sandwiches épais comme du coton, elle a envie de tout. Elle prend un plateau et s'installe à une table de la cafétéria. Elle ne peut s'empêcher de regarder dehors. Chaque fois qu'il a essayé de la faire parler de sa vie avant à la campagne, elle a toujours été évasive, n'a jamais donné la moindre indication géographique, elle essaie de se souvenir les rares moments où ils en ont parlé. Une fois en ressortant de la douche, elle a cru qu'il avait fouillé dans ses papiers, ce bazar sur la petite table. Il était peut-être tombé sur une des lettres des beaux-parents, ou une photo, un indice quelconque.

L'aire d'autoroute c'est le cadre parfait pour flotter entre deux séquences de son parcours. Elle a toujours un peu peur à l'idée de retourner à la ferme, de les revoir, de se remettre à parler. Parce qu'avec eux elle parle, ce n'est plus la même. Elle a accepté cela, d'être différente en fonction des personnes avec qui elle est, après tout, ne serait-ce que dans une journée on change en fonction des autres, c'est un peu comme des rôles. Là-bas en tout cas elle est tout autre, un peu comme avant, elle se glisse chaque fois dans le rôle de la belle-fille, en se préservant tout de même de l'illusion de revivre le passé, veillant à ne pas se laisser piéger par cette chimère-là.

Alexandre, elle est partagée entre l'envie de le voir, le devoir de s'en faire aimer, mais la peur aussi de s'en rapprocher. Il ne lui manque pas. Pourtant elle pense à lui. Elle aime le savoir là-bas, à sa place. Elle ne veut pas d'enfant, mais en revanche de leur avoir donné un petit-fils, c'est devenu plus important que tout, une forme d'indemnité, ce fils il sauve son histoire, il est la seule vraie réalisation de ce passé, sa seule donnée chanceuse.

Ça y est, cette fois il est lancé, il zigzague dans la lumière réverbérée des blés, comme ce jour d'un tout autre été, c'était la première fois qu'Alexandre réussissait à rouler pour de bon sur un vélo, il était parti devant son frère sur ce même chemin qui mène aux noyers de l'Eau-qui-Dort, Franck lui avait donné une bonne impulsion au moment de se lancer, et une fois bien en ligne on ne pouvait plus l'arrêter. Ça faisait des semaines que Franck essayait de faire prendre confiance à son frère, il lui jurait qu'il y arriverait, à rouler sans roulettes, comme un grand, qu'il n'avait plus besoin de ces béquilles ridicules, que les vélos à quatre roues c'était pour les mioches. Et là le petit filait devant lui, presque aussi vite que la première fois, il filait comme s'il voulait rattraper l'Alexandre d'avant, comme s'il s'était lui aussi lancé à la poursuite des chiens qui ce jour-là filaient droit devant eux, les chiens ivres et fous, avec cette frénésie crâne qui les prend chaque fois qu'ils savent ouvrir le chemin.

— Attendez, attendez, hurlait Alexandre en direction des chiens.

Aujourd'hui, des chiens il n'y en avait plus qu'un.

— Attends-moi, attends-moi criait Franck à Alexandre, ne va pas si vite, Alexandre, attends, arrête-toi je te dis !

Tous les deux coups de pédale la chaîne de Franck tournait dans le vide, à cause des pignons élimés, la chaîne patinait sur l'axe, et le môme devant qui n'en finissait pas de prendre de l'avance, il était déjà à trois cents bons mètres, de plus en plus petit. Franck sans dérailler totalement pédalait à moitié dans la semoule, il était doublement essoufflé, en même temps il tenait bon, il se surprenait à tenir si longtemps sur ce vélo impossible. Il le fallait. C'est là que remontaient en lui tous les scrupules de l'aîné, cette urgence de revenir à la hauteur du petit frère, de ne surtout pas le laisser s'éloigner de trop, d'autant que vers les noyers il y a le pont sur la rivière, une fois passé ce péril, on pourrait parfaitement faire dix kilomètres en étant sûr de ne pas tomber sur une route, après les noyers ce n'était plus que des prés à perte de vue dans la vallée, c'était le début du Montana, seulement avant il y avait la rivière à passer.

Le môme ne s'arrêtait pas. Pris d'un coup de tête, Franck se mit à pédaler à fond, il pédalait tellement vite qu'il en survolait les ratés de la chaîne, il activait le pédalier dans une frénésie parfaite, comme un malade, au point qu'il dépassa Alexandre, fonça devant lui, comme pour éprouver s'il restait quelque chose de cette vitalité qu'ils avaient avant, retrouver cette folie de se lancer à fond pour prendre suffisamment d'élan et franchir la rivière par le gué, à moins de se lancer sur le pont au dernier moment, les deux étaient jouables... Ce qu'il visait c'était cette sensation de se vider, de puiser au fond de ses ressources, alors il fonçait tout en hurlant d'une joie féroce, il en oublia le môme, Alexandre qui voyait bien qu'il ne pouvait plus suivre, Alexandre qui commença à paniquer, qui continua pourtant, le môme perdu qui n'osait pas faire demi-tour et se mit à chialer, pris par ce désarroi total, cette peur intime qu'on vous laisse tomber.

Un reste de muret effondré entourait le miroir d'eau, les pierres éboulées du pont formaient une retenue d'eau, des iris dominaient des herbes folles, ça dessinait un petit lac entre les arbres, un creux de verdure à la tonalité tendre, une nappe de bleu ciel au milieu des joncs et des roseaux. De le voir donnait l'envie de s'y plonger, surtout quand il faisait chaud comme là, alors que, l'hiver, venait la peur de tomber dans l'eau glacée.

Alexandre s'amusait à lancer des petits cailloux qu'il trouvait en fouillant le sol, Franck lui disait chaque fois d'arrêter, de ne pas brouiller l'onde, de ne rien déranger, il essayait de lui faire comprendre qu'il regardait, de laisser se tendre le parfait miroir où se reflétaient les arbres et le ciel. Il n'y avait quasiment pas de courant. Mais l'enfant n'écoutait rien de tout ça, tout ce qui l'intéressait, c'était de lancer des cailloux en commentant chaque fois chacun de ses gestes, il n'arrêtait pas, puis il en eut assez d'être là, d'un coup il voulait rentrer.

Alexandre s'approcha de Franck.

— Viens, on rentre.

— Attends, je regarde.

— Non, viens, sinon on va se faire engueuler...

— Qui est-ce qui t'as appris ce mot-là !

— Papi.

— Tu l'appelles papi ?

— Ben oui, ton père c'est papi.

Pour dormir, Franck s'installerait dans l'annexe, la petite maison où avait vécu l'oncle. Alexandre était totalement excité par cette soudaine activité, d'autant que sa mère arriverait dans la nuit, du coup pour lui ce serait une soirée spéciale, un genre de veille de Noël, chaque fois elle apportait des cadeaux. Il suivait Franck partout. Il voulut lui-même porter la paire de draps propres et ils marchèrent tous deux jusqu'à la bicoque. Là, il savait mieux que Franck où était toute chose, comment s'ouvrait la porte, l'astuce pour repousser le volet coincé, et allumer le compteur. Franck était fasciné par ce môme qui commentait tout ce qu'il faisait, un moulin à paroles, dans cette famille jamais personne n'avait parlé autant, et quand il ne parlait pas, alors il chantonnait des chansons étranges aux paroles inventées.

Il voulait donner un coup de main à Franck pour faire le lit, ce qui n'arrangeait pas l'affaire, ses petits bras essayaient de déployer le drap en lui donnant l'envol, mais n'y parvenaient pas. Franck reprenait les choses en main, guère plus efficacement. Le petit n'en finissait pas de lui décocher de nouvelles questions.

— Demain on va à la mer, pourquoi tu viens pas avec nous ?

— Quoi ? Demain vous n'êtes pas là ? Ben, et ta mère ?

— Mais après on revient. Tu l'as déjà vue, ma mère ?

— Oh ! que oui je l'ai vue, les mouettes, les bateaux…

— T'es idiot ou quoi ?

— Oui, t'as raison, je suis idiot.

Face au môme, Franck adoptait une attitude un peu bêtifiante, comme pour se prémunir de tout sérieux, en dehors de son frère il n'avait jamais fréquenté d'enfant. Il s'assit sur le lit pour se retrouver à la hauteur d'Alexandre, presque les yeux dans les yeux, il n'arrivait pas à voir en lui un interlocuteur, et pourtant depuis son arrivée il n'y avait qu'avec lui qu'il parlait.

— En fait, ta mère, je l'ai croisée une fois.

— Tu la connais alors ?

— Tu sais, ce jour-là on ne s'est pas parlé en fait, d'ailleurs on ne s'est même pas vus.

— C'était quand ?

— C'était le jour où… comment te dire ça, enfin t'es au courant que j'ai un frère moi ?

— Oui, c'est moi…

Là-dessus le môme sauta sur Franck pour chahuter et le renversa sur le lit, Franck dans un réflexe fut tenté de dire la phrase moralisatrice, ne mets pas tes pieds sur le lit, sois sage, et surtout de rétablir les choses du point de vue de la réalité filiale dans l'esprit de ce gosse, mais il était débordé par l'énergie de l'autre, il ne voulait pas le blesser, et surtout il retrouvait l'ivresse inédite du chahut, le plaisir de se laisser aller au jeu de la bagarre, sentir ce môme qui mettait toutes ses forces, alors que lui-même mimait d'être vaincu.

— Dis, je suis fort comme ton frère ?

— Je ne sais pas.

— Toi, t'es comme un tonton ?

— Ah bon ! j'ai pas vraiment réfléchi à tout ça.

Le môme se releva pour se replacer face à Franck.

— Dis, tu sais que j'ai pas de papa, moi ?

Franck se passa la main sur le visage. Il y a toujours un moment où les bêtabloquants embrouillent l'esprit, globalement ils assomment. La confusion le prenait comme un rappel à l'ordre, un genre de coup de fatigue qui commanderait de faire un break. Il s'allongea. Du regard il faisait le tour du décor, ce plafond délité par l'humidité, cette maison dans laquelle leur oncle ne voulait pas qu'ils mettent les pieds, ce domaine réservé, là sur l'instant il ne se voyait pas dormir là-dedans, dans ce lit, le lit de l'oncle, ne serait-ce qu'une nuit, il aurait le sentiment de le trahir. Le malaise allant croissant, il ne voyait plus trop ce qu'il foutait là. S'il n'y avait pas ce pitre qui se roulait allègrement sur le lit, qui égayait toute chose d'une façon inattendue, qui lui tirait le bras pour lui dire quelque chose, il serait sans doute déjà reparti.

— Dis, pourquoi tu viens jamais ?

Quelques mois auparavant, l'automne dernier, en forme de prise de conscience, il y eut cette scène au secrétariat, et cette série de questions que l'employée lui avait posée au moment d'établir les papiers, la situation commandait d'être en règle. La jeune femme derrière son bureau lui avait listé toute une série de renseignements à fournir, au fur et à mesure des réponses qu'il donnait, elle remplissait des cases sur son ordinateur, à un moment elle lui avait brutalement demandé, sans changer de ton, et toujours en suivant le fil de ce questionnaire qu'elle n'improvisait pas, quelles étaient les personnes à prévenir, oui les personnes à prévenir, en cas de problème. Plutôt surpris par la formule, débordé par de folles superstitions, un peu sonné, Franck n'était pas parvenu à lui donner de réponse, même pas par provocation, simplement, il lui dit non, je ne vois pas. Sincèrement je ne vois pas.

— Vous n'avez pas de femme, pas d'enfant ?

— Non.

Alors elle avait levé le regard et pivoté légèrement de son siège, pour dire à Franck avec une gravité pathétique :

— Eh bien, dans ce cas on a qu'à mettre vos parents, vous les avez bien toujours vos parents ?

D'un coup il s'était rendu compte que c'était atroce de ne jamais leur donner de nouvelles, et que la seule fois où ils en auraient, ce serait pour qu'un agent hospitalier leur annonce qu'il y avait un problème.

— Vous avez leur téléphone, une adresse ?

— Non, je ne préfère pas.

Une scrupuleuse conscience amenait le môme à border le lit impeccablement, à retendre tel côté chaque fois qu'il tirait trop de l'autre, pour qu'il y ait la même longueur de drap de chaque côté. En faisant le tour de la pièce, Franck ramenait de gros moutons de poussière pour les pousser négligemment jusque sur le pas de la porte, il balayait sommairement du bout du pied. Le petit ressortit en disant qu'il allait demander un balai et une pelle pour ramasser les saletés. Par la fenêtre, Franck voyait le môme qui filait déjà en direction de la ferme.

Même après une journée de canicule, la maison de l'oncle était fraîche, elle sentait le renfermé, les murs étaient maculés de salpêtre et d'écailles de peinture. Au sol il y avait tout un tas d'insectes secs, des saletés tombées des poutres. La maison de l'oncle, elle servait un peu de remise, à l'origine c'était une bicoque prévue pour un couple d'ouvriers agricoles. Déjà du temps de l'oncle elle n'était pas très reluisante, lui, il s'en foutait de dormir dans une maison approximative, l'annexe, ça voulait tout dire, pour lui c'était parfait, il revendiquait son statut de subalterne, il ne demandait rien, pas plus à sa sœur qu'à son beau-frère, pas de terre ni de part de quoi que ce soit, de la ferme il en attendait juste un travail, un salaire régulier qu'il ne dépensait même pas. La pièce principale, elle pouvait tout aussi bien servir à garder les pommes, à découper les prises de chasse, foutant du sang partout, à l'occasion il y rentrait une mobylette ou un motoculteur pour réparer l'engin de qui que ce soit dans le coin, toujours prêt à rendre service. L'oncle, on le disait sauvage et pourtant, dès qu'on avait besoin de lui on savait où le trouver, chaque fois il répondait présent.

Quand ils étaient mômes, Franck et Alexandre étaient fascinés par cet homme, ce travailleur infatigable qui semblait détaché de tout, ce mélange de sauvagerie et de bienveillance, un genre d'affranchi. Un jour, Franck se souvient de ça, il devait avoir quinze ans, avec Alexandre ils lui avaient demandé à l'oncle, pourquoi il vivait seul, et est-ce qu'il avait des amis.

— Si j'ai des amis ? Non, qu'il leur avait dit, c'est juste moi qui suis l'ami de tout un tas de gens.

C'est vrai aussi qu'il buvait un peu, le vin c'était sa manière de se rafraîchir, il lui arrivait de parler seul, lancé dans une interminable conversation à laquelle les autres parfois se mêlaient. Pour autant on ne pouvait pas dire que c'était un alcoolique, il buvait sans frasque, sans accroc, l'alcool c'était un genre d'air dont il avait besoin en plus de celui qu'il y a dehors.

Deux minutes après, Franck vit le môme qui revenait par la même sente, doucement cette fois, traînant comme il pouvait un aspirateur qui avait l'air géant, ça donnait l'impression d'un monstre démantibulé sur lequel le petit venait de triompher. Au fil du chemin, l'aspirateur se disloquait, le tuyau et le fil s'accrochaient de partout, mais Franck n'intervint pas.

Dans ces cas-là, il ne fallait surtout pas l'aider, le cadet, par pur orgueil, Alexandre ne supportait pas qu'on vienne lui prêter main-forte, ce serait ni plus ni moins qu'entamer cette victoire de s'en sortir tout seul.

— Ouf, c'est lourd, je l'ai porté depuis la chaufferie.

— T'es vraiment un chef, bonhomme.

— Je t'ai amené le vieux. Celui-là, c'est le vieux, celui qui marche pas.

— Ah bon, c'est parfait.

— Si, y marche, mais pas beaucoup, je vais le passer moi, je vais te montrer.

— Non, je crois que j'y arriverai tout seul, faut pas que tu respires les poussières.

— Si, je les respire les poussières moi. C'est mes poumons qui faut faire attention.

— Attends, laisse-moi faire, on verra après.

Franck commença de passer l'aspirateur, puis il continua méthodiquement, le môme chevaucha le traîneau comme un jouet.

— Non, faut pas que tu restes là-dessus, petit.

La voix de Franck se perdait dans le bruit considérable que faisait l'engin.

180

— Reste pas là-dessus, je te dis.

Franck tira sur le tuyau d'un coup nerveux, ce qui désarçonna le môme et le projeta au sol comme au rodéo. C'était venu comme un mouvement de colère, ça le surprit lui-même, Alexandre était tombé rudement, le visage figé entre deux émotions contradictoires, savoir s'il avait mal, ou s'il fallait rire. Alors Franck enchaîna par un sketch excessif et fou pour essayer de désamorcer l'inquiétude du môme, il passa l'aspirateur en accéléré comme dans un dessin animé, il raclait le sol en cognant fort dans tous les meubles, en faisant valser les chaises, renversant la petite table, en repoussant tous les vieux trucs qu'il y avait là, la vieille brosse crissait sur le carrelage dans un grincement total, pour le môme c'était inouï de voir un adulte aussi déréglé et fou.

— Tu vois, pour bien décoller la poussière, c'est comme ça qu'on passe l'aspirateur, en cognant partout.

Le rire était revenu au visage d'Alexandre, il riait aux éclats en voyant ce grand type s'agiter, et le traîneau de l'aspirateur au bout du tuyau qui sursautait comme un chien fou au bout d'une laisse, dans un rodéo survolté.

— T'as vu comment on fait, faut que ça frotte, partout, faut y aller fort...

Franck se défoulait, il se prenait au jeu, c'était des kilowatts d'énervement qu'il passait là dans cette pitrerie folle, depuis la ferme, ses parents devaient peut-être l'entendre, en y pensant il ralentit, de toute façon il était essoré, à bout de forces, autour de lui ce décor déjà bancal était chamboulé. Alexandre était hilare, il regardait Franck, comme s'il découvrait qu'un adulte c'était aussi ça, un gamin géant, un dingue comme les pitres de la télé, un être pas si loin que ça dans le fond.

À l'autre bout de la cour, les parents chargeaient la voiture, ils comptaient partir tôt le lendemain. Comme tous les jours ils se réveilleraient à six heures du matin, et partiraient. Le bord de mer, ils n'y étaient allés qu'une fois, pour un voyage pendant les vacances de Noël, organisé par la coopérative. Ils avaient trouvé ça un peu triste. L'hiver dans les Charentes, c'était la mer sans s'en approcher, la mer sans y goûter.

Éteindre un aspirateur révèle un silence incroyable, un soulagement qui dégage une paix surprenante et parfaitement méritée. Franck se mit à parler tout bas dans ce silence enfin débarrassé des 90 décibels du vieux Tornado.

— Ta maman, tu sais combien de temps elle va rester là ?

— Quoi ?

— Ta maman, elle vient passer quelques jours avec toi ?

— Non. Ma maman elle vient pour se reposer, et puis elle vient aussi pour arroser le jardin et les noyers d'Alexandre.

— Faut toujours monter les citernes ?

— Oui. Maman elle sait conduire le tracteur. Et toi, tu sais le conduire le tracteur ?

— Alors là, je crois que je ne saurais plus.

— Oh ! si, dis, tu le feras, tu le conduiras comme l'aspirateur...

— Ouais, on va faire ça.

Franck en rajoutait dans la satisfaction de voir la pièce propre, à peu près rectifiée, habitable en tout cas.

— Alors, elle n'est pas belle ma maison ?

— Tu seras là quand je reviens ?

— Attends, je ne comprends pas, tu pars avec papi-mamie ? Tu ne préfères pas rester avec ta mère ?

— Ma mère et mamie c'est pareil.

— Non, attends, garçon, faut pas tout mélanger.

— Je mélange pas, mais on va voir la mer je te dis, et on revient après.

— Ah bon, alors dans ce cas-là, je ne serai plus là quand tu reviendras.

Alexandre se mit à lui parler en maître des lieux.

— Mais tu peux rester si tu veux, le temps que tu veux.

— Je te remercie.

— Si tu veux, tu peux même aller dormir dans ma chambre quand je serai pas là.

À table ils étaient quatre. Franck n'en revenait pas de se retrouver dans cette disposition, de manger dans cette cuisine, de retrouver ces odeurs de ciboulette et d'œufs cuits, la graisse de canard, le bruit des assiettes et le toucher des couverts en argent patiné. Distraitement il renoua avec son ancienne manie de rouler une mie de pain sur la toile cirée pour en faire une bille. Et toujours cet Alexandre face à lui, source inépuisable d'intérêt.

Les parents annoncèrent à Franck qu'ils partiraient tôt le lendemain, cinq jours, à Quiberon. C'était le projet. Le père ne semblait pas convaincu qu'une thalasso améliore quoi que ce soit à sa hanche, d'un autre côté ça ne pouvait pas leur faire de mal, un genre de grand bol d'air, surtout que sur le littoral il n'y aurait plus ces chaleurs folles. Franck n'arrivait pas à engager la conversation, encore moins à parler de lui, ou d'eux. Il se sentait figé dans un temps où les humeurs ne passent pas, où toute donnée reste stable. Pour les parents, visiblement, la situation n'avait rien d'extraordinaire, à aucun moment ils ne firent allusion à cette si longue absence, à ce retour soudain, le repas glissa dans une ambiance des plus naturelles, la télé était allumée comme à chaque fois, les informations du journal de vingt heures faisaient bien plus qu'un fond sonore, les reportages s'enchaînaient avec la sensation d'un monde à part, très à distance. Alexandre parlait à tout le monde, et chacun lui adressait la parole, pour répondre aux questions surprenantes qu'il posait sans arrêt, ou pour le reprendre quand il faisait le pitre.

Franck n'avait pas trop envie de sortir de ces banalités, il trouvait reposante cette conversation minime orientée par le gosse, autour de la forme bizarroïde des tomates, des vélos, des anecdotes de trois fois rien, en même temps, il sentait bien que ce n'était pas possible de s'en tenir à ça, surtout que demain ils seraient partis avant même qu'il soit levé.

— En fait, si je suis venu c'est juste que, enfin...

— T'as besoin d'argent ?

— Non. Non, c'est pas ça.

Alexandre suivait l'échange tout en mangeant, avec l'avidité de celui qui attend la suite. Mais surtout il mangeait. Déjà il tendait son assiette à la mère pour qu'elle le serve à nouveau.

— Eh ben, qu'est-ce qui t'arrive toi ce soir, il a jamais autant mangé celui-là. Je te ressers toi aussi ?

— Non merci, mais c'est juste qu'on ne s'est pas vus depuis dix ans.

— D'abord c'est pas vrai, t'étais bien là pour l'enterrement de ton frère, oui ou non ?

— Oui.

— Eh ben, ça fait pas dix ans.

— Mais, enfin je vous apprends pas que pendant tout ce temps on ne s'est pas parlé, jamais téléphoné, on était fâchés quoi...

— Pas nous.

Franck avait le sentiment de parler à de parfaits étrangers, des convives qui ne seraient pas au courant de leur histoire, à qui il s'agirait de tout raconter, de tout reprendre depuis le début.

Le môme écoutait dans une forme d'attention pas si abstraite que ça, il souriait à Franck chaque fois qu'il le regardait, à croire que c'était lui qui donnait le ton ici, que dorénavant plus rien n'était grave, ni définitif, ni abîmé, que tout était neuf et à venir, qu'à nouveau les vies étaient à faire, comme pour les lits il suffisait de changer les draps et tout était prêt à recommencer.

Au moment du jingle de la météo, la télévision mobilisa toute l'écoute, la mère augmenta le son en manipulant laborieusement la télécommande, ils étaient tous hautement concentrés sur la chorégraphie de la dame devant ses cartes de France, elle annonçait qu'il allait continuer à faire chaud, comme si c'était grave, la présentatrice prenait des intonations d'excuses, une petite gestuelle désolée, les parents recevaient ça sans l'ombre d'un fatalisme.

— Si on ne veut pas cuire sur la route, faudrait partir avant le jour, dit le père.

La mère tempéra.

— Attends, Michel, faut tout de même que Louise profite un peu du petit, pas vrai, Alexandre, ça te ferait plaisir de prendre le petit déjeuner avec ta maman ?

Concentré sur son carré de fromage frais qu'il dépiautait avec les mains Alexandre répondait que oui, ça lui ferait plaisir. En même temps on sentait bien que de voir la mer, de s'y tremper pour de vrai, l'emportait sur tout, d'autant qu'il voulait crânement leur montrer qu'il n'aurait pas peur, ça devait faire des semaines qu'entre eux ils ne parlaient que de ça.

— On partira vers onze heures, c'est bien onze heures. Ça nous fera arriver en fin d'après-midi, comme ça on aura le temps d'aller se mettre à l'eau, hein ?

La mère questionnait le môme du regard, comme si elle attendait presque que ce soit de lui que vienne la réponse.

Franck, sans rien en dire, vit bien que la conversation avait déjà glissé sur autre chose. Mais par défi il continua tout de même.

— Mais enfin, je ne sais pas, ça ne vous a pas manqué qu'on ne se voie pas ? Qu'on ne s'appelle pas, qu'on...

— Et ton frère, tu crois qu'il ne nous manque pas ton frère ? Hein ? Et qu'est-ce qu'on y peut ? À quoi ça servirait de se plaindre, est-ce que ça le ferait revenir ? Non. Eh bien pour toi c'était pareil. On n'y pouvait rien. C'est comme ça.

Le soir, le père avait gardé cette habitude de fumer un cigarillo à l'extérieur. Il en profitait pour faire son tour en vérifiant tout. Du temps où la ferme était en ordre de marche, ça relevait du rituel, avant de se coucher il fallait encore nourrir les chiens, s'assurer que tout allait bien du côté des bêtes, fermer l'étable, les granges, voir si le matériel était bien rentré, surtout les soirs où les nuages coulissaient depuis le sud-ouest, ceux où la lune disait la pluie ou la gelée, le père, il maîtrisait tous les indices pour déchiffrer le lendemain, mais guère au-delà. Avant de se coucher le père jetait chaque fois un œil aux champs, manière de border la terre, confiant que la nuit agisse jusqu'à la rosée. Ce grand tour d'inspection c'était aussi pour lui une manière de digérer. Maintenant il n'y avait plus rien de tout ça, maintenant la seule chose qu'il avait à vérifier, c'était que la voiture soit bien fermée. Il continuait tout de même de faire son tour jusque derrière les bâtiments, là où l'horizon s'ouvre en grand.

Franck marchait à quelques pas derrière, il le suivait comme il ne l'avait pas fait depuis trente ans. Le chien ne cessait de revenir vers lui pour le renifler, comme pour bien prendre la marque de ce nouveau venu, s'en imprégner chaque fois, par méfiance sans doute, sans doute aussi parce qu'il voulait jouer. Franck se baissa, ne résistant pas à l'envie de chahuter avec cette boule de gaieté.

— Pourquoi tu l'as appelé Astérix ?

— Tu te doutes bien que c'est pas moi. Astérix, ça rime à rien pour un chien. Moi je l'appelle Rix.

— Et il répond aux deux ?

— Il est pas con, tu sais.

— Il est encore tout fou.

— Oui, et je crois bien qu'il le restera, il est né comme ça.

— Et la chasse, tu y vas encore ?

— On... Bon, je vais voir si les filets ont tenu.

Au moment de se remettre en marche le père se plaqua la main sur la hanche pour colmater une vive douleur.

— Ça va, papa ?

C'était la première fois qu'il posait cette question à son père, il n'en revenait pas, son père non plus, les deux mots restèrent un temps à planer au-dessus d'eux, un silence gêné ne les effaça même pas. Le chien les relança par ses aboiements.

Ils firent le tour de la maison pour marcher jusqu'au jardin. En passant le long de la ferme le père ne lança même pas un regard aux champs derrière. Franck n'en revenait pas de cette indifférence nouvelle, c'est comme de croiser un ami sans le remarquer, de longer la mer sans la regarder, ça disait une peine grande ouverte, béante.

— Ce serait si grave que ça de leur vendre, aux Berthier ?

Le père ne répondit pas. Franck savait que la réponse était dans la question, oui ce serait grave de leur offrir cette prédominance à ces cinglés, pour le père ce serait sans doute le pire châtiment qu'il puisse endurer, de se retrouver à vivre au beau milieu de leurs champs, de les voir tourner tout autour, alors que lui n'y pourrait rien, pour le père c'étaient eux les responsables, depuis le premier jour et il n'en démordait pas, c'est à cause d'eux qu'Alexandre n'était jamais revenu ce matin-là, sans eux il serait toujours vivant.

Le père tendit un cigarillo à Franck, et alors qu'il ne fumait plus depuis des années, Franck le prit tout naturellement. Il n'osait plus poser la moindre question au sujet des terres, du moulin ni du reste, son père y décèlerait tout de suite une arrière-pensée, il savait bien que les questions d'héritage, quand on ne s'en parlait pas ça hantait, mais dès lors qu'on s'en parlait, ça pouvait être pire encore.

— Tu te doutes bien qu'un jour ou l'autre il faudra qu'on se parle, je dis ça pour ta mère surtout, pour elle tout ce qui compte, c'est que le petit soit à l'abri.

— Le petit, tu veux dire, le petit ?

— Oui, on t'expliquera. Mais là qu'est-ce que tu veux, on part demain, c'est pas de bol !

— Je comprends.

— T'es bien venu pour ça ?

— Non, c'était juste pour voir si tout allait bien. Et puis j'ai été malade, j'avais besoin de souffler.

— Ah bon.

— Oui, oui, mais tout va bien. Non, j'avais juste envie de...

— De nous voir, quoi ?

— Oui, de vous voir.

— Bon. Je vais me coucher. Demain on décollera vers midi, le temps que le petit voie un peu sa mère avant de partir.

— Oui, j'ai bien compris.

— C'est ta mère qui veut que je la fasse, cette thalasso, elle y croit à ces trucs-là, alors que moi, la mer, j'ai passé l'âge.

— Je comprends.

— Dis donc, tu comprends tout, toi, maintenant.

Le soleil franc tapait en plein sur les volets. Franck, depuis un bon moment, entendait Alexandre qui rôdait devant sa fenêtre en faisant tout un tintamarre. Il le faisait exprès de jouer là, tapant dans un ballon, soufflant dans son sifflet en plastique pour le réveiller sans doute. Franck voulut regarder l'heure sur son portable mais dans sa main l'appareil déchargé était aussi inerte qu'une pierre, tout de suite il réalisa n'avoir pas pris le chargeur, il le revoyait chez lui, échoué comme d'habitude au pied de la prise.

Puis Alexandre repartit vers la ferme, de nouveau c'était la paix, le chant des tourterelles montait dans l'air tranquille du matin, des bourdonnements d'abeilles passaient auprès des volets. Au bruit qui se profilait, celui du tracteur en plastique qui racle le sentier, Franck comprit que le môme revenait à la charge. Cette fois en plus de souffler dans son sifflet il tapa carrément au volet pour appeler Franck et lui demander de se lever.

— Dis, oh, tu te lèves ?

Franck feignait de ne pas entendre, mais ça devenait trop flagrant.

— Laisse-moi tranquille, petit, tu crois pas que tu pourrais me laisser dormir !

— Viens manger. Il est midi.

— Quoi ?

— Allez, ouvre.

Quand Franck repoussa les volets, il vit que là-bas devant la ferme, à une bonne centaine de mètres, la table de cuisine était installée dehors, dans la cour, il ne les avait jamais vus faire ça ici, de carrément sortir la grande table en chêne pour prendre le petit déjeuner dehors ! Ça ne leur ressemblait pas, ça ne pouvait pas venir d'eux, une idée de Louise à coup sûr, elle avait dû les convaincre de cette originalité-là, de mettre la table dans la cour pour goûter ce plaisir incroyable de prendre le petit déjeuner en plein air.

— Mais attends, je comprends pas, vous n'êtes pas encore partis ?

— Où ça ?

— À la mer !

— Si, ils sont partis, mais moi je suis pas parti. Moi je suis malade ce matin.

— Je vois ça.

— Viens, il faut qu'on mange. Maman elle a préparé.

Quand il la vit sur le pas de la porte, puis sortir dans la cour pour s'avancer vers lui, il comprit tout de suite.

Du coup, il ne savait absolument pas à quelle distance s'en tenir.

Louise à l'inverse ne découvrait pas un inconnu, loin de là, l'homme qu'elle avait en face était le frère d'Alexandre, et c'est tout naturellement qu'elle s'approcha de lui pour lui faire la bise, alors que Franck avait spontanément amorcé le geste de lui tendre la main. Il resta un temps avant d'improviser une phrase.

— C'est bizarre de se retrouver là.

— Comment ça ?

— Eh bien, je ne sais pas, dehors, de voir cette table dehors. Ici je ne les avais jamais vus faire ça.

Louise avait mille fois entendu parler de Franck, elle en connaissait tout. Alexandre lui parlait souvent de son frère, de leur enfance, de cette complicité qui les soudait tous les deux, ici, dans ces lieux mêmes, pendant des années elle avait côtoyé le souvenir de cet homme qu'elle avait en face. En plus de ce qu'elle savait de lui, elle avait vécu dans ses décors, dans le cadre même de son enfance. Franck à l'inverse découvrait cette femme, cette belle-sœur évaporée qui avait disparu le jour de l'enterrement, qu'on n'avait pas revue de la journée. De se retrouver là, piégés dans ce face-à-face improvisé, aurait dû les renvoyer instantanément au souvenir de cette journée-là, à Alexandre, à toute une forme de passé. Mais il y avait ce soleil, cette table dehors, et Alexandre qui remettait tout au présent.

— Dis, on ira faire un tour de vélo après manger ?

— Attends, on verra, laisse-moi me réveiller.

— Si vous voulez déjeuner, votre mère a tout préparé avant de partir.

— Mais ils sont partis à quelle heure ?

— Ils se sont levés à cinq heures et sont partis à dix.

Franck n'était pas surpris, il se doutait bien que son père n'attendrait jamais midi avant de prendre la route, pour partir en plein cagnard. Dans le fond il n'était pas mécontent que le môme soit toujours là, sans quoi ça aurait été un ingérable tête-à-tête.

— Et alors, et toi, tu m'as pas l'air très malade ?

Louise lui expliqua que, cette nuit, Alexandre avait beaucoup toussé. Franck le prit pour lui, il comprit que c'était à cause du vélo la veille, qu'ils en avaient trop fait, c'était sa faute en somme.

— Ce matin il avait de la fièvre.

— Oui, et puis j'en ai plus !

— C'est bien aussi pour vos parents, ils ne sont partis qu'une seule fois tous les deux, on en parlait ce matin avec votre mère, elle a cherché dans les photos, c'était pour leur voyage de noces.

— Ah oui, elle vous a montré des photos, il y a une boîte avec des photos ici ?

— Oui, dans leur chambre.

Franck fut envahi de la nostalgie instantanée de cette matinée qui s'était déroulée sans lui, il n'avait jamais été matinal, du coup quand il se réveillait, il avait toujours le sentiment que les autres avaient déjà vécu tout un épisode de la journée, qu'ils avaient déjà fait une bonne partie de la vie, une séquence dont il serait à jamais exclu, dont il ne saurait rien, sinon par bribes, ce que les autres en racontent, se lever tard c'est rejoindre les autres sur une forme de mi-chemin.

— Mais si vous préférez prendre d'abord votre petit déjeuner, il reste du café...

— Non c'est gentil, je ne prends jamais de café.

— Oui, lui il boit du chocolat froid, comme moi.

— Un chocolat froid ça vous dit ?

— Eh bien, oui, pourquoi pas.

— Asseyez-vous, je vous prépare ça.

— Non mais attendez, Louise, je ne vais pas vous laisser...

— Restez à table, vous avez le temps.

Louise était surprise par le manque d'assurance de cet homme, elle ne lui imaginait pas ce sourire fragile, encore plus fragile que le sourire d'un enfant, elle décelait en lui quelque chose de mal assuré, de totalement vulnérable. Au travers de ce qu'en disait Alexandre, elle s'était fait l'idée d'un homme solide, un grand frère, il lui parlait toujours de son aîné.

Franck n'en revenait pas de cette situation, d'être là à table au beau milieu de la cour. Il étira les jambes, pencha la tête en arrière, flottant dans un de ces moments où il n'y a plus de question, de ces instants tissés de filaments de bien-être. En même temps, il sentait bien qu'il n'avait rien à faire là, entre ce môme et sa maman, il n'était absolument pas à sa place. Et pourtant il y avait ce plein soleil, ce midi déjà chaud, la table était encore à l'ombre, mais ça ne durerait pas, d'ici trois heures elle serait en plein soleil. Dessus il y avait déjà une salade de tomates dans un saladier en verre recouvert d'une assiette transparente. Depuis la cuisine il entendait Alexandre, cet Alexandre qui lui préparait son petit déjeuner en commentant tout ce qu'il faisait, Louise lui répondait doucement, presque détachée.

C'était irréel et pourtant il y avait tout. La douceur de l'air, le soleil assuré de durer, ce petit nuage qui se formait toujours là-bas au-dessus du barrage de Cavagnac, signe que la masse d'air venait du sud, que le vent ne soufflerait pas, que le temps resterait au beau pendant des jours, c'était terrible de faire ce constat, pour une fois il y avait tout ici, sinon une forme de confusion impossible avec cette femme, entre distance et sympathie. Dans la cuisine, Alexandre demandait à sa mère s'ils iraient passer l'après-midi au bord du Célé, il parlait aussi de canne à pêche, de canoë, chaque fois elle répondait oui. Franck anticipa qu'il les laisserait entre eux, qu'il ne s'incruste-rait pas. En se redressant un peu mieux sur sa chaise, manière de regarder les choses en face, il ne voyait absolument pas ce qu'il foutait là.

Par la fenêtre ouverte il les voyait dans la cui-sine, il la voyait elle surtout, Alexandre était trop petit, il la regardait faire, il eut cette pensée-là, jamais ici il n'avait vu une femme suscep-tible de lui plaire. Puis aussi vite il s'en voulut de cette pensée atroce, instantanément submer-gée par le souvenir de son frère.

— Oh ! c'est pas vrai. Il n'y a pas de pain. C'est dommage avec les salades.

Franck proposa à Louise de lui emprunter sa voiture pour aller au bourg, ici le boulanger fer-mait évidemment entre midi et deux, mais en faisant vite on ne sait jamais. Une salade de tomates sans pain frais, c'est la moitié du plai-sir envolé.

— Les clés sont dessus !

La Golf verte s'engagea dans le chemin jusqu'à la route. En l'entendant, Alexandre sor-tit de la véranda en faisant de grands signes à Franck qui ne le voyait pas dans le rétroviseur, Louise regardait Alexandre courir derrière la voiture comme un dératé, sans le rappeler ni le réprimander. Jamais elle ne lui avait dit ces mots que disent les parents à leur enfant, de ne pas faire ceci, de ne pas faire cela.

D'entendre les douze coups de minuit à l'horloge de la cuisine, douze coups dans la nuit, pour lui c'était totalement inédit. Alexandre écoutait ça depuis la cour comme un signal miraculeux, douze coups démesurément grands dans ce silence total.

Pour la première fois de sa vie il explorait ce moment-là du jour où l'aujourd'hui bascule vers le demain. L'horloge retentissait fort depuis la cuisine, pour le môme ça relevait de la révélation, il avait cette moue lumineuse d'un enfant face à une élucidation gigantesque. En temps normal, le soir ne durait jamais au-delà de neuf coups, neuf heures c'était le grand maximum. Ce soir, il avait franchi tous les caps, neuf heures, puis dix, onze, douze, si bien qu'à peine passé minuit, il s'était endormi comme une masse sur le petit amas de coussins qu'il avait ramenés de l'intérieur. L'après-midi, il l'avait passé dans l'eau à attraper mille poissons imaginaires, des heures à barboter autour du banc de sable tendu au beau milieu de la rivière, une sorte de plage en plein soleil, ensuite il avait tenté de rattraper le parasol que sa mère avait fait tomber à l'eau, deux heures après l'avoir déplié déjà elle le perdait, cette rivière lui prenait tout, elle avait totalement paniqué en voyant Alexandre qui s'élançait pour nager après, elle avait dû crier pour qu'il s'arrête et fasse demi-tour, ensemble ils l'avaient regardé s'éloigner.

Du coup le petit était épuisé, jamais il n'avait repoussé aussi loin la fatigue. Louise le porta jusque dans sa chambre, elle le déposa sur le lit bateau enveloppé de la moustiquaire, et laissa la fenêtre grande ouverte.

La table était toujours dehors, débarrassée, ils traînaient tous les deux. La chaleur aujourd'hui avait été folle, elle persistait encore même à cette heure. Louise avait mis des bougies à la citronnelle. Elle demanda à Franck s'il voulait un autre tilleul glacé. Ça faisait le troisième. Franck découvrait ça, ce liquide frais doucement aromatisé, il aimait bien. Elle fumait une cigarette.

— Je ne parle pas beaucoup vous savez.

— Ça ne me gêne pas, dit-elle.

Les grillons donnaient une profondeur ouatée à la nuit sans lune. Franck se sentait apaisé, absorbé sur cette idée de l'instant, seul le moment compte, le reste est passé ou compromis, l'avenir une totale incertitude. Les deux bougies occultaient l'ombre autour d'eux. À des kilomètres à la ronde il n'y avait pas la moindre source lumineuse, c'était le règne du triangle noir.

— Il paraît qu'ils chantent tant que la terre est chaude, dit Louise.

— Alors, ils n'ont pas fini !

— Je ne sais pas, c'est Alexandre qui disait ça.

Franck regardait Louise, et c'est Alexandre qui s'interposait, Alexandre qui savait tout des arbres et des insectes, des nuages comme des animaux, Alexandre qui avait cette culture totale de l'environnement, à force d'être attentif sans doute, ou par l'effet d'un instinct, Alexandre comprenait tout des bruits, des bêtes, du temps, des floraisons, une forme d'empathie animiste avec la nature qui ferait presque dire qu'il était toujours là quelque part, dans l'ombre ou dans les feuilles des arbres, l'arbre lui-même, oui un Alexandre était toujours là, au-delà de celui qui dormait.

— Je peux vous poser une question ?

— Oui.

— Qui a eu l'idée de l'appeler Alexandre ?

— Moi, pourquoi ?

— Je ne sais pas, en général, enfin le plus souvent on est deux pour choisir un prénom.

— Oui, en général oui.

Louise repensa à la moto, cette certitude idiote que l'homme cette fois la retrouverait, et s'il ne la retrouvait pas, il serait fou quand elle rentrerait.

— Je vis seule, dit Louise d'un ton neutre.

— Pardon, je ne voulais pas être indiscret. C'est juste que, enfin Alexandre ça me fait un peu bizarre. C'est même complètement troublant, dès le début j'ai trouvé ça curieux, mais bon, en même temps ça ne me regarde pas.

— Si, un peu.

Louise avait les pieds posés sur la chaise, ses jambes ne se découvraient pas. Elle avait relevé ses cheveux dans un chignon sauvage, une masse auburn qu'elle étayait d'un simple crayon à papier. Mettre de la musique aurait été artificiel, de toute façon il n'y avait pas d'ambiance à créer, rien pour souligner le moment, Franck ne savait même pas quelle musique il aurait pu mettre, c'était une illusion de croire que le moment s'accorderait à ça.

— Je suis sûr qu'il n'y a même pas de lecteur CD ici.

— Si, vos parents en ont acheté un pour Alexandre, il regarde des tas de DVD aussi, ils en ont une collection, mais tout est dans leur chambre, si vous le voulez la clé est sur le haut du placard.

— Et avec mes parents, ça se passe comment ?

— Je ne vis pas là vous savez, je ne passe pas souvent.

— Je ne sais pas, ils m'ont rien dit.

— Je pense qu'ils me voient toujours comme leur belle-fille. Parfois j'ai le sentiment que c'est même un peu plus que ça, leur fille peut-être, c'est un peu compliqué, j'ai vécu ici longtemps vous savez, ça se passait bien, ça s'est toujours bien passé. Entre nous il n'y a jamais eu d'histoires, jamais un mot plus haut que l'autre. Alors évidemment, ça crée des liens, oui c'est ça, maintenant ils me voient un peu comme leur fille. Mais je suis loin, je ne suis plus là, c'est différent. J'espère que ça ne vous choque pas ?

— Que vous viviez loin ?

— Non, mais que souvent je ressente ça, d'être un peu comme leur fille. Une fille qui ne viendrait pas souvent les voir, une fille qui ne donnerait pas beaucoup de nouvelles, une mauvaise fille quoi... Pardon, je ne disais pas ça pour vous.

— Non, non, y'a pas de mal.

Franck d'un coup eut cette image-là, celle du vide mortel qui avait dû tout envahir ici après le départ de cette belle-fille, cette jeune veuve qui ne voulait pas rester. Pour la première fois Franck eut l'intuition qu'à cause de lui, à cause de son silence, ces signes de vie qu'il ne donnait pas, ses parents avaient eu la sensation très concrète de ne plus avoir d'enfant, comme s'ils n'en avaient jamais eu, ils s'étaient retrouvés là, à deux, seuls, leur famille évaporée, et avec ça, la certitude cruelle de devoir lâcher la terre, cette ferme qui un jour s'écroulerait, ils devront tout laisser, après des lignées de générations loyales, finalement ce seraient eux les fossoyeurs de toute une filiation.

— Et vous, Franck, pourquoi vous ne veniez plus ?

— C'est compliqué.

— Alexandre le vivait mal, il pensait que vous les rejetiez tous, surtout lui.

— Non.

— Il était trop fier pour se l'avouer. En tout cas il parlait souvent de vous. Vous étiez un peu son modèle, celui qui avait eu le courage de partir, de voir le monde, il avait cette image-là de vous.

— Mais il se plaisait ici, il menait bien la vie qu'il voulait, non ?

— Oui, bien sûr, mais il se sentait comme le moins courageux, par rapport à vous. Et puis la ferme l'a vite dépassé, le métier a changé, il fallait investir, faire des tas de paperasses, à la fin il faisait un vrai travail de secrétariat, je l'aidais bien sûr, mais vos parents de leur côté ne voulaient pas trop suivre le mouvement, ils freinaient, tous ces investissements ça leur faisait peur, eux, ils pensaient qu'une ferme ça devait tourner comme avant, à hauteur d'homme. Mais, pour ce qui est d'Alexandre, je pense que ça lui aurait fait du bien de vous voir de temps en temps, de pouvoir vous parler de tout ça, mais il attendait que ça vienne de vous.

— Je ne voulais plus entendre parler d'ici. Je ne m'y sentais plus à ma place depuis des années déjà. Et puis il y a eu cette histoire d'argent, je n'avais même plus d'appartement, enfin vous êtes sûrement au courant de tout.

— Je ne juge pas, mais c'était un peu dur, la seule fois que vous revenez les voir, c'est pour demander de l'argent, et de nouveau plus de nouvelles.

— Eux non plus ne m'appelaient pas.

Louise alluma une autre cigarette, elle semblait prise d'une soudaine envie d'explication, elle qui n'en donnait jamais sur elle-même, voilà qu'elle se sentait assez à l'aise, bizarrement elle sentait que cet homme en face d'elle était un proche, un être connu de longue date, parfaitement familier, elle retrouvait chez Franck cette même forme de perdition discrète qui la déboussolait elle-même, ce désespoir pudique et cette élégance de ne rien en montrer. Elle lui tendit une cigarette.

— Vous ne voulez toujours pas ? Vous ne fumez jamais ?

— Je n'ai pas le temps ! Non je plaisante.

— Vous savez, Franck, ça peut paraître bizarre de dire ça, mais le jour de l'enterrement j'ai pensé que vous seriez resté, que la mort de votre frère vous aurait, peut-être pas réconcilié, mais rapproché de vos parents, c'est un peu ce que j'attendais, en tout cas ça m'aurait soulagée de vous savoir là, parce que les semaines qui ont suivi, c'était dur vous savez.

— Et vous, peut-être que si vous aviez dîné avec nous ce soir-là, on se serait mis à se parler normalement.

Louise ne répondit pas. Elle ne voulait pas se laisser gagner par le souvenir de cette journée-là.

— Oh ! j'ai complètement oublié d'arroser le jardin et les noyers, normalement je suis un peu venue pour ça...

— Laissez, je vais le faire.

— Alors, chacun son côté !

Il était près de deux heures du matin et pourtant la fraîcheur ne venait pas. Louise avait sommeil. Avant de se coucher elle tenait absolument à rentrer la table dans la cuisine. Pourtant il était clair que la nuit serait calme, le ciel était parfaitement dégagé et constellé d'étoiles, à coup sûr il ne pleuvrait pas, mais Louise ne voulait pas que la table reste dehors, elle savait que les parents n'aimeraient pas ça, que la table en chêne traîne la nuit dans la cour. Il n'y avait aucun risque qu'elle s'abîme ou même qu'ils le sachent, mais elle en faisait une question de principe. Pour la ramener vers la maison ils la soulevèrent tous deux comme ils pouvaient, la fatigue aidant ils avaient un mal fou à la manier, ils étaient obligés de la reposer tous les cinquante centimètres dans l'herbe, ils s'en amusaient. Au moment de franchir la porte c'était pire, frontalement ils n'y arrivaient pas. Louise qui connaissait la manœuvre indiqua à Franck comment basculer la table sur le côté pour engager les pieds en premier. Franck inclina le meuble au point d'en être déséquilibré, il se fit littéralement projeter vers le sol comme si le meuble venait de lui faire une prise de judo, Louise se mit à rire, c'était nerveux, et plus elle riait, plus elle perdait toute force. Franck ne put faire autrement que de se retrouver à terre, au pied de la table têtue bloquée au seuil de la porte, elle ne voulait plus rentrer.

— Bon sang, elle est lourde, comment vous avez fait ce matin pour la sortir ?

— Je ne sais pas, avec vos parents on a pris le pli, et Alexandre bien sûr qui nous donnait un coup de main !

— Je comprends mieux, on devrait peut-être le réveiller vous ne croyez pas !

— Non, si vous arrivez à vous relever je pense qu'on va très bien s'en sortir tous les deux.

Ils y passèrent dix bonnes minutes, pour de vrai la table ne voulait plus rentrer, elle avait repris l'amplitude du chêne dans laquelle on l'avait taillée, elle était redevenue aussi massive et dense qu'un arbre en vie, leur disant bien que c'était elle la plus forte, que pendant des siècles encore elle survolerait leurs pauvres petits sorts d'êtres humains, qu'elle leur survivrait. Ils essayaient selon la méthode convenue, la table penchée sur le côté, seulement les pieds étaient trop longs et ne passaient plus le chambranle, c'était l'évidence même, jamais elle ne rentrerait.

Puis elle voulut bien.

Après ils rentrèrent les chaises. Louise était ici comme chez elle. Franck lui enviait cette aisance-là. Elle bâilla en disant qu'elle allait se coucher, elle lui dit bonne nuit en fermant la porte du couloir. Franck faillit presque lui demander s'il pouvait rester un peu dans la cuisine, comme une permission, trop habitué à se coucher tard il alluma la télé comme il le fait chaque soir, une diversion parfaitement appropriée aux grands anxieux. Il ouvrit le frigo une nouvelle fois, finit le restant de tarte aux pommes, un petit-suisse et un grand verre de Perrier. Les coudes nus sur le plastique de la nappe, il était là dans une disposition inédite. Il faisait défiler les chaînes, étonné qu'il y en ait autant, il s'arrêta sur un banal documentaire qu'il aurait très bien pu cadrer, en mettant le son le plus bas possible. Il la sentait dans la pièce tout au fond là-bas, en voyant la chaise il repensait à ses pieds nus tout à l'heure, ses jambes qui s'y étaient posées, cette peau qui avait l'air si douce. Cette vision survenait malgré lui, il s'interdisait d'y penser. Il zappa plus loin vers les chaînes étrangères, finalement ils en avaient plein, des russes, des chinoises, ça tombait bien, il aimait se perdre le soir avant de se coucher dans les chaînes où l'on ne comprend rien, des émissions où l'on ne sait pas ce que les gens se disent, des chaînes où le monde semble neuf, bien moins compromis, partout de par le monde il y a toujours des émissions de plateau où les gens parlent et rient, ou s'écoutent d'un air grave, en allemand, en espagnol, en italien, en polonais, avec souvent des jolies filles pour animer le débat, des spectatrices choisies au premier rang, c'est l'universelle loi, suggérer l'écoute en convoquant le regard, même dans les rangs plus lointains du public il y a toujours des silhouettes flatteuses, des jambes de femmes assises. Louise devait dormir déjà.

Sous la nappe en plastique, il passa sa main sur le bois, rassuré de la permanence de cette table, de tout ce qui se passait ici, il lui prêtait une conscience, elle était témoin depuis le début, depuis plus de cinquante ans, quatre-vingts ans, ou peut-être même plus. Il revoyait le vide mortel du soir de l'enterrement, les cinquante watts poussifs tombés du plafond. Louise s'était réfugiée au moulin, elle y était restée trois jours. Cette belle-sœur, en fin de compte, il avait juste eu le temps de la saluer, le visage défait par les larmes, elle avait disparu pendant la messe. Pour lui trouver des excuses les parents la disaient trop sensible, fragile, ils avaient pris le parti de l'aimer, cette bru c'était devenu leur fille, une fille à laquelle ils réservaient toute cette douceur que deux garçons n'avaient jamais su convoquer chez eux, des garçons ça n'inspirait pas ça, les garçons c'étaient des bras fiables et forts, un genre d'assurance vie.

Ce soir-là ils n'étaient que trois. Depuis l'origine, les quatre côtés de cette table avaient toujours été occupés, une table de ferme, c'est ample et généreux, ça accueille au moins dix paires de bras. Ce vide, c'était le signe que quelque chose de la famille se délitait, que quelque chose du domaine perdait de sa substance, que le métier basculait du côté de la solitude. Que le grand-père, puis la grand-mère, et l'oncle, qu'ils la quittent tous les uns après les autres cette table, après tout c'était dans l'ordre des choses, les générations se succèdent, mais là d'un coup ça faisait une plaie. On ne pouvait plus se passer le sel, il fallait tendre le bras pour se passer le pain.

L'horloge, dans son cycle entêté, sonna trois heures, très fort encore une fois. Franck éteignit tout, il ferma la véranda et se dirigea dans le noir complet en suivant la sente jusqu'à la petite maison. À l'annexe, il n'y avait ni radio ni télé, pas même un livre, rien qui soit de l'ordre de la distraction. Pas de lampe de chevet non plus, une fois couché il fallait se relever pour éteindre la lumière, l'interrupteur de la pièce était près de la porte.

Franck n'arrivait pas à s'endormir. Il tournait et se retournait dans le lit. Pour amorcer le sommeil il essayait de faire le vide, de ne penser à rien, mais dès qu'il fermait les yeux, des tas d'images surgissaient comme des bancs de poissons affolés. Au moindre de ses mouvements le sommier lançait des crissements douloureux qui emplissaient la pièce, l'air chaud pesait sur lui pire qu'une couverture. Il s'était relevé pour ouvrir toutes les fenêtres en grand, même la porte, la maison baignait dans le dehors, offerte à toutes les influences, il n'y avait pas d'air.

Le plus dur c'était de ne pas repenser à cette soirée, à cette femme soudain si proche, cette mélancolie douce comme une peau, il revoyait le mouvement de sa nuque quand elle versait le tilleul. Pour fuir tout sentimentalisme il se focalisait sur l'insolite de cette vision, l'étrangeté absolue de cette table posée dehors, la toile cirée jaune en pleine lumière, l'insolence de l'immortalité environnante. Pour la première fois il touchait du doigt ce que ses parents essayaient de lui faire sentir depuis toujours, que la vie se concevait autour de l'idée de passage, que le rôle de chacun se limitait à ça, l'existence n'avait de sens qu'en étant acteur de cette pérennité. Du coup il comprenait mieux ce dîner, le soir de l'enterrement, et cette violence qui se substitua à la peine, après que les autres étaient partis. La peur ultime de ses parents, c'était bien que le nom meure.

À propos de la mort d'Alexandre, de ces circonstances, ce soir-là on ne disait rien, on n'en parlait pas, c'était le tabou complet. Toute la journée ça n'avait été que silence, tous ceux qui étaient là savaient, ils se sentaient tous responsables de cette chasse nocturne, tous se sentaient liés par l'illégalité d'une faute, d'une connerie, cette initiative ils l'avaient tous partagée et elle avait amené un homme vers sa fin. Ce jour-là, ce n'était pas un homme qu'ils portaient en terre, c'était le remords unanime d'en être tous responsables, la repentance en plus du chagrin, dans cette église glacée ils avaient tous eu l'impression de se noyer, la buée sortait de toutes ces bouches éteintes secouées par les larmes, de l'eau à la place des mots. Du coup, de toute la journée il n'y eut pas de mots, rien que ceux du curé qui se perdaient dans ce froid abominable, des paroles qui ne réchauffaient rien.

Alors, tout en dînant là tous les trois d'une soupe chaude, jamais ils ne s'étaient dit autant de choses en toute une vie. C'était tellement cruel, cette chaise vide à la place du frangin. Pour une fois les parents s'étaient mis à parler à Franck de ce devoir qui lui incomberait, de filer un coup de main le temps qu'ils se retournent, et pourquoi pas, de voir plus loin.

Faut dire que le soir de l'enterrement elle était mince la famille. Le père avait bien un frère, mais depuis longtemps l'alcool lui avait volé sa tête, quant à la belle-fille, elle ne l'était pas vraiment, et ils se doutaient bien qu'elle ne resterait pas. Une famille réduite à rien. Ce malaise qui rôdait, c'était le reproche fantôme de tous les aïeux qui lui soufflaient, « la terre ça ne se perd pas, ton devoir c'est d'assurer la continuité, tu comprends ? »

Ce soir-là les digues s'étaient rompues. Le père avait carrément demandé à Franck de finir de couper tout ce bois qui allait pourrir dans l'eau, de lui donner un coup de main, un mois ou deux, ça lui semblait normal. Franck l'avait très mal pris, cette supplique, c'était le signe que ses parents ne respectaient rien de ses choix, de sa vie, de ses rendez-vous le lendemain. La mère essayait d'être chaleureuse.

— Si tu veux, tu peux même dire à Helena de venir, elle serait bien elle aussi.

— Mais elle travaille, on travaille, on a une vie là-bas, et puis de toute façon on n'est plus ensemble, enfin, je ne sais pas, c'est dingue de me demander ça, de me parler comme à un môme, à quarante ans.

Plus que jamais lui sautait à la figure qu'il n'avait rien à voir avec eux. On croit avoir des préoccupations très différentes de celles de ses parents, et finalement c'est bien plus profond que ça. Il les avait face à lui comme deux juges, comme s'il n'avait pas le droit de se soustraire à son destin, et que d'une façon ou d'une autre il le paierait. Alors il s'était lâché en leur cra-chant ce flux de reproches contenus, qu'il en avait rien à foutre de leur ferme, que leur vie c'était pas un modèle, que si ça se trouve Alexandre s'était senti obligé de continuer, et que pour continuer fallait voir les choses en grand, tripler le cheptel pour être rentable, tout remettre aux normes, tout refaire ou arrêter, c'est à cause d'eux qu'Alexandre s'était mis des sommes folles sur le dos pour les salles de traite, c'est cette fuite en avant qui l'avait tué, si ça se trouve il s'était tué.

— Mais qu'est-ce que tu racontes ? T'es fou, c'est eux qu'ils l'ont tué !

La défense du père c'était d'accuser les Berthier.

— On n'accuse pas les gens comme ça, c'est insensé de dire ça.

— Mais qu'est-ce que t'en sais, toi ? T'y connais rien.

— Et qu'est-ce qu'ils foutaient tous dehors, en pleine nuit ?

— Tu le sais bien. C'est eux qui l'ont posté au barrage, ils le savaient bien qu'il y aurait un lâcher.

— Mais il n'y a jamais eu de lâcher la nuit !

— T'étais là ?

— Eh ben alors, va, va les dénoncer, va à la gendarmerie, vas-y, fais-le, mais c'est pas ça qui va le ramener.

— Même mort tu le laisses tomber.

Là-dessus Franck avait quitté la table, d'un geste il avait envoyé valser sa chaise, il ne vou-lait pas se laisser gagner par ces histoires, se salir de toutes ces vieilles rancunes qui venaient de trop loin, ces histoires de terres, de passages, et d'eau, de tout ça il s'en foutait.

Des trains pour Paris, il y en avait deux par jour à l'époque. Franck avait pris le premier car jusqu'à la gare, se jurant de ne jamais remettre les pieds ici, de ne même pas chercher le fin mot de l'histoire au sujet d'Alexandre, son frère retrouvé noyé dans la rivière, cette rivière qu'ils connaissaient par cœur, le terrain de jeu de toute leur enfance, la rivière c'était ce qui faisait leur richesse, une source d'eau intarissable qui descendait de l'Auvergne, c'est elle qui leur donnait les plus belles terres de toute la vallée, parce que très vite, en aval ou en amont c'était de nouveau la roche, la rivière qui serpente encaissée entre les calcaires, des plateaux dont il n'y a rien à retirer, alors qu'eux ils avaient cette zone sédimentaire, depuis des milliers d'années cette rivière leur préparait le terrain, c'était elle qui leur permettait de nourrir la terre, la rivière elle leur donnait tout, puis parfois, elle prélevait son tribut.

Ne pas pouvoir s'aimer, c'est peut-être encore plus fort que de s'aimer vraiment, peut-être vaut-il mieux s'en tenir à ça, à cette très haute idée qu'on se fait de l'autre sans tout en connaître, en rester à cette passion non encore franchie, à cet amour non réalisé mais ressenti jusqu'au plus intime, s'aimer en ne faisant que se le dire, s'en plaindre ou s'en désoler, s'aimer à cette distance où les bras ne se rejoignent pas, sinon à peine du bout des doigts pour une caresse, une tête posée sur les genoux, une distance qui permet tout de même de chuchoter, mais pas de cri, pas de souffle, pas d'éternité, on s'aime et on s'en tient là, l'amour sans y toucher, l'amour chacun le garde pour soi, comme on garde à soi sa douleur, une douleur ça ne se partage pas, une douleur ça ne se transmet pas par le corps, on n'enveloppe pas l'autre de sa douleur comme on le submerge de son ardeur. C'est profondément à soi une douleur. L'amour comme une douleur, une douleur qui ne doit pas faire mal.

Quand Franck releva le bandeau de ses yeux, ce fut comme s'il se jetait dans l'eau glacée, un flot de lumière baignait la pièce et disait l'aurore déjà bien avancée. Il replongea la tête dans l'oreiller. En même temps il ne voulait pas se lever trop tard, pour pouvoir prendre le petit déjeuner avec eux, Louise et son fils, retrouver un peu de l'insolite de ces moments de la veille. Par tempérament il aurait bien traîné encore une heure, tout drap ôté, parcouru par l'air doux, dans le dehors enchanté par les tourterelles, et ce parfum de terre reposée. À Paris comme en voyage il dormait toujours avec un de ces bandeaux, il ne pouvait plus s'en passer, même dans le noir complet, et des boules Quiès souvent.

Le soleil était déjà haut, la cour emplie d'une lumière blanche. Au jugé Franck déduisait l'heure en fonction des ombres sur les bâtiments de la ferme, neuf heures, peut-être dix, de mémoire il estimait ça. Louise n'avait pas remis la table dehors, si elle avait voulu le faire, même avec le petit, elle n'y serait pas parvenue. Franck trouva plutôt étonnant de ne pas les entendre, un peu déçu que le petit ne soit pas là, de ne pas le voir courir vers la maison comme la veille.

En approchant de la ferme il vit que la véranda était ouverte, il les appela depuis la cour, puis il entra dans la cuisine, il n'y avait personne. C'était désolant, ce manque de vie dans ces murs, ce décor hier si chaleureux, presque doux pour une fois, le seul bruit là encore c'était le tic-tac.

Il était plus de dix heures. La voiture de Louise n'était pas dans le hangar. Il se dit que leur avait pris l'idée de partir, peut-être pour la journée, ça créait un furieux vide d'un coup. Il ne savait plus si elle lui avait parlé d'aller jusqu'au village, de faire des courses avant qu'il fasse chaud. Il aurait bien aimé les suivre dans cette virée-là, explorer cette partie-là de son humanité, les suivre dans les allées du marché, voir le môme avoir envie d'une glace ou d'un jouet, lui dire oui à chaque fois.

Sur la table de la cuisine il y avait un couvert, une cuillère et un bol propre, le même qu'hier pour le goûter, celui avec les Mickeys bleus, le paquet de corn flakes était posé juste à côté, le paquet de BN et des confitures, à coup sûr c'était le môme qui lui avait tout préparé. À la première sonnerie de téléphone Franck sursauta. Sur le coup il se dit qu'il ne répondrait pas, il ferait comme s'il n'était pas là. Lui revint alors l'image du jour où il les avait appelés. Là c'était pareil, il laissa le téléphone sonner dans le vide, il ne se sentait pas de répondre, surtout le matin pas réveillé, sans doute pour tomber sur ses parents qui venaient aux nouvelles, les parents qui voulaient savoir comment ça se passait, il ne se sentait pas de se mettre à leur parler, et surtout il y aurait cette bizarrerie de leur répondre depuis chez eux, ce n'était même jamais arrivé. Il dirait à Louise de les rappeler quand elle rentrerait, avec elle au moins ils arrivaient à parler normalement, à parler tout simplement. Les sonneries ne s'arrêtaient pas, Franck était perturbé par cette insistance, il mit mécaniquement de l'eau à chauffer dans la bouilloire pour faire un thé, il alluma le gaz tout en se disant qu'il pourrait se faire un chocolat, le même qu'hier, et ce téléphone qui n'en finissait pas de sonner. La bouilloire commença son sifflement aigu, c'est là qu'il pensa au pire, il leur était peut-être arrivé quelque chose, alors il négligea la bouilloire pour vite aller répondre, pile au moment où ça s'arrêtait.

Il n'eut pas le temps de s'en vouloir car les sonneries reprenaient déjà, ce n'était pourtant pas leur genre d'insister.

— Allô ?

— Franck, vite, il faut vite que vous veniez...

Le portable de Louise passait mal et le sifflement de la bouilloire s'amplifiait, la communication était heurtée de silences abyssaux, des syllabes sautaient, en bruit de fond il entendait le môme aussi, Alexandre qui chialait.

— Vous avez eu un accident c'est ça ?

— Franck, venez avec une carabine, vous savez où est la clé ?

— Quoi ? Attendez Louise, vous êtes où, je ne comprends pas, qu'est-ce que voulez faire avec ça ?

— Vous savez vous servir d'une carabine Franck ?

— Mais pourquoi ?

— C'est horrible...

— Vous êtes où ?

— Le chemin des Vaissières, juste après les tabacs.

— Mais...

La bouilloire sifflait à tue-tête, ça faisait un boucan pas possible, pour le coup Franck avait le sentiment de se faire rattraper par un cortège de déveines et d'incompréhensions, cette âpreté qu'il y avait à vivre. Pourtant en se levant, il se voyait pour une fois glisser vers une journée parfaite, dans ce silence tranquille, seulement voilà, dix minutes à peine et il était en nage. Cette journée il en attendait beaucoup, une parenthèse de bel été avec Alexandre et sa mère, pas grand-chose finalement, manger dehors et se balader, faire du vélo, s'inventer une illusion de paix totale pour au moins une journée. Au lieu de ça il vrillait la clé de ce placard diabolique, ce placard étroit dans la chambre des parents où étaient alignés trois carabines et deux fusils. Il y avait vingt-cinq ans qu'il n'avait pas touché une arme de chasse, il évaluait vaguement la plus simple à manipuler, dans son souvenir la meilleure était celle-là, celle que son père ne voulait jamais prêter, une Verney Caron, le nom lui revint en déchiffrant l'acier gravé, la plus fiable, le jour où le père se l'était offerte avec un bel étui en cuir, ce fut un événement.

Il était dix heures et quart, le soleil commençait à taper fort pourtant. L'air se saturait déjà de chaleur. Franck prit dans la grange ce vélo que son père avait regonflé, il l'enfourcha et il se jeta sur le chemin des Vaissières.

Le choc avait dû être terrible. Dix minutes après Louise tremblait encore, elle n'arrivait toujours pas à reprendre son souffle. C'est d'une violence inouïe de percuter de plein fouet une masse vivante comme ça, ça retentit d'un fracas qui fait instantanément basculer dans la peur, surtout quand la bête continue de bouger et de gueuler sous la voiture, se débattant en s'arrachant follement, parce qu'elle est coincée, une agonie qui n'en finit pas.

Louise se tenait le visage à deux mains, encore une fois elle voyait que par sa faute les choses tournaient mal, ce sanglier qui gueulait, ces hurlements blessés, ça disait tout de son aptitude à abîmer, où qu'elle aille, quoi qu'elle fasse, c'était à croire qu'elle portait le mal. Elle se tenait à distance de la voiture, Alexandre était encore plus loin derrière, accroupi dans les premiers plants de tabac, il restait là sans bouger, trop choqué pour rire ou pour pleurer, surtout que pendant le choc il était à l'avant et que sa mère ne l'avait pas attaché. C'était allé si vite. Avant que tout ça n'arrive elle roulait tranquillement pour regarder les fleurs jaunes, c'est un spectacle rare de voir les fleurs de tabac, c'est d'un éclat splendide et ça ne dure pas, on les laisse juste monter le temps qu'elles fleurissent, quelques jours pas plus, et aussitôt on les étête pour récolter les graines de l'année prochaine. Ils roulaient sans obstacle sur la petite route le long des champs, c'était rare qu'elle ait l'enfant pour elle toute seule, ça n'arrivait jamais. Alexandre avait sorti la tête par la vitre pour se faire asperger par les jets d'arrosage, une eau qui giclait de très haut au-dessus des cultures, les vitres étaient ouvertes, la voiture brassait un air léger, l'osmose était totale entre l'habitacle et la douceur du dehors, Louise se sentait pleinement la mère de son enfant, réunis dans l'insouciance d'un matin d'été, et c'était au bout des maïs trempés qu'avait jailli ce mâle énorme, il s'était jeté lit-téralement sous la voiture. Louise ne roulait pourtant pas vite mais le choc avait stoppé net la voiture dans un éclat terrible, elle lui avait roulé dessus et le sanglier était maintenant salement coincé sous le bloc-moteur, le haut du corps piégé juste en dessous du différentiel, ce qui rehaussait la voiture, du coup une roue patinait dans le vide et l'autre perdait toute motricité, elle avait beau essayer de reculer ou d'avancer, la voiture était clouée sur place, et cette idée d'avoir une bête à l'agonie juste sous ses pieds, ça la rendait folle. Elle était sortie sans même refermer sa portière. Le pire c'étaient ces hurlements, la bête tordue de souf-france qui gueulait là-dessous, elle n'osait pas regarder, cette voiture en devenait affolante, bloquée comme sur un talus. Ne voyant plus quoi faire, sans même arrêter le moteur, elle avait hurlé à Alexandre de sortir et l'avait pris dans ses bras.

En les voyant de loin dans le fond du chemin, Franck ne comprit pas tout de suite, la Golf verte bizarrement calée au milieu de cette petite route déserte, ces hurlements insoutenables, ceux d'une bête à l'agonie, et pourtant de loin il ne voyait pas de bête, rien d'anormal. Sur le coup il en voulut à Louise d'avoir fait ce détour, quelle idée de passer le long de la rivière pour aller au village, un détour d'au moins cinq kilomètres qui prenait deux fois plus de temps ! En arrivant à leur hauteur, Franck vit ce désarroi total dans le regard du môme, que cet enfant si gai puisse pleurer, ça le suffoquait. Près de la voiture il se baissa, il jeta prudemment un œil en direction de ces mugissements insoutenables.

— Ça va, Louise ? Vous n'avez rien ?

— Franck, il faut l'achever !

— Je ne pourrai jamais faire ça !

L'espace d'un regard, là sur l'instant, il leur apparut combien ils étaient soudainement liés, là sur l'instant ils avaient totalement besoin l'un de l'autre.

Franck avait souvent accompagné son père à la chasse, pas vraiment pour chasser, pour filmer le plus souvent, pour suivre les chiens, le matin au moment de faire le pied, ou pour récupérer les égarés en fin de journée, des chiens il y en avait toujours de perdus. Il n'aimait pas l'idée de tirer sur un animal, de tuer, ça lui semblait considérable. Et de tirer où d'abord ?

— Là !

Louise désignait la tête.

— Ça nous est arrivé avec Alexandre, avec un chevreuil qu'on avait trouvé au bord de la route, il l'avait achevé en tirant par là, ou dans la gueule peut-être, je ne sais pas, enfin c'est par là.

— Louise ! Je ne vais quand même pas le tirer sous la voiture, je ne pourrai jamais faire ça, et si la balle traverse, je ne sais pas, et si je fais péter le moteur...

— Mais non, Franck, la voiture ça ne risque rien.

— Je peux faire ça, je vais dégager la voiture.

Franck s'installa au volant. En jouant sur l'embrayage la transmission faisait un bruit de frottement bizarre. Il passa en marche arrière, puis en marche avant, il forçait les régimes mais le moteur hurlait dans le vide avec ce bruit, toujours. Il ressortit pour fourrer une pierre sous la roue décollée du sol, et là en débrayant d'un coup sec les roues récupérèrent un peu d'adhérence, suffisamment pour reculer d'un bond et se déprendre de la bête. Le sanglier libéré tenta de se dégager, il se redressa sur à peine plus de trois mètres et s'effondra sur le flanc, vivant mais incapable de se relever, la colonne fracassée, il gueulait mais ne crevait pas, Franck le voyait juste là devant le pare-brise, ça le rendait fou, il ne voulait pas tuer cette ordure, c'était comme un accident qui n'en finissait pas.

Franck se sentait piégé par ce faux cadavre, il arma la carabine, il songea à son père, à la tête qu'il ferait s'il savait que sa carabine était hors du placard, entre ses mains surtout, alors il ajusta, comme ça à bout portant, mais comment arriver à fourrer le canon dans la gueule d'un animal qui remuait encore ? En même temps Franck se sentait investi du devoir de les sauver, comme s'il y avait une réelle menace, lui seul pouvait éteindre ces hurlements qui les ébranlaient tous, lui seul pouvait éteindre ces râles affreux qui soulevaient le ventre, des gémissements si forts qu'ils déchiraient la campagne à perte de vue. De voir le visage de Louise et d'Alexandre fit venir en lui un sentiment protecteur. Il s'avança près du sanglier affalé sur l'herbe, le sanglier secoué par les convulsions curieuses du poisson tout juste pêché, qui va chercher très haut dans le ciel un air qui ne vient plus, il remuait surtout la tête pour se défendre jusqu'au bout, prêt à lacérer de ses grès qui l'approcherait. Franck se baissa en face, sans s'énerver, il mania le levier pour engager une balle, il réalisa qu'il avait pris des balles de 9 mm, à bout portant ce serait un carnage, pour armer il dut s'y reprendre à plusieurs fois, pour retrouver le geste, il s'efforçait de ne pas trembler, se prépara au recul pour ne pas se prendre une baffe, il essaya de fourrer le canon dans la gueule mais sans s'en approcher trop, chaque fois la bête se dégageait, il n'y arrivait pas, alors, pris d'un coup de colère il se releva, dans un coup de sang il pointa l'arme sur le haut du crâne, bougea à peine le doigt.

Le coup de feu résonna en cascade de combe en combe, les falaises de calcaire répercutèrent l'écho qui devait détoner jusque dans le fond des terriers, jusque dans le ciel de tous ces gibiers qui se croyaient en paix loin de l'ouverture de la chasse, une déchirure qui s'éleva plus haut encore que cet air qui ne venait plus aux poumons du sanglier asphyxié. Les bêtes sauvages ressentent ce bruit-là, toute bête qui a un jour ou l'autre détalé dans l'écho des coups de feu sait bien que s'il n'y a qu'un seul coup de feu comme celui-là, un seulement, c'est que la bête est tombée. En revanche, s'il y en a plusieurs à la suite, elle s'est peut-être sauvée.

Franck et Louise se regardèrent, hébétés mais soulagés, signe que seule cette violence pouvait tout résorber.

Franck n'entendait plus de l'oreille droite. Cette carabine pesait si lourd d'un coup, il la lâcha sur le sol comme pour rejeter son geste, il savait que l'histoire ne s'arrêtait pas là, il faudrait dégager le cadavre, on ne laisse pas une bête pourrir au grand air, ce n'est pas humain de faire ça. Il vérifia l'état de la voiture, le pare-chocs était tombé, il le replaça tant bien que mal et demanda à Louise de mettre le contact, après quelques coups de clé le moteur repartit, il y avait un frottement bizarre.

— Roulez un peu pour voir, et essayez de passer toutes les vitesses.

Louise enclencha la première, à la deuxième l'embrayage patinait avec ce bruit toujours, cette fois c'était devenu un bourdonnement.

— Allez-y, roulez plus loin pour voir, roulez, passez-les toutes...

Franck vit la voiture s'éloigner, suivre la petite route le long des arbres, il n'y avait plus de bande-son, sinon le bruit sourd d'une voiture qui s'éloigne. Alexandre se rapprocha de lui, il se colla contre sa jambe. Franck se posa la paume en ventouse sur son oreille pour siphonner ce bourdonnement atroce, parce que là, dans ce silence, il l'entendait toujours ce coup de feu. Le bruit de la voiture se noya jusqu'à disparaître tout au fond là-bas, là où les haies font un coude, il ne la voyait plus au bout des aubépiniers, une seconde il pensa qu'elle se barrait vraiment. Il agita son doigt à l'intérieur de son oreille pour siphonner ce sifflement qui ne partait pas.

— T'as mal ?

— Non, c'est rien.

— T'as eu peur ?

— Pas toi ?

— Si.

Plus de voiture.

— Elle revient, maman ?

— Oui, bien sûr, elle essaye juste les vitesses, pour voir.

— Et lui, on fait quoi ?

— On va d'abord attendre qu'elle revienne. Et après on va le mettre dans la voiture, j'en sais rien en fait.

Franck pensa qu'elle devait rouler jusqu'à la route pour faire demi-tour, à moins qu'elle ait calé, que la voiture soit quelque part là-bas, qu'elle ne reparte pas. Du coup il ne savait plus ce qu'il devait faire. Aller jusqu'au bout du chemin, ou rester là avec le môme et ce sanglier à la mort offerte.

Alexandre avait profité de ce flottement pour ramasser la carabine, il tenait ce jouet prodigieux avec une excitation irréelle.

— Putain, pose ça, nom de Dieu !

Franck arracha l'arme des mains d'Alexandre. Le gosse n'en revenait pas de ce mouvement de colère, il leva un regard accusateur vers Franck.

— Tu dis des gros mots, toi ?

Totalement inerte, le sanglier paraissait encore plus massif, plus imposant, quatre-vingt-dix kilos sans doute, ils seraient incapables de le bouger tous les deux, de le hisser dans le coffre encore moins, et ce sang qui ruisselait, ils s'en mettraient partout. Franck voyait la scène, il se voyait déjà le traîner, attaché à une corde, pour en faire quoi ? Il ne se sentait pas de le planquer là, en faire une carcasse sacrifiée, dévorée par le soleil et les renards, d'autres sangliers peut-être. Môme, il avait été marqué par ce geste de John Wayne dans *La Rivière rouge*, John Wayne qui prenait toujours le soin d'enterrer les hommes qu'il venait d'abattre, les Mexicains, même les Comanches.

Cette carabine pesait lourd en main. Le silence avait de nouveau laissé place à la vie, les chants d'oiseaux, la rivière qui coulait derrière les aulnes, pas trop profonde en cette saison, sans courant.

Alexandre s'approcha du sanglier et y posa la main, pour toucher le poil du bout des doigts. En le voyant faire, Franck eut l'image de ces bébés fauves filmés au Kenya, deux lionceaux qui se rapprochaient d'une antilope que la lionne venait de faucher d'un coup de patte, les petits avançaient en se méfiant, ils reniflaient la carcasse sans trop oser, n'arrivant même pas à la mordiller.

Franck fixait des yeux ce bout de chemin. Il n'entendait pas le moindre bruit de voiture, rien. Après tout, qu'est-ce qu'il en savait de cette femme, sinon qu'elle était capable d'abandonner son fils à ses parents, de disparaître comme là, c'était bien le signe que quelque chose n'allait pas. Il songea qu'elle pouvait se dire la même chose de lui. Franck était en nage et le môme qui le regardait depuis cinq minutes.

— Eh ben, tu filmes pas ?

— Non, t'as raison, je n'ai pas pensé à prendre la caméra, je suis parti en courant.

— T'as eu peur, quand elle t'a appelé maman ?

— Oui, un peu. Tout de même, elle est bizarre ta mère, tu crois qu'elle serait capable de nous planter là ?

Alexandre était auprès de cette bête comme au bord d'un précipice, bien conscient de surplomber là quelque chose de vertigineux, avec ce risque toujours possible d'y tomber.

— Tu crois qu'elle va pas revenir maman ?

— Je n'ai pas dit ça, petit, je n'ai pas dit ça.

L'enfant s'écarta du cadavre, puis il vit ces traces de sang qu'il venait de se mettre sur le bout du doigt, puis sur les genoux, il y en avait plein l'herbe du sang, même son short était taché, pour lui c'était affreux de découvrir la mort juste là, présente, l'exact inverse d'un jeu, un paysage dans le paysage, et il y avait ce chemin vide que Franck ne lâchait pas des yeux, cette voiture qui ne revenait pas, d'un coup remonta dans son petit corps une inquiétude totale, son regard bascula dans la plus parfaite incompréhension, comme s'il lui venait l'intuition que tout était grave. L'enfant se mit à chialer, ça lui tombait dessus comme une pluie, l'idée que sa mère ne revienne pas, cette odieuse éventualité, si Franck n'en avait pas parlé il n'y aurait jamais pensé, la peur se refermait sur lui comme un piège.

— Mais non, attends, bien sûr qu'elle va revenir, elle est juste partie faire demi-tour jusqu'à la route, ou alors elle a calé, mais tu sais bien qu'elle ne va pas nous laisser là.

Alexandre se mit à réclamer :

— Mamie !

— Mais bonhomme, ta maman c'est mieux qu'une mamie.

— Ma maman, c'est mamie.

— Dis pas ça, tiens, écoute tu ne crois pas qu'on entend une voiture...

— Je veux mamie...

Au bout de deux phrases Franck se sentait déjà à court d'arguments. Il se rendait compte qu'il était parfaitement incapable de rassurer un gosse de cinq ans, il ne voyait pas sur quel mode le convaincre que cette mère dont il ne connaissait que l'absence, elle reviendrait. Il prit Alexandre dans ses bras et le porta, Franck posa la tête sur la joue de ce petit être, il ferma les yeux sur ce parfum d'enfance, c'était le silence complet, seul le bruit de la rivière les enveloppa du souvenir infini de son frère, l'infini remords de l'avoir abandonné.

Tuer, ici il y avait des jours pour ça. On ne tuait que quand la chasse était ouverte. En dehors de ces dates-là la mort n'était pas permise. Seulement ce jour-là, la terre commandait d'agir. Un solitaire mettait tout à sac dans la vallée depuis des semaines, il fallait le mettre hors d'état de nuire, il fallait l'arrêter, sans quoi il dévasterait tout. Depuis le début de l'hiver il devait gîter là-haut, bien planqué dans les monts de La Sagne, la journée il se terrait dans les épais taillis de buis emmêlés sous les chênes, il improvisait ses bauges le long des crêtes, et chaque soir, à la nuit tombée il déchirait les ronces et dévalait les pentes pour traverser la rivière pourtant bien large en cette saison, et venait sur cette rive pour se livrer au saccage, toutes les nuits il descendait pour fourrager les champs, parfois il remontait dans les combes en plus de la vallée.

Cette traque-là, il fallait que personne n'en sache rien, dans les environs personne n'en parlerait. Certains étaient venus de plus loin pour prêter main-forte. En tout, ils étaient une bonne dizaine ce soir-là pour neutraliser le

nuisible, sans aucune autorisation, sans prévenir les garde-chasses pas plus que les gen-
darmes, ni même les paysans plus loin dans la
vallée, personne jamais n'en saurait rien, et les
autres le garderaient pour eux. Depuis toujours,
on procédait ainsi, ici il y avait une loi au-
dessus des lois, un droit que seule la terre commandait.

Cette chasse clandestine, c'était au Berthier
de la mener. Les monts de La Sagne c'était chez
eux, c'était chez eux qu'il gîtait ce salaud. Pour
se lancer dans ce genre de traque il fallait juste
attendre une lune aussi pleine que possible,
éclatante, une nuit sans nuages pour déchiffrer
le décor sans lampe ni phare, et si froide qu'elle
soit, ce serait cette nuit-là.

Ils s'étaient retrouvés à vingt heures là-haut
chez les Berthier, ils avaient attendu que la nuit
soit franche en enchaînant les cafés, pas
d'alcool, vraiment pas d'alcool. Dans ces cas-là
ils chassaient sans chien, à vue, d'égal à égal
avec l'animal fauve qui avait pris le parti de les
défier. La bête, le cochon comme ils disaient
entre eux, il faudrait le cueillir sur différents
points de passages, ils tiendraient le poste sur
les pentes où ils avaient repéré des traces, en
revanche Alexandre se posterait en bas, le long
de la rivière, pour couper le passage au cas où
le sanglier traqué s'aviserait de retraverser pour
se replier. Pourtant Alexandre ne savait pas
nager, nul ne l'ignorait, mais la rivière coulait
le long de ses prés à lui, lui mieux que personne
connaissait ces passages où les bêtes traversent.

Le père n'était pas venu, le père ne voulait
rien avoir à faire avec les Berthier, parce que,

236

cette nuit-là, c'étaient les Berthier les maîtres, c'étaient eux qui décideraient de tout, et le père n'avait aucun ordre à recevoir de ces gars-là. Au départ, les conditions étaient idéales, la lune était franche comme un lampadaire, mais vers trois heures, d'un coup le ciel se sera couvert, faussant tout, noyant le décor dans une anxieuse imprécision. Les nuages avaient coulissé depuis le sud-ouest, des nuages d'encre qui tendirent une nuit radicale, il n'y avait pas de vent pourtant, mais d'un coup la lune s'était voilée et on n'y voyait plus rien. Alors, ceux qui marchaient là-haut sur les flancs du causse se vrillaient les chevilles sur les pierres ou se prenaient dans les ronces. Alexandre aura tiré paraît-il, en tout cas il y eut un coup de feu en bas, puis plus rien.

— Mais Louise, je vous avais juste dit de rouler quelques mètres, qu'est-ce qui vous a pris ?

— Excusez-moi, je ne pouvais pas faire demi-tour, le chemin est trop étroit, alors j'ai continué jusqu'à la route et là-bas j'ai vu la Jeep des Berthier de loin, ils sont en haut pour les clôtures, je me suis dit que ce serait plus simple de leur demander, ils sauront le ramasser eux, vous ne croyez pas ?

Franck ne répondit pas.

Alexandre ne pleurait plus. Il était passé à un tout autre état d'âme. Il rassemblait ce qu'il trouvait de petits cailloux dans le chemin sec, et les jetait de loin sur la bête morte, il ne prêtait plus la moindre attention à sa mère, il avait totalement oublié que pour un temps il avait cru l'avoir perdue.

Franck faillit dire à Louise que son fils avait chialé, complètement en panique, en même temps il ne voulait pas la culpabiliser, ce serait prendre le risque qu'elle sente le poids d'un reproche, qu'elle prenne d'un coup la mesure de ce qu'elle représentait pour son fils.

— Je suis désolée Franck, mais c'est le premier réflexe qui m'est venu, tout seuls on n'y arrivera pas, excusez-moi.

— C'est bon, ce n'est rien.

— Non, je veux dire, excusez-moi pour tout ça, cette matinée, ce carnage, mais bon, j'ai eu peur. Le choc a été tellement violent, je vous assure, j'ai eu peur de, enfin je ne sais pas, c'était un peu comme une agression.

Louise se sentait submergée par le contrecoup de l'accident. Elle prenait la mesure du gâchis. Pour elle il s'agissait bien de ça, d'un gâchis, voilà ce qui restait de son idée de balade dans le clair matin, le résultat il était là devant elle, une bête crevée, un homme déboussolé, et son fils fasciné par un cadavre. Plus que jamais elle ressentait cette faculté, de tout endommager.

— Je m'excuse, vous étiez venu pour vous reposer, et dès le premier jour je vous inflige ça, j'ai tout gâché.

Elle eut ce geste de s'approcher de Franck, de lui tendre la main pour prendre la sienne, manière de dire, je porte un désespoir, et en même temps je serais bien la dernière à pouvoir vous en consoler.

Franck répondit à son geste, il lui saisit la main, rien de plus, avec un air de dire, on ne se connaît pas mais on se reconnaît bien.

— Ne vous en faites pas Louise, ce n'est pas de votre faute si cet animal à la con s'est jeté sous votre voiture. Ce sont les joies de la campagne, pas vrai !

Louise restait sur son idée.

— On voulait vous faire la surprise, vous ramener des croissants frais et du lait de la ferme. J'ai tout gâché.

Louise jeta un œil à la bête, cette énorme flaque de sang qui n'en finissait pas de se répandre. Elle se détourna dans un moment d'effroi et eut ce réflexe de poser sa tête sur l'épaule de Franck, comme pour se réconforter, un geste qu'elle n'avait jamais eu pour tous ces êtres qui l'avaient approchée ces derniers temps, tous ceux qui avaient voulu l'atteindre ou l'attendrir, ces quelques autres aussi qu'elle avait noyés dans le refus. Les larmes lui vinrent sans qu'elle y puisse rien, une émotion la dépassait, elle venait de perdre quelque chose de sa carapace, surtout elle avait eu peur, cette bête folle sous sa voiture, ce bruit incroyable que ça avait fait, pire qu'une moto qu'elle aurait renversée, un accident qui prolongeait cet énorme paquet d'angoisse qui pesait sur elle ces derniers temps, c'était comme d'assassiner le souvenir de cette soirée d'hier.

Franck posa la main sur la nuque de Louise pour lui amener la tête jusqu'à lui, un geste qui au-delà de la consolation, le ramenait à sa propre perdition, à moins qu'il n'y trouve de quoi se consoler lui-même. Rien d'autre ne le rattachait au monde que ce moment. Rien. Il avait son oreille droite contre les cheveux de Louise, la douceur de ses cheveux sans parfum. Sur le coup il ne leur apparut même pas, ce pas gigantesque qu'ils venaient de faire, d'ailleurs il ne s'agissait pas de ça, c'était comme d'avoir trébuché l'un vers l'autre, un pas

qui les sortait d'eux-mêmes mais ne les rapprochait pas. Louise ne bougeait plus.

Pour l'un comme pour l'autre c'était un enve-
loppement total, s'approcher d'un corps à ce
point, surtout quand on a vécu des années sans
caresses, sans même une main qui vous touche
la peau, sans le parfum d'une peau autre.

Alexandre lançait des cailloux dans la rivière,
le gros jouet mort ne l'intéressait plus. Franck
fermait les yeux si près de cette masse de cheveux tendres, il y voyait un résumé de tout ce
qu'il y avait là autour d'eux, des berges éteintes,
des herbes chaudes, des séquences de gouttelettes projetées au-dessus des récoltes qui les
atteignaient d'un pétillement, une pluie errante,
une irréelle douceur qui faisait tout oublier,
jusqu'à ce cadavre juste là à leurs pieds.

On peut vivre des années avec une femme en ayant oublié l'odeur de ses cheveux, sans ne même plus avoir la moindre idée de ce qu'est sa peau.

Les dernières années avec Helena, ils en étaient là, à vivre ensemble sans être ensemble. Le jour où elle était partie, lui laissant la charge de leur appartement, le laissant seul dedans, là sur le palier, il l'avait raccompagnée sans trop savoir quoi faire, un peu comme chez le médecin au moment de dire au revoir, ils n'allaient tout de même pas se serrer la main, c'est elle qui avait eu ce geste étonnant, juste avant qu'il referme, de le prendre dans ses bras, ils s'étaient tenus comme ils ne l'avaient pas fait depuis des années. Depuis plus de quatre ans déjà ils ne se touchaient plus, ne s'effleuraient même pas, dormaient très loin l'un de l'autre dans le même lit.

Le jour où elle était partie, il ne s'était pas agi d'effusion mais d'un mouvement, dix ans qu'ils vivaient ensemble, dix ans dont la moitié à s'ignorer, à faire plus ou moins comme si l'autre n'était pas là. Ce jour-là, il l'avait même embrassée sur le front comme on le ferait à une gamine, elle s'était retournée et avait descendu les escaliers tout simplement, elle prenait l'Eurostar à quinze heures pour s'installer à Londres, elle avait déjà fait plusieurs trajets, pour préparer sa nouvelle vie, et cette fois, ça y était, elle partait pour de bon, elle allait rejoindre un homme qui vivait là-bas. Elle sortit de cet appartement, presque légère, rien n'aurait pu dire que c'était la réelle dernière fois, déjà barrée dans une vie à refaire.

— Tu gâches tout.

Dans la bouche d'Helena il l'avait entendu mille fois cette phrase-là, elle l'accusait de ne rien vouloir construire, ou de tout détruire, de ne rien réussir, d'avoir défait leur couple sans même qu'ils s'en rendent compte, de tout gâcher. Folle agonie d'un couple. À moins qu'il en aille toujours ainsi, qu'il n'y ait pas d'autre façon d'en finir qu'au terme d'épuisantes incompréhensions, salement. Après les années passées à s'aimer, il y a celles où l'on n'arrive pas à se quitter.

— Vas-y toi, quitte-moi si t'en es capable, fais ça pour moi, vas-y, aie ce courage. Quitte-moi, bon sang !

Parfois ils en venaient jusque-là, à se le demander comme un service, un cadeau que l'un pourrait faire à l'autre, prendre l'initiative non pas de rompre, mais de partir. Un soir, elle avait même dit que c'était chez elle ici, après tout c'est elle qui payait tout le temps le loyer, elle était allée jusque-là, à ces arguments bas de gamme, parce qu'elle n'en pouvait plus de ce non-amour, de cette non-vie, cet appartement au départ était à elle, c'était donc bien à lui de partir, physiquement, de faire la démarche. Un soir de colère en novembre, il avait rassemblé tout ce qu'il pouvait de ses affaires dans sa valise, il disait qu'il trouverait un hôtel dans le quartier, mais d'un coup, face à cette valise, cette valise qui lui avait servi cent fois pour partir un peu partout faire des images, cette valise dans laquelle au début elle lui glissait une surprise qu'il ne découvrait qu'en atterrissant dans le pays d'accueil, ça allait du vêtement intime, à des chocolats, un livre, cent fois elle avait fait ça, eh bien c'était cette même valise qui était là dans le couloir, une simple valise pour affronter toute une vie de froid. L'image l'avait dévastée, finalement elle l'avait supplié de rester. D'autres fois elle l'avait mis dehors, avant de courir derrière lui dans la rue. D'autres fois c'est elle qui s'en allait, elle claquait définitivement la porte, avant de revenir une poignée d'heures après.

Ils ne s'en sortaient pas. Sans cette fête chrétienne, ils ne se seraient peut-être jamais quittés.

Il y a deux ans, le dimanche de Pâques, Franck s'était levé tard, à midi il n'était toujours pas réveillé, ce qui lui arrivait facilement. Helena était descendue pour prendre un café dehors, s'essayer à faire ça pour une fois, sortir de chez elle et prendre un petit déjeuner au café juste en bas. Tous les jours en allant à son bureau elle passait devant ce café à l'angle mais jamais encore ne lui était venue l'idée de s'arrêter, elle n'allait jamais seule dans un café, l'idée ne l'avait même pas effleurée. Il faisait froid, pourtant elle s'était fait servir en terrasse, le haut du corps réchauffé par un parasol de gaz, les pieds froids. Dans le journal on parlait de la bénédiction *urbi et orbi* du pape, d'un accident domestique qui avait mis le feu à une maison de retraite. Les gens passaient dans la rue, beaucoup en famille, avec en tête l'idée d'en faire quelque chose de ce dimanche, ils marchaient vite, signe qu'ils avaient un projet en tête, qu'ils savaient tous quoi en faire, de ces jours fériés, ces jours où pour certains le temps semble ne pas passer, alors que d'autres au contraire y font plein de choses. Elle n'était remontée que vers midi à l'appartement, Franck était encore au lit, endormi à côté du plateau de petit déjeuner qu'elle lui avait déposé sur le lit avant de sortir, sans la moindre marque d'affection, rien que par habitude, un plateau déjeuner comme un lointain résidu de l'amour. Il n'y avait toujours pas touché. Et là, en revenant de dehors, elle n'a pas supporté cette image, ce contraste, de se dire qu'au même moment un peu partout dans la vie autour d'eux, dans les appartements, dans les jardins, des parents devaient en être à cacher des œufs en chocolat pour que leurs enfants les retrouvent, au même moment, des millions d'êtres, d'œufs et d'enfants se retrouvaient avec plus ou moins de gaieté, alors que lui, pendant ce temps-là, tout ce qu'il faisait c'était dormir. Ils n'avaient pas d'enfant, en fin de compte ils n'avaient pas pu. Pourtant ils y étaient presque arrivés, à peu de chose près il y a deux ans, ils auraient pu passer Noël à trois. Le 22 ils s'étaient retrouvés dans une maternité, mais aux urgences, dans une chambre à l'écart, honteuse, une salle qui n'avait pas de fenêtre. Sans attendre le temps qu'elle récupère il l'avait très vite sortie de cet univers insupportable, ils étaient rentrés à la maison, en taxi au milieu des décorations dans la rue, ils s'étaient couchés tôt, très tôt, ils n'étaient plus que deux. Le lendemain ils avaient pris le train pour le Var, la mer, histoire de passer les fêtes très loin de tout ami, loin de tout ce qui rappelle une ambiance de famille. Sur place il avait loué une grande maison tout juste construite, sans meuble, rien d'autre qu'un lit dans une des chambres fraîchement peintes. Une maison au bord de la côte, une baie vitrée ouvrait grand sur la mer. C'est ainsi que les fêtes du calendrier catholique, depuis ce jour-là, pour elle c'était comme les étapes de leur chemin de croix, des fêtes qui ne parlent que de ça, de Nativité, de Résurrection, de mère et de son fils, une mère qui s'élève d'elle-même, un fils qui exalte sa mère, Sainte Mère, Saint Fils, Sainte Famille.

— Tu gâches tout.

Pour en revenir à ce matin de Pâques, en remontant à l'appartement, en le voyant toujours endormi, elle avait laissé tomber son sac bien fort. Il s'était réveillé, sentant les reproches, cette colère dans son regard, il avait pris les devants, en lui lançant qu'il n'y avait pas de mal à être encore au lit à midi, un dimanche, même de Pâques, après tout il travaillait dur toute la semaine, et quand il n'y avait pas de boulot c'était aussi dur d'en chercher, et puis il était fatigué ces derniers temps, il n'arrêtait pas de le lui dire mais elle ne le croyait pas, elle ne s'en souciait pas, d'ailleurs elle lui disait, le pire serait bien qu'il tombe malade, pour tout compliquer, déjà qu'ils n'arrivaient pas à se séparer alors là ce serait le comble. À partir de là elle avait été odieuse, et dure, elle lui avait dit que c'était insupportable de voir ça, ce bordel, ce lit complètement défait, elle n'avait pas eu trop à forcer pour devenir méchante, en fin de compte tout ce qu'elle cherchait c'est qu'il en vienne à la détester, pour de vrai, pour de bon, qu'il la haïsse, qu'il la quitte, qu'il se mette à la détester pour de bon. Là-dessus il s'était levé d'un bond, renversant tout, tout avait valsé, les tasses comme les mots, des saloperies qu'on se balance à la figure quand on a le cœur qui déborde, il lui avait dit à quel point elle lui faisait sentir qu'ici c'était chez elle, qu'au bout de six ans il ne se sentait toujours pas chez lui, alors qu'il payait le gaz, l'électricité, le téléphone, de là, quand on atteint ce genre d'arguments, c'est qu'on est tombé bien bas ; quand on en est à se dire ça, c'est vraiment qu'on est sur l'autre versant de l'amour.

Ce qui les retenait, c'était cette totale habitude qu'ils avaient l'un de l'autre, à force de rester ensemble on ne tient plus à l'autre, mais on tient par l'autre, et là, c'est beaucoup plus délicat, ça demande une énergie folle de se déprendre, ou de la haine pure, à moins de miser sur l'événement d'une nouvelle rencontre, celle qui redonne la folie de recommencer à zéro.

Il s'était habillé, il était sorti, claquant la porte une fois de plus comme s'il partait pour de bon.

Ce jour-là il avait eu froid, toute la journée la pluie n'en avait pas fini de tomber. À plus de huit heures du soir il tenait toujours, trempé, il n'était pas rentré. Depuis plusieurs semaines, il avait bien vu qu'un homme l'appelait, il avait vu ce nouveau prénom dans sa liste d'appels, Andrew, il espionnait ses textos, cet homme l'avait même invitée deux-trois fois pour des soirées, avec des amis à lui. Jusque-là, à ce qu'il en a compris par les textos, elle a toujours refusé. Sans se l'avouer il attendait qu'elle se décide d'elle-même à sortir, pour se sentir plus libre, d'accepter la prochaine proposition de cet Andrew. Finalement il était rentré, sachant qu'il la retrouverait là, qu'ils ne se parleraient pas de la soirée, qu'elle lirait, qu'il regarderait la télé. Seulement elle n'était pas là. Un soir de Pâques, elle avait découché, et n'était jamais rentrée.

Leur pick-up occupait toute la largeur du chemin, il filait là-dedans en cahotant et en arrachant les feuilles, ondulant comme une barque
épaisse. Quand les deux frères descendirent de
leur engin, avant même de saluer Franck, ils
allèrent directement juger de la bête. Pour voir.
Pour eux le plus important c'était bien de jauger
le cochon comme ils disaient, d'autant qu'ils ne
s'attendaient pas à une bête aussi grosse. De là
ils eurent un air perplexe, ils s'approchèrent de
Franck, lui tendirent une poignée de main aussi
intentionnelle qu'un bout de métal, et ils lui lancèrent avec une pointe d'ironie :

— Eh bien, mon vieux, chapeau ! Finalement
c'est toi qui l'auras eu.

— Comment ça ?

— Le sanglier, un solitaire, ça fait plus de
trois semaines qu'il retourne tout dans la vallée,
les jardins et même les poubelles. On a essayé
de faire le pied plusieurs fois, mais la terre est
trop sèche, on le traçait dans les maïs, pas plus.
Dis donc, t'aurais pu lui mettre du 22, parce que
là, bonjour le travail !

— Le résultat est le même, non ?

— En tout cas, chapeau.

Franck ne savait pas bien à quoi s'en tenir avec eux, il ne crut pas une seconde à leur compliment, pas plus qu'à leur poignée de main.

— C'est rare qu'on se fasse emmerder par des cochons comme ça. Mais celui-là il faisait tellement de chambard ! Il fait bien ses cent vingt kilos.

— Tant que ça ?

— Attends, t'as pas vu le monstre que c'est, et regarde-moi ces dents.

Les deux frères inspectaient la bête, lui regardaient la gueule, absolument pas gênés par ce sang, ce crâne fracassé. Éric, l'aîné, se releva et planta son sourire directement dans le regard de Franck.

— T'es sûr que ça va ?

— Oui, impeccable.

— Eh ben, tu peux dire que tu lui fais un beau cadeau à ton père.

— Comment ça ?

— Eh oui, lui qui peut plus chasser ! Et pourtant il aime ça le sanglier, mais chaque fois qu'on lui en porte un bout il nous envoie promener, c'est une mule ton père. Mais bon, au moins, celui-là il le mangera.

— Ah bon.

— Ben oui, c'est bien toi qui l'as tué, non !

— Si on veut.

— Eh ben voilà, au moins ça fera un heureux.

— Mais vous ne voulez pas plutôt l'emmener, le garder pour vous, allez-y, emmenez-le.

— Tu sais pas le découper, c'est ça ?

Louise et Franck rentrèrent vers la ferme. Sans se le dire, sans réciproquement le formuler, ce qu'ils voulaient par-dessus tout c'était reproduire un peu de l'ambiance de la veille, retrouver de cette paix tellement tangible, rien qu'à eux, comme si la cour de la ferme était une île dans le monde, un îlot détaché de tout passé, qu'aucune angoisse ne pouvait aborder. À cause de cet accident, ils n'étaient finalement pas allés au village, ils n'avaient pas fait de courses, le pain manquerait, pour le reste, pour peu qu'ils fouillent dans le frigo et le congélateur, ils trouveraient sans doute tout ce qu'il faut, sans parler de tous ces bocaux dans la grange. Simplement, Louise se désolait qu'il n'y ait pas de pain frais, c'est important le pain frais.

Pour mettre la table dehors, ils entreprirent la même manœuvre que la nuit précédente, mais à l'envers, un peu comme s'ils décrétaient qu'il suffisait de recréer très exactement le même décor pour revivre quelque chose de cette quiétude d'hier soir. Et pourtant, là encore ça se révélait complexe, Louise connaissait précisément l'astuce, renverser la table sur le côté au moment de passer la porte, engager les pieds les premiers en ramenant la table contre le mur, mais Franck avait du mal avec cette table, la seule idée de faire prendre l'air à l'ancêtre le sabotait d'une maladresse inexplicable. Alexandre s'amusait beaucoup de les voir coincés l'un et l'autre aux deux bouts de cette table géante, Franck dehors et sa mère dedans, et le meuble buté qui ne voulait pas sortir, le môme riait comme à un spectacle, il décida à un moment de les aider mais très vite Franck lui dit de ne pas rester là, qu'il pouvait se faire mal, à croire que ce jeu-là n'était que pour les grands, alors Alexandre se détourna, dans le fond il ne l'amusait plus ce jeu, il enfourcha son tracteur et se mit à faire des grands tours dans la cour à l'affût d'un sanglier imaginaire, sans trop s'éloigner cependant.

Finalement les pieds franchirent la porte, puis la table tout entière, de nouveau elle était à l'air libre.

— Voilà, ici à l'ombre, c'est parfait, tout y est sauf le pain, je suis désolée pour ce matin.

— Mais Louise, ne vous en faites pas, on mangera sans pain.

— Maman, du pain y'en a dans le congélateur, mais c'est dur comme une pierre, faut le chauffer avant.

Ils rentrèrent dans la cuisine. Franck se versa du sirop de citron dans le verre-glaçon, il en but trois verres coup sur coup, puis il sortit les chaises et se laissa tomber sur l'une d'elles, comme s'il déposait là le paquet de fatigue d'une matinée pourtant si courte. À force d'avoir tenu cette table en l'air pendant dix minutes, il ressentait une douleur idiote au coude. Il avait les mains pleines de cambouis et de terre, et découvrit même des taches de sang sur ses baskets. Il se dit que ce serait sage de ranger la carabine qui était toujours dans le coffre de la Golf, la Golf toute blessée elle aussi. Il se dit qu'il ferait cela plus tard, pas tout de suite, ce coude lui faisait mal.

Tout à l'heure sur le chemin, quand les Berthier avaient hissé la bête à bout de bras dans le pick-up, sans craindre de se foutre du sang partout, sans se soucier de se saloper, Franck s'était dit que ces types-là étaient vraiment d'une tout autre écorce que lui, des prédateurs, et que l'idée de ramener le sanglier jusqu'à leur grange pour le pendre par les pattes arrière ne les préoccupait nullement, pas plus que de sortir un couteau et de dépecer la bête en promenant la lame un peu partout dans ce grand corps inerte. Il se dit qu'à côté d'eux, il était un homme bien délicat.

Une fois le cochon embarqué dans leur pick-up, les frères avaient dit à Franck qu'ils le faisaient vraiment pour leur rendre service, surtout pour Louise, parce que ce n'était pas rien de prélever une bête hors des périodes de chasse, ils lui avaient parlé d'histoire d'étiquettes, normalement on doit signaler chaque fois qu'on prélève un gibier, seulement ils en avaient déjà usé, des étiquettes, bien plus que leur compte, Franck n'y comprenait rien. Alors pour résumer, ils lui dirent qu'ils ramèneraient le cochon à la ferme, mais motus, ils ne voulaient pas d'histoires avec les autorités de chasse, surtout que ce chemin-là ce n'était pas leur zone. Franck dit que oui, très bien, qu'ils le ramènent plus tard, du coup il ne savait plus si ces gars-là tenaient vraiment à être serviables, ou s'il fallait suspecter une manœuvre tordue.

Sans doute que l'idée les réjouissait, de refiler au Parisien des gros morceaux de barbaque dont il ne saurait que faire, un cochon même pas débité, ça devait les faire marrer de lui fourrer dans les bras cette chair totale et rubiconde, et de voir comment il s'y prendrait pour ranger cette carcasse entière dans le congélo, ces cuisses, ces côtes même pas détaillées, comment il ferait pour faire rentrer le tout ! Les Berthier, depuis qu'ils exploitaient des terres en bas, en plus des pâtures sèches du haut, depuis qu'ils avaient étendu leur domaine, ils devaient se prendre un peu pour des cow-boys, toujours plus ou moins tentés de jouer les gros bras.

Là sur sa chaise, devant cette table vide, Franck se préparait à l'idée de les voir rappliquer d'un moment à l'autre, à moins qu'ils prennent le temps de déjeuner là-haut, et qu'ils ne redescendent qu'en toute fin d'après-midi, quand la chaleur serait retombée.

Aux bruits divers dans la cuisine, Franck vit bien que Louise était en train de préparer le déjeuner. Il la rejoignit pour proposer son aide. Elle était à son aise dans cette cuisine, on sentait qu'elle y avait ses repères, qu'elle y avait vécu. Pour ce qui est du repas, elle disait qu'elle faisait trois fois rien, une salade, qu'elle allait juste bricoler des croque-monsieurs et faire des frites.

— Des frites, ah bon, mais il ne fait pas un peu chaud pour ça ?

Sans répondre, dans un sourire Louise lui désigna son fils qui jouait là dans la cour.

Franck, avec une lente surprise, toucha du doigt une évidence, c'était son fils, son fils à elle, son enfant exclusif, ce n'était plus Alexandre, cet Alexandre qu'ils avaient tous en commun dans cette maison, Alexandre avant tout était l'enfant de cette femme.

— Les frites, il adore ça, et je sais que mamie, enfin votre mère, elle ne veut jamais qu'il en mange, des saloperies comme elle dit. Autant qu'il en profite tant qu'on est là...

Le thermomètre affichait 36 degrés. Ils s'attendaient à ce que les Berthier viennent à la fraîche, et pourtant ils entendaient au loin le feulement rauque de leur pick-up, ils le virent qui remontait le chemin de terre, soulevant une poussière qui décuplait l'effet d'intrusion.

À trois heures de l'après-midi le soleil était au plus haut, Louise et Franck prenaient un café glacé dont Franck venait d'improviser la recette en ajoutant de la racine de chicorée et du caramel au café soluble, des glaçons pilés dans un torchon, du sucre, ils avaient tiré la table plus en retrait, pour bien coller à l'ombre du mur. Le pick-up s'avançait maintenant vers eux, le pare-buffle arrogant semblait les viser, le pare-buffle qui prenait cependant tout son sens depuis l'accident de ce matin. Le radiateur faisait le boucan d'un engin blindé. Louise et Franck se sentaient envahis par ce bruit de moteur en surchauffe, d'autant que le véhicule s'approchait pour venir se garer là, pile dans la zone d'ombre.

Quand ils coupèrent le moteur, la tension retomba. Ils descendirent et, les mains vides, ils s'approchèrent de la table.

Éric, l'aîné, glissa, plein de sous-entendus :

— Eh ben, par cette chaleur vous ne faites pas la sieste ?

— Non, mais on pensait que vous viendriez plutôt ce soir pour ramener la viande, à la fraîche. Sous le soleil ça doit être un vrai four, non ?

En disant cela, Franck désigna le pick-up.

— Oh ! tu parles, ça fait pas de mal à la viande de se chauffer un peu, ça la faisande.

— Ah bon.

— Non, je plaisante, mais là par contre, faudra pas traîner, faudra vite la mettre dans le congélo.

Le Rouge, plus rouge que jamais avec cette chaleur, ajouta en forme de raillerie :

— J'espère que vous avez un bon congélo bien costaud, parce que vu la taille du bestiau, c'est pas dit qu'il y rentre.

— Enfin ce qui est sûr, c'est qu'il se sauvera pas, reprit lourdement Éric.

Louise leur demanda s'ils l'avaient découpé. Les deux frères n'eurent pas besoin de se concerter pour répondre en chœur d'un air complice : « Non ! »

Louise, sans trop marquer de reconnaissance, leur proposa un café.

— C'est pas de refus. Surtout si t'as le petit coup de flotte qui va avec.

— Non, un café glacé.

— Alors là ce serait le rêve.

— Je m'en occupe, fit Louise en se dirigeant vers la maison.

— Asseyez-vous, dit Franck.

— Et le môme, il dort ? Il est marrant ce môme, pas vrai ?

— Oui, il est marrant.

— Et tes vieux, ils ne sont pas là ?

— À la mer.

— À la mer ?

— Ben oui, pourquoi pas ?

— Non, pour rien, ça va les changer, et combien de temps ils sont partis ?

— Pas longtemps.

— Tu me diras, ils ont raison, maintenant qu'ils sont à la retraite, pour eux c'est la belle vie.

— Ils ont fait leur temps, pas vrai, lança le Rouge, sans être relayé par son frère qui sur ce coup-là désapprouva la pique.

Louise, dans la cuisine, prenait son temps, elle ne se sentait pas trop à l'aise avec ces deux-là, mais ce qui la gênait le plus, c'était de sentir Franck si tendu face à eux, c'est que remontaient là les traces d'un passé dont elle était exclue, l'écho d'une période qu'elle n'avait pas connue, leur enfance à tous les quatre.

Quelque chose changea dans l'attitude d'Éric quand il prit conscience que les parents n'étaient pas là. Il se rapprocha de Franck et se remit une fois de plus à lui parler très près de son visage, le toisant de ce regard fixe et dominant qui semble dire, tu vois, je te regarde bien en face, alors s'il te plaît fais de même, sans quoi ce serait l'aveu que tu n'y arrives pas, que tu te laisses dominer.

— Tu sais, Franck, avec ton père comme avec ton frère on s'est souvent pris la tête pour un tas d'histoires, mais t'as vu les champs derrière la ferme, t'as vu ces terres, elles sont pleines d'herbe, et nous là-haut pendant ce temps-là, on donne du foin aux vaches, tu l'imagines ça...

— Oui, j'imagine.

— On a des broutards là-haut, en plein cagnard, en ce moment ils crèvent de faim.

— Mais qu'est-ce que j'y peux moi ? Ce sont leurs terres, c'est mes parents, j'ai rien à voir dans toutes vos histoires, y'a longtemps que j'ai tourné la page.

— Je sais bien que t'as rien à faire là-dedans. Seulement, je vais te dire une chose.

Là-dessus, Éric fit signe à son frère d'aller vers le pick-up.

— T'en fais pas, va, je vais pas te faire d'embrouilles, seulement pendant que tes parents sont pas là, je te demande juste une chose, trois fois rien, mais tu vois, on a besoin de sonder le champ derrière, pour trouver d'où vient la fuite.

— Quelle fuite ?

— Notre pompe à la rivière, ça fait trois étés que l'eau ne monte plus.

Le Rouge revint en portant dans chaque main une paire de grands sacs plastique qui avaient l'air de peser des tonnes. Il n'était pas grand le Rouge, mais carré, trapu comme une souche. Il balança les grands sacs sur la table ce qui fit un bruit mat de corps chutant, puis il repartit vers le pick-up pour chercher les autres.

— Mais attendez, vous l'avez découpé ?

— Bien sûr qu'on l'a préparé, tu penses bien que j'allais pas te laisser de dépatouiller avec ça. À Paris, là-haut, tu ne dois pas souvent découper la bête avant de te la mettre dans l'assiette, pas vrai ?

— OK. Merci en tout cas.

Louise revint avec deux grands verres de café glacé, des verres embués aussi tentants qu'un plongeon dans l'eau fraîche. En posant le plateau sur la table elle fut tout étonnée de voir les sacs de viande, et surtout d'entendre Franck leur demander sur un ton quasiment amical :

— Alors, qu'est-ce que je peux faire pour vous ?

C'était comme un jeu, le jeu idéal d'un après-
midi de plein soleil, de ces journées de canicule
où le thermomètre s'affole et plonge chaque
être dans une atmosphère inédite. Ce jeu tombait à merveille puisque le but, c'était justement
de trouver de l'eau. Ils étaient tous partis dans
le champ derrière la ferme, et là, disposés en
rang, espacés les uns des autres de vingt bons
mètres, ils parcouraient le pré en remontant
vers le sud, avec chacun un bâton en main. Les
Berthier avaient carrément pris une bêche pour
sonder le sol. Et comme ça, à des vitesses différentes ils arpentaient tout ce territoire qui
courait sur plus de cinq hectares, ces longs prés
maintenant en friche qui montaient doucement
jusqu'au pied de la colline calcaire. Franck prenait du retard, il filmait la séquence en tenant
sa caméra d'une main. En le voyant faire, le
Rouge avait haussé les épaules.

Ils ratissaient ce champ couvert d'herbes sauvages et d'arbustes déjà bien hauts, un maquis
dans lequel tout se mélangeait, les ronces
comme les genévriers, les buis et les arbres en
pousse, toute une flore de graines dispersées

par les oiseaux et le vent depuis des années déjà.

Les deux frères Berthier donnaient des grands coups de bêche dans le sol pour le sonder, ils faisaient ça méthodiquement, alors que pour Franck et Louise, et surtout pour l'enfant, ça avait la tonalité ludique d'un gigantesque amusement, un jeu grandeur nature. Tout de même, ils testaient sincèrement ce sol sec et dur, eux aussi ils cherchaient cette zone où la terre deviendrait souple et molle, délayée par l'eau resurgie de la fuite. Il n'avait pas plu depuis des semaines, plus de deux mois sans une goutte de pluie, la terre était sèche comme du béton sous une verdure épuisée, l'eau devrait être facilement détectable, quelque part elle imprégnerait le sol d'une façon remarquable.

Ils remontèrent comme ça en direction des collines, en plein cagnard, tout en marchant Franck avait noté que Louise ralentissait quand lui-même s'arrêtait pour détailler une motte de terre ou pour zoomer sur une plante ou un insecte, ou les filmer eux tous, elle s'accordait à son rythme, quand elle regardait dans sa direction il tournait sa caméra vers elle, et là elle se détournait en reculant, égayée comme s'il la visait d'un jet d'eau glacée. Du coup ils étaient tous deux en retard sur les trois autres. Alexandre s'était réellement pris au jeu, il y mettait l'application de celui qui cherche un trésor, en un sens c'en était un.

Au bout d'une demi-heure les Berthier avaient déjà presque atteint le bois, ils y allaient de cette allure déterminée de ceux pour qui l'enjeu est majeur, cette fuite, ce serait un miracle de la colmater, ils étaient en nage mais ils ne pliaient pas. Franck mine de rien les observait, cette énergie qu'ils avaient, comme intacte depuis l'enfance, leur corps aiguisé par le dehors semblaient ne pas ressentir cette chaleur accablante, alors que lui-même n'en pouvait déjà plus, il se sentait cuit, il fut presque rassuré de les voir s'arrêter là-haut, à trois cents mètres devant eux, les Berthier qui accusaient le coup, ils s'appuyèrent le haut du corps sur le manche de la bêche plantée dans le sol, visiblement épuisés eux aussi. Ils attendirent que les autres arrivent à leur hauteur. Franck en trouva un regain d'énergie.

— C'est encore trop tôt, lança Éric, faut attendre que l'eau s'accumule, et puis avec toutes ces herbes on n'y voit rien là-dedans. J'ai pourtant foutu la pompe à plein régime, je comprends pas. Si ça se trouve faudra peut-être attendre demain.

— Non, c'est pas possible, dit le Rouge, ça devrait bientôt donner, avec le débit de la pompe, on devrait déjà avoir une mare.

Depuis trois ans, la pompe était toujours bien en place dans son abri au bord de la rivière, en parfait état de marche, d'ailleurs quand ils l'avaient relancée tout à l'heure elle avait démarré au quart de tour, tout fonctionnait bien, seulement, depuis des années la canalisation s'était rompue quelque part sous terre, entre la rivière et chez eux là-haut, à plus de deux kilomètres, cette canalisation qui passait sous les terres, ils l'avaient inspectée sur toute sa longueur, sauf sous les champs du père justement. Si ça se trouve, c'était le père en labourant profond qui l'avait percé, leur tuyau, du temps où il labourait encore, un coup de soc, il était enterré profond pourtant, à moins qu'il l'ait fait exprès.

Jamais le père n'avait voulu que les Berthier mettent les pieds dans ses champs, et surtout pas pour qu'ils viennent faire des travaux, des fois qu'il faille la reprendre tout entière cette foutue canalisation. Le père ne voulait pas avoir affaire à eux. Depuis la mort d'Alexandre, il les avait virés chaque fois qu'ils étaient venus. Eux de leur côté, ils n'avaient jamais pris le risque d'œuvrer en pleine nuit, à cause des chiens évidemment, par peur que ça tourne mal, que le fusil sorte, que ça devienne une de ces histoires comme il en arrive parfois et qui finissent dans le journal.

De rester plantés là en plein soleil, sans ombre, ce n'était plus tenable. Louise proposa de préparer d'autres cafés glacés, et d'attendre le temps que l'eau s'accumule quelque part là-dessous, jusqu'à resurgir de façon flagrante, de revenir ce soir, pourquoi pas.

Ils se retrouvèrent tous à table, aucun n'avait faim, tous avaient soif. Franck se sentait maintenant concerné par le fait que depuis trois ans les Berthier étaient contraints de transporter des citernes d'eau depuis la rivière, tous les mois d'été, surtout que d'année en année il pleuvait de moins en moins, la sécheresse gagnait. Une pompe, ils en avaient une autre bien sûr, à trois kilomètres en aval, mais avec tous ces broutards, une seule pompe ne suffisait pas, quant aux citernes de récupération, elles ne se remplissaient plus depuis longtemps, loin de là.

— Bientôt, faudra faire la danse de la pluie, dit Éric, comme les Indiens.

Ça fit sourire Franck. Il prenait la mesure de cette nouvelle dimension que les fils Berthier avaient donnée à leur ferme en prenant la relève de leurs parents. Faire des veaux, surtout des veaux sous la mère, c'est noble, ça dénote une exigence, d'élever ce bétail, un raffinement, c'est autre chose que de parquer des grosses laitières dans des manèges de traite. Dans un réflexe il leur demanda :

— Vous êtes sûrs d'avoir nettoyé la crépine ?

Éric et son frère furent surpris de la question, que le Parisien se souvienne de ce qu'était une pompe.

— Non, je dis ça parce que, quand on était mômes, avec Alexandre on allait parfois vous foutre des feuilles dedans le soir.

Éric lança à Franck son fameux regard sans parole, il le soutint en attendant que Franck rajoute quelque chose, ou baisse les yeux. Puis il se passa les mains sur le visage avant de réapparaître dans un sourire amusé.

— T'en fais pas va, tout ça c'est de la vieille histoire.

Ils restèrent longtemps comme ça, rassérénés par l'ombre, la chaleur ôtait l'envie de tout mouvement. Alexandre de loin les amusait, parce que lui, il continuait de chercher l'eau partout dans le sol de la cour, il partait même le long du chemin, ça les faisait rire, ce même déterminé qui depuis tout à l'heure n'arrêtait pas de donner des coups de bâton dans la terre, convaincu qu'un geyser d'eau en jaillirait fièrement. Louise se sentait à l'aise dans cette ambiance retrouvée de campagne, elle offrit de ses cigarettes, ils acceptèrent tous, sauf Franck. Elle se leva.

— Et si je refaisais des cafés glacés, ça vous dit ?

— Et comment !

Avant de retourner vers la maison, elle posa cette cigarette qu'elle venait pourtant tout juste d'allumer, Franck fut tenté par l'envie, il la saisit pour tirer une taffe, rien qu'une seule, pour la sensation des lèvres sur le filtre.

Tous les trois, ils ne se disaient plus rien, un peu sonnés par la séance en plein soleil de tout à l'heure, Franck regardait cette cigarette de Louise, toute seule sur le bord de ce cendrier, il sentait bien qu'Éric encore une fois le regardait avec insistance, le connaissant, il savait d'avance qu'une remarque allait fuser, ou une question embarrassante.

— Et sinon, ça va mieux, toi ?

Franck était décontenancé par ce « ça va mieux ? », et tout ce qu'il sous-entendait, cette soudaine attention que ce type lui portait. Personne n'avait été au courant de ses pépins de santé, personne n'en avait entendu parler, pas même ses parents, il n'en avait jamais parlé, il aimait croire que c'était par bravoure.

— Pourquoi tu me demandes ça ?

— Non, je demande à cause de tes marques, là, et puis tu fumes plus, mais c'est bien, t'as l'air costaud, c'est que tu t'es remis, c'est bien.

Franck était déstabilisé, au point qu'il ne répondit même pas. Il ne savait quoi dire.

— T'en fais pas va, te prends pas la tête, enfin t'as récupéré, c'est l'essentiel.

Alexandre s'était maintenant avancé loin sur le chemin. Louise revint avec les cafés. Dans chaque verre elle avait planté une paille, ça les amusa, l'idée de la paille. Elle jeta un œil sur Alexandre, elle le voyait s'éloigner avec son bâton, se baisser souvent pour tripoter quelque chose par terre. Elle était partagée entre l'envie de lui dire de ne pas aller trop loin, lui hurler de faire attention, et l'intuition de ne pas intervenir, de ne pas le contaminer par l'idée du danger. Elle voyait pourtant qu'Alexandre traficotait par terre depuis un bout de temps, puis repartait, elle n'évaluait pas toujours ce que doit faire une mère.

— Faut pas vous tracasser, lui lança le Rouge sans se détourner, de toute façon, y'a encore loin avant qu'il aille sur la route. Et puis y'a pas de voitures par ce temps-là.

Ils sirotèrent leur café glacé dans un silence qui aurait dû les surprendre, ou générer le malaise, seulement le plaisir était trop grand, trop intime, de sentir ce ruissellement ambré à l'intérieur de soi, cette fraîcheur soudaine ça leur ouvrait la bouche de petits soupirs de contentement, même ces deux gaillards rustiques tenaient leurs pailles du bout des doigts, ils se penchaient vers leurs verres comme des agneaux à la source. Ils le burent tous jusqu'à la dernière goutte, en produisant ce bruit de succion final qui dit qu'il n'y a plus rien au fond du verre, puis de nouveau un silence, inoccupé cette fois.

Une fois de plus, Franck sentit le regard d'Éric se fixer sur lui, d'avance il savait qu'allait venir une question, mais finalement c'est à Louise qu'il s'adressa :

— Alors, le beau-père, il paraît qu'il est à la chasse aux subventions ?

— Ah bon, je ne suis pas au courant.

— C'est le bruit qui court. De toute façon, s'il ne veut pas la louer, sa terre, il sera bien obligé d'en faire quelque chose.

— Ah oui, et quoi ? demanda Franck.

— Depuis les tempêtes, y'a des subventions à prendre dans le boisement, mais bon, t'as vu comment il marche ton père maintenant ?

— Et alors ?

— Tu rigoles ou quoi ?

— Non.

— Avant de planter faut assainir, et vu le bordel que c'est devenu, il a intérêt à retourner profond, t'as bien vu, les buis ont déjà levé.

— Y a des tracteurs pour ça.

— Tu parles, après faudrait tout niveler, surtout là-haut vers les Bailly, et une fois que tes plants sont en place, c'est pas fini, faut clôturer, de toute façon t'as des normes.

— Des clôtures d'au moins deux mètres de haut, et que ça tienne aux sangliers, un travail de dingue renchérit le Rouge, sans intention ironique pour une fois.

— Si tu perds plus du tiers de tes plants, ils te retirent la subvention.

— Et pour planter quoi ? demanda Louise distraitement, un peu ailleurs.

— Alors là j'en sais rien, ça dépend des aides, le connaissant je parierais qu'il mettra des noyers, dans le temps c'en était plein, et puis ça te fait la récolte en plus du bois d'œuvre, seulement...

— Seulement quoi ?

— Des noyers, faut au moins vingt ans avant que ça donne, alors s'il se lance là-dedans, tu te doutes que c'est pas pour lui...

Ils restèrent sur cette phrase, avec tout ce qu'elle semait de doutes et d'ambiguïtés. Louise détonna dans cette léthargie en se levant d'un bond.

— Alexandre !

Elle ne le voyait plus Alexandre, il n'était plus là-bas à jouer sur le chemin. Ils se retournèrent tous pour constater que le môme n'était plus là, à première vue il n'était même pas dans les prés autour. Louise resta debout, elle se retenait de paniquer, pourtant intérieurement elle s'injuriait.

— Il ne serait tout de même pas parti vers la route ?

— De toute façon y'a pas de voitures par ce temps-là, calma Éric.

Les trois se levèrent pour foncer en direction du chemin, seul le Rouge, pas trop concerné, resta assis pour continuer de fumer sa cigarette. Il les regardait faire, mais quand il les vit revenir pour s'engouffrer tous dans le pick-up, il leur lança :

— Mais non, je l'ai vu partir vers la gauche là-bas, derrière la grange, si ça se trouve il est retourné dans le champ derrière !

Ils tracèrent tous trois pour s'engager et faire le tour derrière les granges, mais le Rouge siffla pour les rappeler en leur lançant :

— Oh là, regardez le chef indien !

Alexandre se pointa au détour de cette sente par laquelle ils étaient tous revenus des champs tout à l'heure, il avançait en tendant précautionneusement devant lui les deux pans de son tee-shirt en réceptacle, plein de boue, il était maculé de boue des pieds à la tête :

— Franck, regarde, j'ai trouvé...

Dans l'enfance on n'existe que par son prénom, on ne se fait jamais appeler que comme ça, par son prénom, à moins d'avoir la fantaisie d'un diminutif. La toute première fois qu'on entend son nom en entier, qu'on se voit y répondre, en général c'est que les choses sérieuses commencent, ça peut faire peur au début.

Franck avait toujours du mal à dire « Alexandre », quant à « Alex » il ne pouvait pas, « Alex », il appelait souvent son frère comme ça.

Il regardait le petit en face de lui qui mangeait encore, ils avaient fini de dîner, mais le petit continuait de déguster avec application un yaourt nature qu'il mélangeait à de la confiture maison. Son frère les mangeait toujours comme ça, une habitude d'ici. Louise était partie prendre une douche. Pour le deuxième soir de suite, Franck retrouvait cette configuration surprenante, idéale d'un certain point de vue, d'être posé là dans la douceur du dehors, de traîner à table après avoir mangé, sans rien faire, sans idées. Franck avait envie de filmer ça, il avait besoin d'immortaliser la séquence et de se l'approprier pour toujours, seulement il savait bien que s'il ressortait sa caméra, de nouveau il lui faudrait lutter avec le môme, à coup sûr il ferait tout un cirque pour la lui prendre, pour peu qu'il s'obstine et fasse un caprice, ça ferait toute une histoire et l'emmènerait très loin de cette douce atmosphère dans laquelle il se sentait si bien.

— Tu sais, tu peux rester ici, si tu veux.

— Comment ça, tu veux dire ce soir ?

Un enfant, ça peut prendre cette liberté-là, celle de s'absenter d'une question qu'il vient pourtant tout juste de poser, d'être déjà ailleurs.

— Dis, petit, pourquoi tu me dis ça ?

Mais Alexandre était concentré, il transférait une grande cuillerée de confiture depuis le bocal jusqu'à son pot de yaourt.

— Eh petit, pourquoi tu dis ça ?

— On ira faire un tour au Carrefour demain ? Papi-mamie ils veulent jamais qu'on y aille.

— Pourquoi tu les appelles papi-mamie ?

— C'est pas mon papi et ma mamie ?

— Si, bien sûr.

Franck avait des scrupules à se dire que ça tombait bien qu'ils soient partis, qu'il se sentait paisible, là, sans eux, s'ils avaient été là tout aurait été différent.

— Au fait, tu as leur numéro de portable ?

— À qui ?

— Eh ben, à papi-mamie.

Alexandre éclata d'un rire franc, avec sa cuillère à bout de bras menaçant de propulser une giclée de confiture.

— Toi aussi, tu les appelles papi-mamie !

Gagné par l'hilarité du gosse, Franck se marra lui-même de sa propre phrase, réalisant qu'en les appelant comme ça, il se désignait lui-même comme un de leurs petits-enfants, du coup ça leur en faisait deux, eux qui pourtant n'en avaient pas.

— Alors, tu le connais, leur numéro ?

— Mais t'es fou, je suis petit, moi. C'est toi qui dois savoir.

— T'as raison. J'ai même pas pensé à leur demander.

Louise revint de la salle de bains, elle continuait à se sécher les cheveux avec une serviette.

— Se laver les cheveux juste avant de se coucher, c'est pas très malin, mais on a eu tellement chaud aujourd'hui.

Franck se sentit touché par l'emploi de ce « on ». Il regardait Louise déplacer sa chaise pour venir s'asseoir juste à côté de son fils. Il ne voyait pas vraiment de tendresse entre eux, il ne les comprenait pas bien, et c'est Alexandre qui rompit cette interrogation en glissant de sa chaise jusqu'aux genoux de sa mère, il vint s'installer sur elle, et dans la continuité de son geste, elle l'entoura de ses bras. Alexandre regardait Franck avec une sorte de défi tendre, étonnamment calme, alors qu'il y a deux minutes à peine il riait aux éclats.

— Dis maman, il m'a promis que demain on ira au Carrefour.

— Ah oui, c'est vrai, ça.

Franck avait face à lui ces deux présences étrangement familières, et en même temps très éloignées. Parfois il arrive de se sentir instantanément proche d'êtres dont on n'a pas vraiment fait la rencontre, mais naturellement un lien se tisse, sans effort, sans volonté, par le seul fait d'une gigantesque coïncidence. De Louise, il ne voulait rien savoir, il ne se voyait pas lui poser la moindre question, sur elle, sur son passé, il s'en tenait juste au moment présent. Louise voyait cet homme en face d'eux, elle n'avait pas trop envie de savoir ce qu'il faisait là, pourquoi il était venu, et où il en était de sa vie, toutes ces questions qu'elle-même aurait fuies, toutes ces questions dont elle lui rendait grâce de ne pas les lui poser. Ça lui faisait du bien de sentir cet être qui ne demandait pas d'explication, savoir si elle travaillait, d'ailleurs elle refusait d'y penser à ce travail, cette précarité qui faisait que quelque part elle se sentait fragile.

— Au fait Louise, vous le connaissez le numéro de portable de mes parents ?

— Non, je ne l'ai pas, de toute façon ils ne s'en servent jamais. Je les appelle toujours sur le fixe, mais la plupart du temps ce sont eux qui m'appellent.

— C'est moi, corrigea Alexandre.

— Oui c'est vrai, maintenant c'est toi qui fais le numéro.

— Vous vous souvenez du nom de l'hôtel ?

— Il faudrait appeler la coopérative, peut-être qu'ils sont passés par elle pour avoir des réductions.

— Bon, dans ce cas on va attendre, ils vont sûrement appeler.

Louise mit ce qu'il faut de douce ironie pour lui demander :

— Ils vous manquent déjà ?

— Non, c'est juste que, enfin c'est idiot, je venais pour les voir, et finalement on se retrouve là, mais, pas de problème, enfin je veux dire c'est aussi bien comme ça.

Louise appuya sa tête sur celle de son fils tout en regardant Franck.

Instantanément en croisant ce regard il revisita tout ce qui lui était passé par la tête ce jour-là, quand il l'avait vue pour la première fois, ils s'étaient juste croisés, des présentations glaciales dans des conditions impossibles, et pendant longtemps il s'en était voulu de cette sensation-là, de dire bonjour à la femme de son frère, le jour même de son enterrement, tout en se disant qu'il la trouvait jolie, c'était de ces interdits dont on n'a même pas besoin de la réprobation des autres pour les trouver coupables, pour les recracher, d'ailleurs sur le moment, pour exorciser ce réflexe de salaud, il avait craché à terre, tellement il se trouvait dégueulasse, dégueulasse d'avoir cette pensée-là, de la trouver belle, cette fille, de l'avoir regardée avec ces yeux-là, ne serait-ce que d'y avoir pensé, que cette veuve-là était belle, qu'elle avait une peau blanche, lisse, des yeux noirs et doux remplis de larmes. D'avoir ce genre de pensées, c'est se jeter soi-même dans la gueule d'un bûcher qui n'en finirait pas de vous dévorer, c'est détruire à jamais ces arrière-pensées dont on veut à tout prix qu'il ne reste rien. Chacun est rattrapé par ce genre de péché, appuyer un regard sur la femme d'un ami, une inconnue dans un café, rêver la toucher, ou même vouloir coller une claque aux parents d'un bébé qui chiale dans un train, foutre un coup de poing dans la gueule d'un parent ou d'un flic, des pulsions de ce genre on en a tous, sur le coup il n'y a même pas de quoi se sentir coupable, mais il sentait bien que celle-ci était sacrilège en plus de monstrueuse.

Ce soir, il la regardait tout en sachant qu'il était à jamais séparé d'elle par ce souvenir-là, que son frère les désunissait. S'ils faisaient l'amour il savait qu'ils ne pourraient plus jamais se revoir, en revanche, pour se voir pour toujours, il leur suffirait de ne jamais s'aimer.

Louise gardait rêveusement le menton posé sur la tête de son fils soudain si calme.

— Dis maman, on éteint ? Tu m'avais promis.

— Ah oui, tu as raison, j'avais complètement oublié.

Ils restèrent longtemps dans le noir à faire des vœux, tous trois carrément allongés sur l'herbe, au début ils faisaient le compte de celui qui en voyait le plus, des étoiles filantes. Franck nota qu'Alexandre ne trichait pas. Il n'inventait pas de fausses étoiles pour le simple orgueil de se rajouter un point. Louise non plus, il joua le jeu de cette loyauté-là. Puis ils continuèrent de les regarder filer dans le noir les étoiles, sans même plus les compter, sans même plus faire de vœux, parce que des étoiles filantes en cette nuit de début août, il y en avait plein, jamais une vie ne pourrait contenir tant de cadeaux du destin.

La place du marché était pleine de couleurs, de bruits et de monde, une cohue surprenante, un total dépaysement par rapport à la ferme. Franck et Louise en auraient presque fait demi-tour, mais comme une place se libéra miraculeusement près de la halle, ils s'y garèrent. Alexandre était ailleurs, petit homme plombé par la mauvaise humeur, il ne voulait pas aller au marché, il avait horreur de ça de traîner en ville, lui, c'est l'hypermarché qu'on lui avait promis.

Franck avait habilement fait son créneau, pourtant il n'avait pas conduit depuis long-temps. En partant, c'est lui qui avait pris le volant ; Louise, encore traumatisée par l'acci-dent, avait refusé de conduire.

Depuis qu'ils étaient rentrés dans le village, ils étaient pris d'une sorte de fièvre. Louise s'appliquait à ce que tout ça reste gai, comme si elle veillait à ne pas se faire rattraper par tout ce monde. Ils se lancèrent tous trois dans cette foule, entre les étals des commerçants reconnaissaient Louise et lui lançaient des grands bonjours étonnés et ravis, il y en a qui lui demandaient : « Comment vont les parents ? », « Tout va bien ? » Il y a ceux qui regardaient Alexandre en lançant des formules toutes faites – « Eh ben, ça grandit ! », « Ouh là, ça pousse »… Mais heureusement il y avait trop de monde, bien trop de clients pour prendre le temps de parler, ça l'arrangeait, Louise. Elle avait le sentiment de naviguer dans le passé, une année elle y avait même travaillé, sur ce marché, quand elle avait vingt ans, c'est même là qu'elle avait rencontré Alexandre.

Alexandre faisait maintenant la tête. Franck se demandait bien pourquoi Louise avait voulu s'arrêter au village, puis elle avoua qu'elle avait besoin de passer au distributeur du Crédit agricole, et l'agence était au beau milieu de la place, derrière ces tonnes de légumes, de couleurs, et de fruits, par-delà tous ces étals et ces cris de vendeurs, c'était ce guichet-là qu'elle voulait et pas un autre. Franck devina que c'était sa banque, et qu'elle avait peut-être des soucis de ce côté-là.

Au moment de retirer des billets, Louise dit à Franck et à Alexandre d'aller s'asseoir au café en terrasse et de l'attendre, elle n'en avait pas pour longtemps. Seulement Alexandre était devenu insupportable, en plein caprice, il ne voulait pas tenir la main de Franck, il ne voulait pas rester là, lui, ce qu'on lui avait promis, c'était l'hypermarché, alors ces cris en plus du bruit de la foule, et tous ces gens qui la reconnaissaient, pour elle ça virait au cauchemar.

— Dites, Franck, vous ne voulez pas aller lui acheter une glace, hein, dis, tu vas avec Franck, il va t'acheter une glace…

Mais le petit ne voulait pas. Franck se demandait si ce n'était pas le moment de se montrer ferme, de marquer un peu d'autorité, mais il ne se sentait pas de faire ça, parce que dans le fond lui aussi il n'en pouvait plus de ce brouhaha.

— Bon, viens, tu vas voir, on va s'acheter une glace et s'en foutre partout, oui, je vais te montrer, on va se faire plein de taches !

Alexandre buta sur cette idée-là, d'un adulte qui l'incite cordialement à faire des bêtises, il regardait Franck comme un grand môme incompréhensible et tentant.

— Tu vas voir, je vais me prendre deux boules au chocolat, ça tache bien le chocolat, je vais te montrer.

Louise s'était éclipsée. Franck emmena Alexandre vers le glacier, tout en notant qu'ils ne s'étaient pas dit où se retrouver. Alexandre n'était pas trop convaincu, mais juste désappointé par le ton que prenait Franck, parlant de bataille de glaces, de taches et de cornets de chocolat qu'ils allaient se balancer à la figure...

Chaque fois qu'elle approchait un distributeur de billets, Louise avait toujours la sourde appréhension que sa carte soit avalée, depuis des années elle vivait avec cette peur-là, un genre de réflexe auquel elle était presque habituée. Mais cette fois c'était différent, du coup, elle fut soulagée quand elle vit deux billets de vingt sortir de la fente en même temps que la carte. Elle en poussa un soupir. Seulement, là où tout s'écroula, c'est quand elle regarda le ticket. Ce chiffre avec un moins devant. Ça foutait tout en l'air. Ce moins, ça voulait dire que ce coup-ci les virements n'avaient pas été faits. Que sans aucun doute ils ne le seraient plus jamais. Pour se raccrocher à quelque chose, elle pensa aller demander au guichet ou bien appeler Annie, ou Gisèle, ou Malika, mais rien que l'idée d'avoir cette conversation avec elles, ce gigantesque constat de défaite que ça les amènerait à faire, elle en était écœurée, elle en avait honte, ce solde négatif et cet arrêt des virements, elle les ressentait comme une trahison. Elle s'appuya contre le mur, ce n'était pas vraiment un malaise, mais le vertige d'être rattrapée par tout ça, ce boulot fantomatique, cette vie qui ne tient à rien. Le vertige de retrouver les filles dans une semaine, et de mariner dans la rancune ou l'esprit de vengeance, sachant que de toute façon le combat était perdu d'avance, croire pendant un temps à une solidarité avant de se mettre chacune dans son coin à essayer de sauver sa peau, retrouver un boulot à soi, être replongée par défaut dans son petit égoïsme. Toutes ces pensées-là lui donnaient des haut-le-cœur. Elle prit sur elle. Elle essaya de faire comme si rien de tout ça ne s'était passé, se dit qu'elle verrait plus tard, que l'essentiel était bien de profiter simplement de ces quelques jours à la ferme, sans s'encombrer de ces déveines, elle essayait de se hisser à ce niveau d'inconséquence, seulement le petit ticket, elle n'avait pas la force de le jeter, c'était comme un diplôme que le mauvais sort lui délivrait. Les gens qui passaient la regardaient, elle ne savait plus si c'était parce qu'elle les connaissait ou bien si c'était à cause de sa façon de s'adosser à ce guichet, d'y être échouée. Elle se concentra sur l'idée de retrouver Franck et Alexandre, Alexandre et Franck, elle se lança de nouveau au travers de cette foule décuplée par les touristes et les vacanciers, elle ne savait plus par où était le glacier, ni où ils s'étaient donné rendez-vous, à quel café, ce qu'ils s'étaient dit, elle ne le savait plus.

Quand la double porte vitrée s'ouvrit devant eux, ils se sentirent instantanément gagnés par la fraîcheur de la sphère climatisée. C'était un pur soulagement que d'entrer dans ce monde pacifié et bienveillant, un monde enfin à la bonne température, et de s'avancer lentement vers l'allée principale, se plonger dans la fabuleuse distraction. Un hypermarché, ça donne l'envie de tout regarder, de s'arrêter sur des tas de choses dont on n'a pas besoin, mais qui sur le coup font envie.

Alexandre avait voulu s'asseoir dans le caddie, mais à l'avant, les deux mains fermement accrochées il se tenait à la proue du petit vaisseau docile qui recueille tout désir, qui obéit à tout. Quand Franck avait vu Louise revenir vers eux près de la voiture, il avait bien compris à son air de détresse pourquoi elle tenait tant à y aller seule à cette banque, derrière cette discrétion il devait y avoir le souci de la dissimulation. Et là, en trois phrases elle lui dit tout, en trois phrases elle avoua tout d'elle, c'était comme la lumière invasive d'un flash, une lumière crue qui révèle aussi bien qu'elle endommage.

— Vous ne pouvez plus retirer c'est ça ?

— Franck, j'ai perdu mon boulot.

Ils étaient restés un moment face à face, Louise luttait pour ne pas afficher cet abattement qui la submergeait, Franck lui avait posé la main sur l'épaule en essayant de trouver les mots, rattrapé lui-même par sa propre situation. Dans un élan il lui tint les deux bras et se planta en face d'elle pour qu'elle relève le regard.

— Ne vous en faites pas Louise, j'ai un chéquier. Pour l'instant ça va, pas de problème, reposez-vous sur moi.

Là-dessus ils étaient rentrés dans la voiture, ils avaient refermé les portières dans un calme bienfaisant, seulement à cause de cette chaleur suffocante qu'il faisait à l'intérieur il fallait tout de suite baisser les vitres, et aussitôt le bruit de la place s'engouffra et ils se retrouvèrent envahis par ce grand brouhaha. Franck avait regardé Louise au moment de mettre le contact, et dans un sourire lui avait juste glissé :

— Décidément, la ville, ça ne nous réussit pas.

Il faisait tellement bon dans cet hypermarché qu'ils avaient envie d'en faire le tour, de prolonger le séjour, quitte à tout voir. Pour commencer il y avait le rayon presse, une fabuleuse enclave pleine de photos et de couleurs, là se trouvaient tous les journaux et les magazines, il y avait aussi un mur de livres où les ouvrages étaient disposés en fonction des meilleures ventes, Louise alla tout de suite vers celui d'en bas, le dernier d'entre eux. Franck tendit une BD à Alexandre, il en tournait les pages sans prendre le temps de les lire, il survolait les images sans grand amusement. Franck jeta un œil aux magazines et aux journaux. En général au mois d'août l'actualité a l'air moins grave, tout est atténué par un unanime sentiment d'irresponsabilité, et pourtant il trouvait là comme une persistance de tas de conflits, des révolutions à l'issue incertaine, des crises aux symptômes de plus en plus contaminants. D'un coup il se faisait rattraper par cette actualité dont il avait tout oublié depuis trois jours.

Finalement il ne prit aucun des journaux qu'il avait feuilletés, aucun magazine, tout cela ne faisait que réamorcer un sentiment de réalité par lequel il n'avait aucune envie d'être rattrapé. Il prit juste la brochure immobilière de la région, une publication gratuite avec des quantités de photos de maisons et en dessous une petite description et le prix qu'on en demandait, il aimait perdre son regard là-dedans, s'imaginer aller habiter là ou là, ce que serait sa vie. Louise finalement voulut le prendre, ce livre, à cause d'une phrase, disait-elle, une phrase à la page 28 qui lui avait parlé.

Ils avaient promis à Alexandre de quadriller rigoureusement le magasin, Franck décida de la procédure, ils passeraient par tous les rayons, et chaque fois que quelque chose tenterait l'un ou l'autre, Franck irait le cueillir et le tendrait démocratiquement à bout de bras pour réclamer l'assentiment de tous avant de le mettre dans le caddie.

Alexandre n'avait pas de lubies extravagantes, la nouvelle BD avait déjà perdu son parfum d'inédit, il voulut la remettre là où il l'avait trouvée, le motif ultime de sa visite, ce qui l'intéressait vraiment c'était les glaces, des compositions bizarres aux couleurs bien trop franches pour être honnêtes, celles que papi-mamie lui refusaient sans doute. Et après ça, le rayon qu'il voulait visiter, ce serait celui des yaourts, colorés là aussi, plein de couleurs, ça le changerait des yaourts nature rehaussés de confiture, visiblement il préférait ceux-là.

Franck pilotait ce caddie avec précaution, il n'avait pas l'habitude, il se disait même que c'était la première fois qu'il poussait un caddie avec un enfant dedans. Ils longèrent l'étal des légumes et des fruits, tout en essayant de se rappeler lesquels il y avait dans le jardin. Le jardin, Louise l'avait pourtant arrosé, mais elle ne l'avait pas vraiment regardé. En passant devant le rayon boucherie ils ne purent s'empê-cher d'avoir en tête l'image du sanglier découpé, ils ne s'y arrêtèrent pas et continuè-rent jusqu'aux fromages. Alexandre à nouveau s'activa, il disait vouloir de la tomme de brebis, puis du cantal, du saint-nectaire. Il y avait dix secondes à peine, il n'y pensait pas aux fro-mages, mais là, le simple fait de les voir lui faisait venir le goût dans la bouche. Franck ali-gna le caddie dans la file d'attente. Ils se plan-tèrent tous trois devant ces fromages rangés dans leur vitrine réfrigérée. Franck lui aussi avait envie de tous les goûter. Il y a longtemps qu'il n'avait pas ressenti un aussi féroce appétit, rien qu'à voir ces gros morceaux entrouverts vendus à la découpe, ces masses fraîches et tentantes à l'aspect quasiment authentique, ça lui donnait envie de prendre un peu de tout. Depuis quelques jours il se sentait fibre à fibre repris par la vie, lui revenait le goût de marcher, de courir, de se dépenser, mais le plus spectaculaire c'était bien cet appétit qui le reprenait maintenant.

— Ah, par contre il ne faudra pas oublier le pain, hein petit, tu y penseras au pain, ça va, Louise ?

— Pourquoi tu m'appelles toujours petit ? Je suis pas petit.

— Tu rigoles ou quoi ? Bien sûr que t'es un petit, tiens par exemple, tu crois que j'y rentrerais, moi, dans le caddie ?

Louise ne disait rien. Louise semblait soudain redevenue lointaine. Sans un mot elle regardait faire cet employé au teint pâle derrière son rayon, avec sa calotte sur la tête et sa blouse de bloc opératoire, ce type qui se démenait, qui n'arrêtait pas de se pencher pour saisir une meule qu'il empoignait avec difficulté, qui devait trancher dedans avec son couteau à double manche, puis reposer, emballer et peser, il n'arrêtait pas, et en même temps ça se sentait qu'il le faisait sans la moindre attention, mécaniquement. Louise savait très bien qu'il n'y connaissait rien aux fromages, qu'il s'en foutait des fromages, qu'il ne pourrait plus en manger pendant des mois, et que de toute façon il pourrait tout aussi bien être ailleurs, à vendre n'importe quoi, n'importe quoi sauf des fromages lourds et encombrants, traîtres.

— Oh, oh, Louise, et vous, lequel vous fait envie ?

Ce n'est pas qu'elle ne voulait pas répondre, c'était bien plus profond que ça.

— Vous préférez quoi, vache ou brebis ?

Ces mots, cette odeur, cette ambiance, cette fraîcheur qui tombait sur ses épaules nues, maintenant Louise la ressentait comme un froid glacial, tout la gênait. L'idée de devoir un jour se retrouver derrière ce genre de rayon-là, et les regards perplexes de son fils et de Franck qui se tournaient vers elle, les petits yeux inquiets d'Alexandre qui la sondaient, tout l'étouffait... Elle se revoyait il y a deux ans, elle avait fait un essai chez Carrefour près de Clermont, au rayon fromagerie, deux semaines à prendre froid devant des rangées de fromages inconnus, des fromages sur plus de quinze mètres, dès qu'on lui demandait une part de ceci ou une part de cela, elle cherchait partout autour d'elle, au-dessus d'elle, devant elle, derrière elle, elle réalisait qu'elle était entourée de fromages aux étiquettes qui lui tournaient le dos et dont l'ordonnancement lui échappait, c'en était effrayant, sans compter ce courant d'air permanent que les grandes armoires lui soufflaient dans le dos, et cette coiffe ridicule en plastique, ces gants en latex qui la coupaient de toute sensation, elle était comme isolée de son propre corps. Seulement par orgueil elle s'en sortait, c'est toujours un peu gênant de dire qu'on ne sait pas, mais d'un petit sourire forcé elle rattrapait le coup, par moments elle trouvait ça humain que les clients la guident, jusqu'au jour où un client lui avait demandé de lui trancher un morceau de parmesan, non pas de celui-là, mais l'autre, de l'extra-vieux, après l'avoir longtemps cherché un peu partout elle l'avait repéré tout en haut à gauche, un tiers de meule énorme, au moment de le descendre elle l'avait trouvé très lourd, elle l'avait lâché sur la table de coupe, et là elle avait commencé de le couper en enfonçant la lame du côté de la croûte, l'homme lui avait dit qu'elle n'y arriverait jamais, que ce n'était pas comme ça qu'il fallait faire, mais elle continuait, elle tentait d'enfoncer la grande lame dans ce fromage à l'écorce dure comme de la pierre, l'autre répétait qu'elle n'y arriverait pas avec des intonations détestables, comme s'il parlait à une gamine ou à une bonne à rien, « mais pas comme ça ! », elle l'avait d'abord regardé dans les yeux, et comme il ne se taisait pas, il continuait de lui dire : « Tournez-le, votre fromage, dans l'autre sens, ça ne se coupe pas, la croûte, c'est pourtant simple à comprendre », là elle avait eu ce geste terrible, de brandir le couteau dans sa direction, elle avait levé la lame vers lui, juste comme ça, sans vraiment le viser, du moins pas autrement que du regard, le type avait fait tout un scandale, dans la queue, les autres clients aussi trouvaient ça incroyable comme attitude, même s'ils n'avaient pas tout suivi depuis le début. Du coup elle avait dû rendre la blouse et la coiffe, elle était repassée au vestiaire pour reprendre ses affaires, sans rien demander elle était partie. L'affaire ne s'était pas arrêtée là, puisque le type avait voulu porter plainte. Du coup l'agence d'intérim n'avait plus voulu d'elle, du boulot elle devrait s'en trouver par elle-même, ils la voyaient comme une fille dangereuse, une fille capable de menacer quelqu'un d'un couteau, mais pour autant, est-ce que ça faisait d'elle une criminelle...

— Franck, continuez sans moi, on se retrouve dans le hall, d'accord ?

— Oui, mais qu'est-ce qui se passe, ça ne va pas ? Louise, vous ne voulez rien ?

— Si on se perd, on s'appelle sur le portable.

— Mais je ne l'ai pas pris, et de toute façon je n'ai pas votre numéro !

Louise s'éloigna, étonnamment pressée. Alexandre regarda sa mère, il se releva, prisonnier de son caddie, il évalua en lui un sentiment de tristesse ou d'abandon, une sensation bien coutumière, mais il trouva ce qu'il faut d'espoir dans le regard de Franck pour ne pas s'affoler, et se concentrer à nouveau sur ce grand jeu formidable et bien concret : faire les courses.

— Pardon de vous dire ça à vous, mais je suis à bout, Franck. Je suis à bout. Jamais je ne pourrai retourner là-bas.

— Mais où ?

— Je ne sais pas, chez moi, je crois que je ne pourrai pas.

Ils s'étaient installés dans la cafétéria désuète où tout avait l'air fragile, les tables, les chaises, tout semblait de la même texture que ces gobelets dans lesquels on servait le café. Alexandre était monté sur l'éléphant mécanique, un gros jouet rose et paradoxal qui avait l'air abandonné au milieu du hall, mais qui fonctionnait pourtant. Il y était agrippé depuis cinq bonnes minutes, alors que Franck n'avait pourtant mis qu'une pièce de cinquante centimes.

— J'ai envie de faire la paix avec vous Franck.

— Mais Louise, on n'est pas fâchés !

— Je sais bien, mais c'est juste que j'aimerais qu'on se dise les choses en toute simplicité, sans enjeu, sans peur, sans doute, sans rien. Vous me comprenez ?

Franck fut totalement surpris de l'entendre dire cela, et de la façon intime dont ça résonnait en lui. Ces mots, c'étaient ceux que lui-même aurait souhaité lui adresser. Il avait la même difficulté à s'imaginer rentrer, rentrer chez lui à Paris, dans un appartement dont il faudrait bientôt rendre les clés, et en trouver un autre rapidement, beaucoup plus petit.

La curiosité, pour l'un comme l'autre, c'était de se retrouver face à un être un peu jumeau. Ils en étaient au même point. Il n'y avait presque rien à se dire, ils se comprenaient par le simple fait de regarder en soi. Souvent quand on se rencontre, on se parle, on se dit beaucoup de choses, on se livre, puis petit à petit on ne se dit plus rien, on se tait, on se devine. Là c'était comme s'ils n'avaient pas eu besoin de la première étape. Franck n'avait pas peur. Cet aveu, au contraire, le rassurait, le réconfortait. Il n'était pas le seul à se sentir perdu. Et cette complicité lui donnait ce qu'il faut de lucidité pour de nouveau tout envisager.

Tous deux se tournèrent vers Alexandre qui s'amusait là-bas au beau milieu du hall, ballotté par son gros jouet qui ne s'arrêtait plus. Il était ailleurs, hors d'eux, envolé dans sa dimension imaginaire, à mi-chemin entre le rêve et la réalité. Un autre gosse se tenait là, au pied du jouet, il le regardait, un peu envieux.

— Il ne faut pas qu'on se fasse de mal.

— Pourquoi vous me dites ça, Louise ?

— Je ne sais pas, dans le fond c'est la seule vraie chose qu'on devrait se promettre dans la vie, de ne jamais se faire de mal.

L'éléphant rose commença de ralentir, dans des mouvements de plus en plus pesants, avant de s'arrêter pour redevenir ce gros jouet statique et idiot. Alexandre faisait déjà des grands signes à Franck pour qu'il vienne remettre une pièce. Franck voyait l'enfant qui depuis tout à l'heure convoitait la place, le pauvre gosse était bien convaincu que c'était son tour, il en était sur le point de pleurer, avec sa pièce de cinquante dans sa main. Franck se dirigea vers eux.

— C'est à toi, tu veux y aller ?

Le petit ne répondit pas. Alexandre du haut de son manège toisait l'autre avec un air d'absolue prédominance. Franck s'agenouilla face au petit intrus.

— Et tes parents, ils sont où, tes parents ?

— C'est à moi !

— Non, c'est à moi, c'est moi qui suis dessus !

Franck regarda tout autour, pour voir s'il décelait dans tous ces gens qui allaient et venaient les parents de l'enfant. Alexandre chialait maintenant, et le petit en bas, désemparé de ne pas se sentir épaulé par un adulte, se mit à pleurer lui aussi. Franck se sentit légèrement dépassé par la situation, gérer la panique d'un môme, à la limite il se voyait le faire, mais pas deux.

— Bon, petit, garde ta pièce, on va faire quelque chose, tu vas voir...

Franck était revenu s'asseoir près de Louise. Elle avait perdu cet air éteint, son visage était de nouveau lumineux, elle souriait en les voyant faire, les deux mômes un peu vexés sans

— Oui, ça fait longtemps qu'ils en parlent, mais seulement il y a la hanche de votre père, je n'ai pas l'impression que ça s'améliore. Il y a quatre ans ils m'avaient proposé de revenir, de les aider, mais je ne me voyais pas vivre ici. Ils m'aiment bien vous savez.

— Et de moi, ils pensent quoi ?

— C'est compliqué Franck, ils ne sont pas à l'aise avec vous, ils ont le sentiment que vous les avez laissé tomber, et puis Paris, les voyages, votre vie, tout ça, ça les dépasse, mais quand ils parlaient de vous avec votre frère, ils étaient fiers.

— Vous plaisantez ?

— Non, je vous assure.

Sur le dos du gros jouet rose, chacun des deux mômes s'était fait à la présence de l'autre, ils exagéraient les ruades en se tirant dessus, ils s'agrippaient l'un à l'autre, tout autant qu'ils se faisaient peur en se penchant trop par moments. Ce mélange de vertige et de frissons les faisait rire, finalement ils réalisaient que c'était bien plus marrant à deux.

doute, mais surtout apaisés, le petit qui se tenait à Alexandre comme deux adultes sur une moto. Avec ses deux passagers, le gros jouet lent ne semblait pas plus poussif pour autant, il faisait toujours ces mouvements de balançoire d'avant en arrière, tous deux se cramponnaient, ils n'avaient pas l'air franchement gais, pas glorieux, mais au moins l'un et l'autre l'avaient, leur partie d'éléphant.

— Louise, maintenant que vous les connaissez mieux que moi, qu'est-ce que vous en pensez de mes parents ?

— Comment ça ?

— Je ne sais pas, comment ils vont, qu'est-ce qu'ils attendent, qu'est-ce qu'ils ont en tête pour l'avenir ?

— Vous savez bien que leur priorité, c'est la terre.

— Et alors ?

— Et alors rien, depuis la mort d'Alexandre tout s'est effondré. Surtout que maintenant votre père souffre de sa jambe, il ne le montre pas, mais il se rend bien compte qu'il n'y arrive plus, pour lui c'est très dur.

— Ils ont une idée en tête pour le domaine, ils vous en parlent ?

— Non, parfois je me demande s'ils ne rêvent pas un peu qu'Alexandre prenne la suite, seulement il est loin d'avoir l'âge. Enfin je ne sais pas, je sais juste qu'ils sont désespérés par l'idée de vendre ou de louer, ils ne s'y résoudront jamais.

— Vous étiez au courant pour les histoires de subventions ?

En remontant le chemin qui menait à la ferme, ils aperçurent le pick-up blanc dans la cour.

— Oh c'est pas vrai ! J'ai complètement oublié, je leur avais promis de leur filer un coup de main.

Les Berthier étaient dans le champ depuis près d'une heure sans doute, avec deux pioches et une pelle ils avaient déjà creusé bien plus qu'un trou, une vraie tranchée, ils avaient soulevé des pelletées de terre lourde et rouge, mais ils n'avaient toujours pas décelé de canalisation, au bout de leur pioche ils ne trouvaient rien.

— Tiens, voilà le Parisien !

— Désolé, on était en ville, tenez, je vous ai apporté de l'eau fraîche.

— De l'eau à bulles ! Alors là tu vois, je vais te dire, c'est pas de refus.

Franck fut surpris par la profondeur et la longueur de cette tranchée en transversale du champ.

— C'est un travail de forçat !

— Tu l'as dit, l'eau ressort par là, sur la gauche, mais si ça se trouve la fuite doit être

roite. Ou alors c'est bouché quelque
ça remonte, je ne comprends pas.

usaient en plein cagnard, ils étaient en
puisés, assez démoralisés que ça ne
rien ; ils auraient dû tomber sur le tuyau
emier coup. Le Rouge assis dans les
s n'arrivait même plus à parler. Quand
rère lui tendit la bouteille de Perrier il se
ouler de l'eau sur le haut de la tête pour
ça lui ruisselle le long du visage. Éric était
is sur le bord de la tranchée, il avait enlevé
n tee-shirt, découvrant un torse totalement
anc, livide, alors que ses bras et sa tête étaient
nats à force de soleil. L'effet était le même que
'il portait un tee-shirt.

— Ah ça, nos parents à l'époque, c'étaient
pas des flemmards, ils t'enterraient le truc à un
mètre cinquante de profondeur... On ne ris-
quait pas de leur faucher.

— Et vous comptez remonter loin comme
ça ?

— J'en sais rien, on a d'abord creusé autour
de la flaque, mais le tuyau n'est pas dessous,
c'est argileux là-dedans. Attends, on souffle
deux secondes et on s'y remet.

Franck fut pris d'un sursaut de culpabilité,
d'avoir oublié l'heure et manqué à sa parole.
Mais surtout, là sur l'instant, en voyant ces
pioches jetées sur le sol, c'était bien plutôt de
la vexation qu'il ressentait, de l'humiliation, car
pas une seconde les Berthier n'avaient consi-
déré qu'il pourrait lui-même creuser pendant
qu'ils récupéraient, ils ne lui avaient même pas
demandé de leur filer un coup de main. C'était
mortifiant d'être déconsidéré physiquement, de

savoir qu'on ne vous pense pas capable. Alors il sauta dans ce trou avec ses baskets blanches, il empoigna la pioche et commença de balancer des grands coups dans cette terre curieusement humidifiée et lourde, amollie et pourtant compacte, une terre solidement tenue par tout un réseau de racines profondes. Franck armait haut sa pioche au-dessus de sa tête, et une fois le coup donné, l'outil planté dans le sol semblait maintenu par une main maléfique, du coup il fallait tirer fort sur le manche pour déprendre la pioche et veiller à garder l'équilibre pour ne pas tomber en arrière quand l'outil se dégageait.

Franck ne s'était pas imaginé que ce serait aussi dur, il sentait le regard des deux autres dans son dos, il les devinait, préparant une vanne, surtout le Rouge qui devait déjà attendre le moment où il flancherait, déjà il l'entendait lui dire : « Alors le Parisien, ça y est, tu t'arrêtes déjà ? » Du coup Franck tenait bon. Chaque fois qu'il levait la pioche avant de la lancer, il ouvrait grands ses poumons dans une inspiration totale, un air frais lui parcourait tout le corps.

À partir de là Franck déversa tout de sa rancune ou de sa colère, il ne savait plus, il avait envie de pousser ce corps jusqu'à ses limites, pour cela il forçait, les muscles déjà lui faisaient mal et ses tendons se crispaient, il avait les mains tétanisées sur le manche, ses mains comme surprises par ce soudain effort qu'il leur demandait, même ses bras étaient engourdis par la tension, mais il tenait. Franck ne savait plus s'il cherchait à les impressionner eux, ou bien si c'était lui-même qu'il défiait, la rage montait en même temps que la satisfaction royale de se sentir gagné par la folie de ses muscles, les coups de pioche devenaient réguliers à force, il les faisait partir de si haut qu'il tranchait les racines dans le même mouvement qu'il détachait la terre, il faudrait déblayer tout ce qu'il avait écroulé mais il continuait pourtant, en foulant la glaise vaincue.

— Eh oh, t'emballe pas, respire un coup !

Le Rouge ne serait jamais admiratif du courage d'un autre, sur ce terrain il faudrait toujours que ce soit lui qui l'emporte, alors il raillait Franck, tandis qu'Éric le laissait faire et ne disait rien, Éric ressentait bien un peu de cet orgueil vital que Franck lâchait à chaque coup, Éric avait surtout envie d'en finir avec cette fuite et de réparer le tuyau avant que les parents de Franck ne reviennent, que l'affaire soit classée, mais tout de même, il se souvenait de cette époque où ils chahutaient tous les quatre, cette apparente nonchalance de Franck qui par moments, sous l'effet de l'enjeu, pouvait se transformer en énergie acharnée, et là il se mettait à lâcher ses coups pour de vrai. Ce type est fou, c'est ce qu'il pensait en regardant faire cette grande carcasse qui balançait sa pioche depuis là-haut dans l'axe du soleil, jusqu'à la ficher en terre dans une violence méthodique qui secouait l'écorce terrestre, des coups mats et lourds qui se répercutaient depuis le sol jusque dans son dos. Franck piochait là-dedans comme s'il s'attaquait à quelque pan de lui-même, pris par l'envie de tout faire voler en éclats, c'est comme s'il s'en prenait au socle même de ce qu'avait été sa vie jusque-là, pour tout reprendre depuis le départ, il démembrait cette statue d'estime qu'on s'érige chacun à soi-même, il se voulait neuf, fort, complètement à refaire, c'est pour ça qu'il cognait fort, et quand il atteignit malgré lui la canalisation, ce fut pour la trancher net au-dessous de la jointure, juste avant ce bouchon coagulé si bien qu'il en jaillit une pulsation dynamique et drue, une gerbe d'eau libérée qui fusa à plus de trois mètres de haut pour leur retomber dessus en pluie...

— Oh le con, il l'a eue !

Ils étaient saisis par le contraste entre la fraîcheur de l'eau et la fièvre de leurs corps en surchauffe, c'est là que leur revint comme à trois gosses la folle gaieté du jeu, de ces gosses qui s'éclaboussent au lieu de nager, c'était comme de plonger directement dans la rivière, un soulagement universel, un bain aérien et glacé sous les rayons d'un plein soleil, ils restaient en dessous en lâchant des cris irrépressibles parce qu'elle était froide cette eau, par effet de contraste elle semblait même glacée cette eau venue de sous la terre, le soulagement, c'était aussi que le bouchon devait être juste là, dans la jointure, et que c'en était fini de cette histoire, pour les Berthier c'était la fin d'une galère, cette pure misère que de manquer d'eau en ces étés faits pour durer.

Alertée par les cris, Louise les rejoignit, impressionnée par ce geyser, et la dimension de la tranchée, toute cette terre déblayée, cette folie de creuser en plein soleil. Elle resta un peu en retrait à l'abri des gouttes. Seulement, elle était comme appelée par ce vide, elle voulait voir le fond, comme s'il y avait quelque chose à voir au fond, elle approcha jusqu'à cette zone limite où de la gerbe d'eau ne pulvérisaient que des gouttelettes, elle était fascinée par ce contraste entre la terre sombre, inerte au milieu du pré, et ce jaillissement vivifiant, elle fixait le fond qui devenait boueux, ce fond délayé que l'eau gagnait peu à peu, et ces trois hommes qui pataugeaient dedans, et là en voyant ce trou, elle se sentit d'un coup enveloppée d'une sensation rassurante, ça effaçait le souvenir de ce type à la moto, cette peur sourde qu'elle avait en elle de le voir un jour débarquer, qu'il fausse tout, ce pauvre type, eh bien qu'il vienne après tout, maintenant elle se sentait forte, qu'il vienne et il tomberait sur Franck et les frères Berthier et il finirait dans ce trou. C'est l'image qui lui venait, en voyant là devant elle, ce trou si large et si profond qu'il semblait fait pour engloutir un homme en plus de sa moto.

— ... Ça va Louise ?

— Oui.

Franck sentit le regard de Louise revenir vers lui, c'est comme s'il l'avait rattrapé par la main ce regard, ces yeux qui s'égaraient vers Dieu sait quelle pensée sombre. Ils se regardèrent tous deux, c'est comme si en deux jours ils avaient reconquis une part d'eux-mêmes, ils étaient liés par l'idée de s'être consolidés l'un l'autre. Puis Franck vit son regard à elle, s'échapper derrière lui en direction de la maison, il y lut toute l'incrédulité dont il fut lui-même instantanément saisi en voyant Alexandre qui remontait depuis la maison avec la caméra, il marchait vers eux, doucement, tout en les filmant avec précaution.

— Ben, comment il a fait ?

— Je ne sais pas Franck, il a dû monter sur le meuble, je ne comprends pas.

Franck n'en revenait pas que le môme lui ait chipé sa caméra, et surtout qu'il ait su à nouveau la mettre en marche, le témoin rouge en position « record ». Il se passa les mains sur le visage pour évacuer cette eau qui le regagna aussitôt. En voyant Alexandre tourner autour d'eux, il ne savait plus par quelle phrase lui dire de poser ça, il faillit même lui lancer cette formule qu'il avait mille fois entendue : « Dis donc ! Tu crois pas qu'il y a mieux à faire que de filmer ! Tu veux pas un peu arrêter ton cinéma… »

Toutes ces formules féroces lui repassaient par la tête, il les réentendait telles quelles, là, avec la voix de son père, ou de sa mère, toutes ces années où il se sera entendu dire cela.

Du coup il le laissa faire. Après tout cette image-là, il aurait aimé la filmer, surtout à cinq ans, surtout aussi facilement.

C'est les frères Berthier qui ajournèrent le mirage en lançant à Alexandre des appels facétieux.

— Hé, le caméraman, vas-y, viens nous filmer, demain on finit sur YouTube, et tu mettras qu'on a trouvé du pétrole !

Ils décidèrent d'improviser un goûter sur la grande table à l'ombre. Franck retrouvait cette fatigue ample et profonde, cette sensation d'être complètement rincé après l'effort, la plénitude que ça peut donner. Il sentait dans ses muscles les pulsations lentes et franches d'un sang libéré de toute toxine. Il regardait Louise, elle parlait avec les Berthier tout en coupant le gâteau, le contraste était total avec la Louise de ce midi, en ville, une Louise perdue et affolée, méconnaissable.

Éric et son frère avaient déjà récupéré. Louise leur demanda ce qu'ils voulaient boire, visiblement le café glacé ne les amusait pas plus que ça, spontanément ils demandèrent un verre de vin, du vin frais si possible, rouge, sinon qu'importe. Franck n'en revenait pas, les deux frangins n'avaient même pas pris un coup de soleil, ils étaient pourtant restés deux heures en plein cagnard, parce qu'ensuite ils avaient continué de racler pour dégager les tubes de canalisation bouchée, pendant une bonne demi-heure encore, et ils n'étaient pas plus marqués que ça, déjà ils fumaient cigarette sur cigarette, en inspirant profondément la fumée, sans la recracher vraiment. Franck trouvait ça admirable, de pouvoir fumer avec une telle avidité, d'en avoir la force, pour sa part il savait qu'il ne refumerait jamais, d'ailleurs le geste ne lui manquait pas, la sensation encore moins, il est des choses de soi qui peuvent radicalement changer.

— Eh oh, t'es avec nous ? Je te disais : on reviendra demain, pour faire le raccord en galvanisé, là on n'a pas le matériel, et je suis crevé.

Franck leur répondit que de toute façon ils venaient bien quand ils voulaient, il dit ça avec l'aplomb de celui qui est chez lui.

— Bon, on sera là à sept heures ?

— Du matin ?

— Eh oui, on va pas faire la même connerie qu'aujourd'hui, parce que là, en plein soleil, plus jamais je le ferai.

— Sept heures, pas de problème.

Louise posa les verres et les bouteilles sur la table en proposant à chacun de se servir. Lorsqu'elle repartit vers la maison, ils la suivirent tous trois du regard, cette silhouette longue et charnelle qui marchait pieds nus, avec les cheveux défaits et ce brin d'indolence avec laquelle on va l'été sur le sable en direction de la mer. Franck redoutait de la part des deux frères une remarque, quoi que ce soit d'égrillard ou d'allusif, il ne le supporterait pas. Mais le Rouge se concentra sur la bouteille et les verres, d'office il servit trois verres de vin, sans rien demander. Éric eut une expression de désolation en détachant son regard de Louise qui venait de rentrer dans la maison, un soupir d'impuissance fataliste dont Franck ne comprit pas ce qu'il voulait dire, s'il repensait à la mort d'Alexandre, ou si c'était l'amer constat de s'en tenir à ça, à ne faire que la regarder. Franck lui-même l'avait regardée, il n'aurait pas la malhonnêteté de ne pas se l'avouer, il la regardait comme une sœur un peu trop jolie, ou une femme avec laquelle il aurait vécu depuis toujours, une femme avec laquelle il ne serait plus question de désir mais de tout le reste, un genre d'amour intact, l'amour sans le faire, mais tout entier.

Les trois garçons restèrent chacun un temps sur une émotion qu'ils ruminaient, et dont euxmêmes n'étaient pas trop sûrs.

Le vin les requinquerait. Franck déclina le verre que le Rouge lui tendait en insistant lourdement.

— Allez, vas-y, on trinque !

Franck se laissa convaincre, pour ne pas entamer quelque chose de ce lien qui s'était tissé entre eux. Ils burent deux grands verres coup sur coup. Franck savait qu'il ne le fallait pas. Ils s'en resservirent un troisième, ça avait l'air frais, Franck revit son grand-père boire son vin de soif avec cette même avidité. Enfant, ça donnait envie de boire comme lui, de laisser venir en soi ce liquide miraculeux qui visiblement redonnait vie et soulageait de ce soleil qui régnait dehors, de la même façon qu'il réchauffait par grands froids. Franck les savait faits d'un tout autre métal que lui, c'étaient des hommes de la terre, il n'avait plus rien à voir avec eux, déjà ils avaient cet accent, cette voix qui porte, ces chaussures lourdes antichocs, même sous cette chaleur folle ils privilégiaient le travail au confort. Dans le fond, il leur enviait cette disposition, ce naturel, cette aptitude à s'en tenir au monde tel qu'il existe tout autour de soi, un monde délimité par des perspectives connues, ce monde ils le connaissaient par cœur, ils en savaient tous les détours, tous les pièges, toutes les subtilités de la faune de la flore et des saisons, le monde avant tout c'était le leur.

— En tout cas je te remercie, heureusement que t'as passé le turbo, sans quoi on y serait encore.

— Y'a pas de quoi.

En reprenant un verre de vin ils continuèrent de parler de vannes, de clapet, de canalisation, Franck évaluait ce plaisir tangible qu'il y a à faire quelque chose de manuel, de concret, cette satisfaction de pouvoir juger tout de suite de son travail. Tout en les écoutant, il repéra bien Alexandre, Alexandre qui ressortait de la grange. Depuis tout à l'heure il allait et venait un peu partout, il disparaissait par moments, tout môme qu'il était il avait étrangement compris le fonctionnement de la caméra, il n'arrêtait pas de filmer, dans ses mains ça faisait l'effet d'un fabuleux jouet, un jouet parfaitement naturel qu'il ne lâchait pas depuis deux heures.

Louise en ressortant lui jeta un œil de loin, en revenant à table elle désigna à Franck cette déchirure qu'il s'était faite là au bas de son jean, c'est bien le signe qu'il y était allé fort, sans retenue, il en était presque fier d'avoir abîmé son jean à force d'asséner des coups de pioche.

— Vous en avez prévu un autre ?

— Non, je n'ai que celui-là. Je remplis toujours ma valise de choses inutiles.

Les Berthier en rajoutèrent, plutôt railleurs, sous prétexte qu'il ne connaissait pas sa force, et que des pantalons il ferait bien de s'en trouver un solide pour demain matin !

— Sept heures !

— Ça les gars, c'est pas dit que je sois levé.

— T'en fais pas, va, on fera pas de bruit, on pose le tuyau et on remet la terre, c'est tout, y'en a pas pour longtemps.

Ils avaient bu un quatrième verre, il n'y avait plus de gâteau, six heures venaient, c'était le moment d'y aller. Ils se levèrent tous. Tout de même, en se relevant, Franck demanda aux deux frères des nouvelles de leurs parents, comme on le fait par réflexe, d'une curiosité un peu éteinte, Éric répondit qu'ils étaient morts tous les deux, à six mois d'intervalle, « le père n'a pas supporté, quand elle est morte, il voulait qu'on continue de lui mettre le couvert à table, il a perdu la tête ». Le Rouge comme souvent ne parlait pas, là il ne cherchait même pas une vanne ou une tirade douteuse, ses parents étaient morts, c'était tout, il n'y avait rien de plus à dire, ça sonnait comme une évidente fatalité, l'irrépressible force du cycle.

Franck ne tenta même pas une formule de compassion, il ne voyait pas laquelle, il était un peu sonné d'avoir reçu l'information aussi brutalement. Il regardait les deux frères faire la bise à Louise, passer la main sur la tête de l'enfant, chahuter un peu avec lui en faisant semblant de lui prendre cette caméra avec laquelle il les visait, la réaction agile de l'enfant qui se débina les fit rire, ils étaient déjà relancés dans le moment présent, sans le moins du monde s'encombrer d'ombres.

Au moment de remonter dans le pick-up, Éric serra la main de Franck fermement, et d'un petit mouvement sec il l'attira à lui.

— Tu sais Franck, si un jour t'as besoin de matériel, tu peux me demander ce que tu veux.

— Pourquoi tu me dis ça ?

— Je sais pas, si des fois t'avais en tête de t'y mettre, aux arbres, on sait jamais.

— Merci, mais c'est pas le genre de décision qu'on prend à la va-vite.

— Ah bon, et pourquoi ?

— Je ne sais pas, ça demande à réfléchir.

— Et tout à l'heure quand t'as empoigné la pioche, tu crois que t'as réfléchi avant de le faire ?... Non, alors, vas-y, lance-toi.

Après le dîner, Louise quitta la table pour aller arroser le jardin. Elle savait bien que pour les parents, c'était une tranquillité de conscience de savoir leur jardin préservé de ces chaleurs, que les végétaux resteraient bien verts, et qu'en rentrant ils trouveraient de nouvelles tomates, des salades intactes, et des fruitiers arrivés à maturité. Dans un élan secouriste elle arrosa même les pêchers et les arbres auprès du jardin dont elle voyait la terre toute craquelée à leur pied. Alexandre la suivait en tout, la filmant toujours. Par moments elle faisait mine de vouloir l'arroser en pointant le tuyau dans sa direction, chaque fois il se reculait en riant aux éclats, tout en se concentrant pour garder l'image bien dans son cadre dans le petit écran.

Franck les voyait faire par la fenêtre. Il avait débarrassé la table et lavé la mince vaisselle à l'eau froide. Par réflexe il voulut regarder la météo, mais finalement il n'avait pas envie de bruits parasites, d'entendre la télé, se faire rattraper par tout ça, d'instinct il savait bien que de pluie il n'y en aurait pas, que la chaleur ne retomberait pas avant les orages du 15 août. Le temps ici, il le connaissait par cœur. Il savait bien qu'une fois passé la lune nouvelle de mi-août il y aurait un soir où tout se détraquerait, en fin de journée l'air frais viendrait, et pour peu qu'on monte sur la colline, on sentirait le vent d'ouest se lever, de plus en plus fort, ce vent qui venait du plus profond des mers, ce soir-là ce vent d'ouest gonflerait jusqu'à la bourrasque, poussé par des nuages déments on se le prendrait de plein fouet, il s'amplifierait et soufflerait à vous soulever la chemise, dans ces cas-là, c'était comme si du haut de la colline on ressentait l'inclinaison nouvelle de la sphère, la Terre follement lancée comme un bolide vers un équinoxe autre, de là-haut on le sentait bien, c'était comme de mettre le nez à la fenêtre d'une voiture qui roule trop vite, parce que de là-haut sur le mont Saint-Clair on entendait bien les feuilles de la forêt au loin malmenées par le vent, les feuilles qui répandaient hystériquement la nouvelle, les feuilles c'étaient les premières à annoncer la renverse, la pluie tombe sur elles en faisant le même bruit qu'une mer venue de loin, une mer qui se rapprocherait, une mer qui viendrait vers vous, ici c'est le chant des feuilles qui dit que c'en est fini des grosses chaleurs.

Quand Louise revint du jardin, le jour commençait de baisser, Alexandre dans le viseur distinguait moins nettement ce qu'il filmait. Alors il demanda à Franck comment on faisait pour tout voir de ce qu'il avait filmé depuis le début.

— Tu veux voir ce que tu as filmé toute la journée ? Eh bien t'appuies sur la touche, là, et tu regardes dans le petit écran !

— Non, je veux qu'on regarde tous, en grand, sur la télé.

— Attends, je ne vais tout de même pas tout installer...

— Allez, on met la télé dehors et comme ça, on regarde tous ensemble.

Franck sentait bien qu'il était le dernier à pouvoir lui refuser le coup de la séance de projection. Trente ans après il était confronté à cette corvée qu'il faisait subir aux siens, un vrai sacrifice quand il y pense, parce que la plupart du temps les autres se sentaient obligés de les regarder, ses images. Alors, pour procéder à la liturgie, il sortit le téléviseur et le posa sur la grande table dehors, il dédoubla les rallonges pour l'installer tout au bout, il y raccorda la caméra HDV, évaluant qu'il y avait bien deux heures d'images pour la seule journée.

— Tu sais, bonhomme, seulement il faut attendre qu'il fasse nuit, complètement nuit, tu ne vas pas t'endormir d'ici là ?

— Moi non.

Alors ils attendirent que le jour baisse lentement, que tombe le prodigieux rideau sur cette journée passée ensemble, une journée de trois fois rien, mais riche pourtant, une journée décisive pour Alexandre, qui s'initia au vice de voir le monde au travers des images qu'on en fait.

Louise, en attendant, dit qu'elle profiterait bien de ce qu'il restait de jour pour faire un raccord sur le pantalon de Franck. Il ôta son jean et elle alla dans la chambre chercher la boîte à couture. En caleçon, l'air du soir était hautement plus bienfaisant. Franck se passait les mains sur ses jambes nues, un peu blanches, déjà ses bras avaient pris des couleurs. Il se passait machinalement les mains sur les cuisses comme s'il avait froid, un réflexe pudique l'amenait à les dissimuler. Pourtant ça faisait du bien de sentir l'air doux du soir à même la peau. Alexandre s'approcha de lui en demandant si on pouvait commencer à regarder le film.

— Attends, il faut qu'il fasse noir, une demi-heure encore.

Louise revint avec du fil et une aiguille, elle s'assit pour repriser le pantalon. Elle jeta un œil à Franck, presque attendrie de le sentir aussi démuni ou vulnérable, ne bougeant plus de sa chaise, elle pensa qu'il avait les mêmes cuisses longues et dessinées que son frère, elle pensa qu'Alexandre se découvrait rarement les jambes, même si vraiment il faisait trop chaud il gardait un jean pour se protéger des chocs, des ronces ou des accrocs, il n'y a que le soir qu'elle les voyait ses cuisses, ce corps modelé par l'effort ou la génétique, un athlète totalement indifférent à son propre aspect. Franck la regardait faire pendant que le môme ne cessait de lui demander :

— Quand est-ce qu'on regarde le film ? Ça y est, il fait nuit ?

— Pas encore, petit.

— Je ne m'appelle pas petit !

Louise commençait à avoir du mal à bien deviner l'endroit où elle plantait l'aiguille, par moments elle se piquait à peine le bout du doigt, et plutôt que de dire « aïe ! » sa bouche sursautait d'un léger soupir. Franck regardait ce geste, cette attitude, son jean qu'elle tenait entre ses mains, à distance il la sentait le frôler, aussi confus que troublé. Puis, quand elle eut fini la reprise, elle fit un nœud et approcha la bouche de son jean pour sectionner le fil au plus près du tissu, le fil était épais, alors sa bouche s'approcha plus près encore et insista, ses lèvres touchaient la toile du jean dans un abstrait baiser, Franck n'eut pas le réflexe d'aller chercher un couteau ou des ciseaux, simplement il la regardait faire. Le fil céda dans un bruit tendu de sectionnement, sa bouche libérée esquissa un sourire de satisfaction :

— Eh bien, on n'y voit presque plus rien, j'y suis arrivée à temps !

Louise tendit le jean devant elle pour juger de l'effet.

— Qu'est-ce que vous en pensez, ça vous va ?

Franck se leva, et il alla chercher son jean dans les mains de Louise qui le lui tendait triomphalement.

— C'est formidable Louise, ça ne se voit même pas.

Il renfila son jean pour juger de l'effet tout en se disant qu'il avait bien plutôt envie de rester les jambes nues. En même temps, il se demandait s'il ne devrait pas maintenant proposer à Louise de se tutoyer sans quoi ils n'y arriveraient plus jamais avant d'intuitivement conclure que c'était peut-être mieux ainsi, que cela se ferait naturellement.

— Eh dis, maintenant il fait nuit ?

Franck engagea la lecture de la vidéo, résolu à céder à la lubie du gosse, bien conscient qu'il y avait là deux heures d'images, mais que pour ruser il passerait en accéléré certaines séquences, parce que ça n'a rien d'intéressant de visionner le soir même le film d'une journée qu'on vient à peine de vivre.

Seulement, dès le début il n'en revint pas de ses images, celles qu'il avait prises à la gare à Paris, en attendant l'heure de son train, tous ces passagers en ordre, ces familles organisées, ces images, elles lui semblaient venues de loin, très loin dans le temps, comme diffusées depuis une autre vie. Il avait l'impression d'avoir vécu cela il y a dix ans. Puis il y eut le train, puis le quai de Brive, toujours aussi loin dans le temps, et la motrice avec le gros plan sur la tache de sang, et ensuite un long plan-séquence au cours duquel il zoomait à travers la vitre, ces sangliers qui se débinaient au milieu des arbres. Puis il y eut la séquence du ciel chaotiquement filmé depuis le plateau arrière du pick-up, et la ferme qui se rapprochait, cette cour, cette même cour maintenant sombre et fraîche, il la voyait là, à l'image, comme depuis une autre vie, une cour étrangère, alors qu'en ce moment même, il était en plein dedans, souverain et calme, et la cuisine, le couloir, et la porte qui s'ouvre sur son lit...

— C'est mon lit ! Mais pourquoi t'as filmé tout ça ?

— Je ne sais pas, pour me souvenir. Et toi ? C'est à toi maintenant ! On va bien voir ce que t'as filmé, toi !

Puis vinrent les éclats de rire, quand la caméra passée dans la main du gosse restitua des images parfaitement saccadées et anarchiques, c'était le parcours inverse, la caméra qui ressortait de la chambre, tout en zigzags et en soubresauts, puis partait dans le couloir, et la cour, et les bruits de la mère qui lui criait dessus, et après ça la caméra qui va se planquer sous une vieille huche de la grange, Alexandre rit aux éclats en voyant ça, à l'image on l'entendait qui haletait, essoufflé, à ras de terre, et dans le cadre à ras du sol, on voyait la mère qui rentrait dans la grange et Franck en arrière-plan.

— Eh bien, j'en ai manqué, des choses, fit Louise, s'adressant tout aussi bien à Franck qu'à son fils.

Puis d'un coup ce fut un tout autre film. La gerbe d'eau qui fusait depuis la terre du grand champ derrière, Franck aimait bien l'idée de l'avoir, cette image. Il passa une main sur la tête d'Alexandre en signe de gratitude. Franck qui se découvrait complètement transformé, avec sa pioche à la main, et ce geyser qui leur retombait dessus, il retrouva le frisson de ce prodigieux soulagement, cette réjouissante fierté qu'il avait ressentie à ce moment-là. Dans le fond, il n'y était jamais sur les images, jamais il ne se filmait, d'ailleurs il n'avait aucune image de lui, depuis toujours probablement, du moins elles devaient être rares, et là, ce qu'il voyait de lui le satisfaisait, il se découvrait impérial et solide, à bout de forces mais triomphant.

Louise était bon public, elle regardait les images qu'avait tournées son fils, tout le long de l'après-midi, avec une vraie attention, en bienveillante spectatrice. Du coup, on ne voyait pas son fils, son fils on ne le voyait pas dans l'écran, mais on la voyait elle et on voyait Franck, visiblement elle n'était pas gênée par son image, jamais elle ne se plaignait d'un mauvais profil, jamais elle ne disait « Oh ! je suis affreuse », ou quoi que ce soit de l'ordre de l'autodénigrement, pas plus que de l'autosatisfaction.

En voyant ces images, Franck eut l'idée d'un projet, un projet qu'il voulut si fort qu'il se jura instantanément de le réaliser, pour le coup plus besoin de courir le monde, pour le coup on serait dans l'inédit absolu, l'idée ce serait de définir plusieurs sites fixes, quitte à prendre deux caméras, et faire un genre de plan-séquence, un image-par-image qui se déroulerait sur des années, dix ans au moins, peut-être même quinze, et là, on partirait d'un horizon de champs en friche qui recouvrent plusieurs hectares, un plan très large sur tout un horizon de terres abandonnées et sauvages, et au fil des mois et des années, on y verrait comme on l'a vu faire déjà des fleurs ou des insectes, une terre assainie et nue, une terre partie de rien, et sur laquelle se dresseraient, au cours d'un interminable miracle, d'abord des plants tout minces à peine plus hauts que des jeunes pousses de blé, des arbustes inexorablement aimantés par le prodige des astres qui pousseraient au gré des saisons et se déploieraient

amples, des milliers de pousses qui devien-
draient des arbres.

Oui, c'est ça, le film montrera cela, des milliers d'arbres s'épanouissant, passant des
simples pousses à la forêt, une vie qui prendrait
forme en avalant les saisons et en se nourris-
sant du temps comme d'un lait maternel, oui,
c'est bien cela qu'il veut faire, il en est sûr
maintenant, du coup ce sera, sans l'ombre d'un
doute, le plus beau film de sa vie.

10406

*Composition*
NORD COMPO

*Achevé d'imprimer en Espagne*
*par BLACKPRINT CPI IBERICA*
*le 4 août 2013*

Dépôt légal : août 2013
EAN 9782290072264
OTP L21EPLN001456N001

ÉDITIONS J'AI LU
87, quai Panhard-et-Levassor, 75013 Paris

*Diffusion France et étranger : Flammarion*

### *'Just say my na...*
### *'I'll know your...*

Luke nodded and
doorway, leaving L
was true. She could pick that deep, captivating
voice out of a crowded room. Maybe it was
the tense circumstances, but that voice had
the power to soothe her and, if she was honest
with herself, to make her want to crawl into the
shelter of his arms.

Power. The word stuck in her brain as she
pointed Luke's gun towards the empty door
frame as he'd directed. Hadn't she learned a
thing or two about giving up her power? But
this was hardly the same as her marriage had
been. Luke had just given her the power of his
weapon and, with barely a word of instruction,
his trust.

Time passed. Five minutes? Ten?

'Dana…'

'Yes,' she responded, lowering the gun and,
with it, her defences.

# Available in January 2005 from Silhouette Sensation

*Sure Bet*
by Maggie Price
*(Line of Duty)*

*Crossfire*
by Jenna Mills

*Shadows of the Past*
by Frances Housden

*Sweet Suspicion*
by Nina Bruhns

*Darkness Calls*
by Caridad Piñeiro
*(Shivers)*

*In the Arms of a Stranger*
by Kristen Robinette

# In the Arms of
# a Stranger

# KRISTEN ROBINETTE

SILHOUETTE®
*Sensation*™

*Silhouette, Silhouette Sensation and Colophon are
registered trademarks of Harlequin Books S.A., used under licence.*

*First published in Great Britain 2005
Silhouette Books, Eton House, 18-24 Paradise Road,
Richmond, Surrey TW9 1SR*

© Kristen Robinette 2003

ISBN 0 373 27299 5

*18-0105*

*Printed and bound in Spain
by Litografia Rosés S.A., Barcelona*

could never decide what she wanted to be when she grew up. She wanted to be an archaeologist, a firefighter, a psychiatrist, an equestrian, an artist, a police officer…all at the same time. After deciding that her affliction was actually the urge to *write* about such things, she set out to become an author. Four romance novels and multiple fiction careers later, she couldn't be happier!

Kristen lives in Alabama, USA, with her husband and three daughters. When not at the keyboard, she can be found spending time with her family, pampering her horse (who believes he's a dog), boating, reading and generally avoiding domestic chores.

To Adrienne, who made us complete.
And
to my sister, Kathy,
who always slowed down so that I could catch up,
held my hand in front of the 'big kids'
and still comes out to play.
Thank you.

# *Prologue*

Chief Luke Sutherlin sat his coffee mug on top of a battered file cabinet and watched chaos consume his police station.

"Chief, another storm report is coming in." Lieutenant Ben Allen hovered over the computer terminal as it began printing.

Luke nodded, dreading the fact that he'd be trapped in the station today. Working closely with his officers wasn't a favorite part of his job. His men accepted that a Sutherlin was, yet again, in charge. Respected his authority, maybe. But they didn't like him. Not even on a good day.

And today was definitely not a good day.

He walked slowly to where Ben stood and scanned the information as it printed. When the terminal finally stilled, he ripped the paper away and read it in detail.

"Looks like the storm will go north of Sweetwater, after all," Lieutenant Allen offered in a too-cheerful voice.

A winter storm had built west of the Mississippi River

and was now burying North Alabama and Tennessee under a blanket of ice and snow. It was a freak storm, the television meteorologists explained with panicked expressions, something they'd never seen before, much less in early March. Authorities originally predicted it would sweep across the North Georgia Mountains with the same fury, but the storm had weakened and was headed north of them.

Luke breathed a sigh of relief. They were accustomed to occasional snow flurries but were ill equipped to handle a storm of this magnitude. This was the South. He could count ten tornadoes for every true snowstorm he'd seen. He tossed the report on Ben's desk.

"What's that?" He pointed to a crumpled slip of yellow paper with his name scrawled at the top.

"Oh…" Ben smoothed the paper before offering it to him. "It's a message, sir. I'm sorry. I took it late last night."

He pulled it from Ben's hand. Shelly Henson. The name stopped him cold. His father's mistress. *Former* mistress, he amended. He hadn't seen or heard from Shelly in over a year. Why had she called the station?

Ben had scribbled the message with a fat felt-tipped marker: "I'll be returning what belongs to you." Shelly had taken a couple of hundred dollars from his wallet a year ago, the night he'd taken her in. He winced at the memory.

After having received a frantic call from the housekeeper, Luke had arrived at his father's house to find Shelly lying on the polished marble floor, her face bruised and the smell of fear in the air. His stepmother had merely watched the distasteful scene play out with cool detachment. But then, Miss Camille, as she liked to be called despite her age and marital status, had never made any secret of his father's affairs. On the contrary, she wore them like a badge of honor. Proof of what she was forced to endure.

His father had made himself conveniently absent by then, leaving Luke to see to the nasty details.

Luke had brought Shelly back to his place, then valiantly tried to wipe the scene out of his head with a bottle of booze. It hadn't worked. Not that night or any night since.

Why Shelly Henson would feel the need to make amends at all was beyond him. The theft was nothing compared to his own behavior that night. He rotated his stiff right shoulder. His shoulder had never failed to predict a storm, not in twenty-two years. Not since his sixteenth birthday, when his father had broken it.

Luke wadded up the note and threw it into the trash can.

Lucas Daniel Sutherlin, Sr., was the financial nucleus of Sweetwater and, therefore, a necessary evil. Sutherlin factories still employed most of the townspeople despite their tragic past. Too bad his father's character hadn't grown along with his stock holdings.

Why was it some men seemed born with absolution while others couldn't be forgiven for simply having the wrong last name?

Luke walked across the station's gritty tile floor and retrieved his coffee. He took a long sip, wishing for the comforting sting of Jack Daniels instead. He examined the faces of his men over the rim of the mug. Their condemnation wasn't visible, but it was there. He was a Sutherlin. The badge he wore would never make amends for that fact. He glanced at the trashcan where the note lay crumpled. Shelly should keep the money.

It was the least the Sutherlin men could do.

''Chief!'' someone called.

A few officers had gathered around a small television set, intermittently twisting its antennae to try and capture the reception that bounced elusively off the mountains. Luke joined them. Through the snowy picture, he could see the smiling face of the meteorologist as he pointed to the fickle storm front on the map.

The man looked immensely relieved. Too relieved, Luke thought.

"Looks like we're out of danger." Ben offered a grin along with the comment.

Luke rotated his shoulder again, and scowled at the television. He had a feeling otherwise.

# Chapter 1

Snow was falling, covering the ground like a fuzzy white blanket. Wet, fat snowflakes covered the windshield as fast as the wipers slid them to one side. Dana Langston had never considered being a Southerner a liability, but it certainly felt that way now. Accustomed to Atlanta's mild winters, she had no idea how to drive in snow, much less on a sheet of ice. She gripped the Acura's steering wheel, too terrified to blink as the terrain of the North Georgia Mountains turned to rock-faced cliffs.

It was almost dark, the storm clouds stealing what was left of the twilight at an alarming rate. The temperature would drop even further soon, freezing the slush to solid ice. Clyde Jenkins, the news station's midday producer and her boss, had given Dana the keys to his vacation cabin, along with a box of tissues, a fatherly lecture on professionalism and three weeks' mandatory leave. Whether or not her job waited on her when she returned depended on how thoroughly she could get her personal life in order.

*Your job as a midday news anchor is to inform our viewers without destroying the rest of their day. Let's face it—your career simply won't survive another on-air breakdown like you had today.*

Dana bit her lip as her tires skidded against the shoulder of the lonely road, their traction lost in the gathering slush. The drive became more treacherous as the mountain's incline grew steeper, but it was far too late to turn back. Clyde's last instruction had been that, under no circumstances was she to leave for the mountains before she was certain the storm would miss Georgia entirely.

She'd tried. She honestly had. But the walls of her apartment had closed in on her as surely as the storm had closed in on the South. Dana knew that phone calls from sympathetic friends and family who'd seen her tearful on-air meltdown were inevitable.

But they were also avoidable.

Though the plan was looking seriously flawed, she'd left before she'd had to face the ringing phone. And, if she were honest with herself, she'd been genuinely frightened to spend another night alone in her apartment. The murder trial of Paul Gonzalez had been postponed. Again. She would testify against the monster if it was the last thing she did. But if the court system insisted on making her Gonzalez's target for a little longer, she would at least become a moving target.

Dana concentrated on the twisting ribbon of road. If she'd thought for a minute that the storm could change course, she wouldn't have been so rash. She'd heard a weather report about an hour outside of Atlanta, assuring listeners again that the storm would miss the state. Dana had popped a CD in the stereo right after that and hadn't given it any more thought until the snow started to fall.

She stifled a hysterical laugh. Maybe she should have

hung around her apartment a little longer, at least long enough to watch the weather on the evening news. She gripped the steering wheel tighter. That would have been a lot of fun. She could have sized up potential replacements for her job while she was at it.

Glancing in her rearview mirror, she looked for the lone set of headlights that had appeared and disappeared behind her during the past twenty minutes as her car had hugged the inside curve of the winding mountain road. Part of her welcomed the idea of another living soul on the road, but part of her wondered if the headlights could belong to Gonzalez.

Paranoid, she scolded herself. The whole day was making her crazy.

Dana switched on the dome light and pinpointed her progress on the map with quick glances. By her calculations she should be only ten minutes from the cabin.

Without warning her car lurched sideways. Dana threw the map aside and gripped the steering wheel with both hands, her worst nightmare realized. The barely passable road had become a solid sheet of black ice. Terror seized her. She hit the brakes but the action only caused her to slide. She was spinning, the interior of the car becoming a sickening blur of light, darkness and fear. Desperate, she turned the wheel in the opposite direction and her car straightened, eventually finding the shoulder of the road in a violent spray of ice and rock.

Then all was still.

For a full minute she just sat there, breathing in gulps of air and willing her fingers to loosen their death grip from the steering wheel. She blinked, her vision clearing as the panic subsided. Her car had gone off the shoulder of the road, coming to rest in an area of tangled underbrush mere feet from the mountain's unguarded ledge.

Dana covered her face with her hands, stifling a sob. It had been foolish to take her eyes from the road. It had almost proved suicidal.

Ignoring the tangle of vines and scrub trees that curled over her windshield, she took a deep breath and pressed the gas. The car lurched forward once before its tires spun, digging ruts into the freezing slush.

*No.*

Panic tightened her chest. She tried again, slower this time, but the result was the same. She couldn't risk backing, not with the cliff so close. Hot tears of frustration burned her eyes. She gunned it, praying the force of the action would work. It didn't. In fact, she felt the left side of the car settle deeper into the mire.

All the events of the last week slammed into her. She wanted to curl into a ball and cry, sleep and wake to find out she'd only dreamed that her life had gone to hell. Dana shoved the tears from her cheeks. The only thing *that* would get her was frozen.

Switching off the engine, she donned her down coat and fought her way past the underbrush that clung stubbornly to the car.

The world outside was ghostly silent. The wind seemed to be the only living thing, whipping across the rocky face of the mountain and swaying the trees, their branches now laden with crystals of frozen ice. There hadn't been a turnoff since she'd last seen the headlights behind her. Unless the car had done a U-turn, it would eventually catch up to her, she reasoned.

But did she want it to?

She began frantically searching the side of the road for branches, rocks—anything she could use to stuff beneath the car's wheels—but the thick blanket of snow and ice camouflaged anything she might have used. It was then that she noticed the tracks. Deep tire tracks crisscrossed those made by her car, following a similar path. It appeared the car had been ascending the mountain in the northbound lane and had lost control, just as she had. Only…

Dana began walking forward, following the tracks, then paused. Her gaze followed the tracks until they disappeared. Then she saw the massive oak tree, its gray bark scraped clean with a fresh wound. Flanking it were pine saplings, their tops snapped away like gruesome, headless necks.

The car had gone off the cliff.

"Hey!" Dana yelled into the silence, spinning to search the road for help before she began running.

Briars and underbrush scratched her hands as she shoved them aside to reach the cliff. As she'd feared, the car was on a rock ledge below her. It had obviously made a nosedive and had hit a second ledge, crushing the front end. The only thing that kept it from continuing to slide down the mountain was a sharp boulder that had caught the rear underside of the car. Its crumpled front end was now suspended in midair; its tires overlooked a sheer rock cliff.

"Hey!" She yelled again. "Is anyone in there?"

Adrenaline pumped through her, and she assessed the situation with surreal clarity. If anyone had escaped, which seemed impossible, she'd have seen their footprints. The same was true for anyone that might have come to help.

The car was an older-model four-door, its faded blue sides making it nearly impossible to see in the growing darkness. The only way to reach it would be to lower herself down to the second ledge. There wasn't time to consider anything else. Dana grabbed the rubbery trunk of a scrub brush and lowered herself onto her belly, slithering down the sharp cliff until her boots met the crunch of loose stone.

She approached the car cautiously, as though her footfalls could send it toppling off the mountain. The windshields were clear of snow, and the back door closest to her was slightly ajar. She cupped her hands to look through the window but saw only a tangle of clothing and blankets. Making her way to the other side, she did the same. This time the sight made her stomach lurch and bile rise in her throat.

The driver, a young woman, was visible from this angle. Though she was still in the driver's seat, her body had come to rest at an angle, her head thrown back in a silent scream. The delicate flesh and cartilage that had once formed her features was now pulled away by a vertical gash. Congealing blood had stained and matted her long blond hair.

Dana felt her entire body begin to tremble. Was it possible to survive such a thing? She stared at the door handle. Any action on her part could send the car careening off the cliff. She took in a steadying breath. The woman was, in all likelihood, dead.

The trick would be to keep the car from dragging her with it if it began sliding.

As gently as she could, Dana lifted the handle and opened the door. It caught on its hinges, grinding against the boulder. The news station had required all its reporters to take basic CPR and emergency training courses, and she called on the half-forgotten knowledge. Leaning partially in, she pressed her fingertips against the woman's bloodied neck. There was no pulse.

A crushing sadness flowed over her as she straightened. "I'm so sorry," she whispered.

A thin gust of wind whistled through the car, carrying the strong, unmistakable odor of whiskey. Dana's gaze fell to the floorboard of the back seat where several liquor bottles lay next to the woman's purse. More than one was empty, and one was half-finished. The sadness doubled and she hugged her jacket against her body.

The back seat was literally mounded with clothing, and

Dana noticed an upturned laundry basket and a box with linens and partially spilled household items. It was as if the woman had thrown everything she owned into the car. Dana thought of her own escape from Atlanta and the similarities between herself and the dead woman. What had this woman been running from?

A second blast of wind hit the face of the mountain, rocking the car. Dana gasped and took a step backward. There was nothing else she could do. Or was there? She could at least identify her to the police. She carefully leaned in and pulled the woman's purse from the tangled floorboard.

She stared at it in frozen horror. It wasn't a purse.

Dancing blue bears decorated the side of the white satchel. Dana unzipped the top with trembling fingers. Diapers. A pacifier...

Oh, my God. A baby.

She threw down the diaper bag and leaned back into the car, resting one hand lightly against the back seat. "Baby!" she called. The car rocked beneath her. *Slow* a voice in her head whispered. *Careful.* She forced her hands into deliberate action as she began pushing clothing and blankets aside from the center of the back seat. "Baby!" she called again. Her hand hit the solid form of a car seat and she instantly heard a soft mewling sound.

The infant. Elation spread through her. She'd found the infant.

As Dana pushed away the last article of clothing, the baby lifted a chubby fist in the air, turned to look at her, and instantly began crying. It was music to her ears. "It's going to be okay," she whispered, the wind whipping the words away. It was all the same, Dana thought. She glanced at the child's mother. The words were a lie.

She had to get him out. The car swayed, groaning against the rocky boulder as if threatening her.

*Go,* an inner voice commanded. *Do it now.*

Dana leaned farther in, a million prayers dancing through her head. The carrier-style seat was built for an infant, with the car's center lap belt fastened over it. If she could just unfasten the seat belt… There was no choice but to climb partially in.

Her entire body was trembling as she placed her knee on the back seat and leaned over the child. He was screaming in earnest now. Was he hurt? The car lurched forward as her fingers found the release button. The seat belt gave way, and Dana scrambled to get a grip on the car seat. Her frantic actions swayed the car just as a gust of wind hit the mountainside.

She knew instantly that the car was going to go over the cliff.

Her fingers dug into the car seat and she threw herself backward with every ounce of energy she possessed. A hard blow smacked the flesh on the left side of her face and as if from a great distance she heard the sound of shattering glass, felt something cold and wet drench her foot. She was tumbling, felt her precarious grip on the car seat slipping… She hit the ground, her breath leaving her lungs as the car seat landed painfully on her chest.

The sound that followed was horrible. Metal ground against rock, screaming as it slid. Then there was the seemingly endless sound of the car crashing down the mountain face, snapping trees with the force of its weight.

And then there was silence.

Her eyes opened to darkened purple sky, wet snowflakes falling against the skin of her face. The daylight was almost completely gone. She still hugged the car seat but there was no sound. Panic seized her. Where was the baby?

Dana rolled to one side, and the throbbing pain on the right side of her head filled her vision with dancing lights.

She eased the car seat to the ground and scrambled to sit up, blinking to clear her vision. The baby stared back at her, still securely held in its seat, his eyes wide and panicked.

*Him?* The question registered absently in her brain.

She glanced at the blue sleeper with its bright cars and trucks. The cheerful clothing brought hot tears to her eyes. Yes, a boy. And so young. Probably only three or four months old.

"Oh, little one," Dana whispered. "My God, what have you been through?" Her fingers fumbled with the restraining belt, releasing it. She scanned his tiny body for injury, finding none. Lifting him from the car seat, she realized that the weather was the next greatest threat to his safety.

And hers.

Dana partially unzipped her jacket and eased the baby inside. He instantly snuggled against her, nuzzling her breasts frantically. "Oh, sweetie," Dana cooed through unshed tears. "There's nothing for you there, but we'll find something. I promise."

Something in her mind stilled as she said the words. Food. Where was the diaper bag? Her legs trembled uncontrollably as she stood. As she looked down, Dana instantly found the source of the shattering glass. The liquor bottle had tumbled from the car, shattering at her feet and drenching her boot with alcohol. She stared at the heap of glass. It was the only thing that remained, a sad reminder of a tragic mistake.

Dana found the diaper bag a few feet away and looped it over her arm. She turned to face the mountain cliff she'd so easily slid down. It would be impossible to climb back up, especially holding the infant at her chest.

"No, no, no..." she whispered.

She scanned the terrain and found that the ledge curved back toward the mountain, a natural footpath. Tears of relief stung her eyes as she maneuvered a steep but manageable pathway up the side of the mountain. She was trembling all over as she reached the top. *Cool under fire,* her uncle always said of her. *Until the firing stops.* Unfortunately the adrenaline that always saw her through a crisis had the tendency to abandon her too soon. It was happening now.

She stumbled away from the ledge, then leaned against the trunk of a tree, sliding down the length of it until she sat on the frozen ground. The baby... Her breath left her in bursts of frozen vapor as she unzipped her jacket. Just a few inches and she could see the infant's head, his dark hair swirled on the top. Dana eased the zipper a little farther.

He was sleeping.

Hysterical laughter gave way to tears as she hugged the baby, her thumb tracing circles against his chubby cheek. She'd done it. She might have made a mess of everything else she'd touched in the past year—her marriage, her career... Her thoughts stilled when they reached little Michael Gonzalez.

She'd failed Michael in the worst possible way. What started out as a story segment on the life of a foster child had turned into much more. She'd fallen in love with the sweet five-year-old and wanted desperately to keep his abusive father from obtaining custody. But her overzealous reporting of the abuse had had the opposite effect. Provoked, Paul Gonzalez had stepped forward to claim his son, referring to him as his "property."

The child who had stolen her heart fell from the window of his father's second-story apartment less than a month later.

Dana drew the baby against her chest, tears in her eyes. She may have failed Michael, but by God she hadn't let tragedy claim this little life.

She kissed the top of the baby's head and stood, making

her way to her car. Her cell phone proved useless, its signal no doubt deflected by the mountains. It was just as well. The road wouldn't be navigable for much longer. She and the baby could freeze to death waiting for help. Still, she tucked the phone in the baby's diaper bag, along with her billfold, car keys and the map.

She turned to face the mountain.

Was that a pinpoint of light? Hope surged as Dana focused on a distant light that twinkled in the growing darkness. It was the only sign of civilization in the expanse of forest that surrounded her.

She would follow the light and she would make it to safety. Her hands cradled the baby beneath her jacket.

She had to.

The rifle felt good, like an old friend. The woman's form appeared in the crosshairs of the scope.

Taking down a target was like riding a bicycle. Some things you never forgot…. Things like going hungry, like waking with your own breath frozen against your pillow and hearing your father slowly choke to death on the black silt from the mines.

A lifetime ago, but yesterday. The nose of the rifle trembled, despite the determined fingers that gripped it. If the bitch thought she could waltz in and take everything away, she was wrong.

Dead wrong.

There was no going back. Not after you'd risen from the dirt. The girl should have understood that the first time she was warned. The shot cracked through the frigid silence, and the woman fell. But just as quickly she stood again, darting toward the road.

"Dammit." The word was whispered, controlled, even in the face of desperation.

She'd merely slipped on the ice and the shot had missed its mark. That the girl had survived the accident was an insult to the original plan. She'd scrambled back up that ledge like some nasty bug that refused to die. The rifle's scope found the woman again but she slipped into the cover of the woods. It was obvious where she was headed. And when she got there it would all be over.

No more bug.


"Damnation!" Luke killed the headlights and pushed the vehicle's door against the side of the ditch. He squeezed out, the space he'd made barely allowing his six-foot-four frame to pass. Snow and half-frozen mud clung to his jeans and boots as he climbed from the ditch and onto the road. He squinted through the falling snow, staring at the mangled mess that used to be his Jeep Cherokee.

*That ice don't care whether you got a four-wheel-drive or not,* his grandfather had said when he'd urged Luke to go home. *Get on outta here while there's still a road to steer that fancy lump of steel on.*

He should have listened. Luke doubted that Seth Carlisle had been wrong often in his eighty-five years. Besides being his maternal grandfather and the only person in this god-forsaken town he considered a friend, Seth lived in the middle of nowhere. Luke had to make sure he had firewood and food, at the very least.

He stared at the useless form of his vehicle and sighed. The storm had turned toward Sweetwater with the fury of a scorned woman and was bearing down hard, adding a layer of snow to the frozen mountain. Thanks to his determination, the town's chief of police was now stuck in the middle of nowhere during the worst storm in living memory. Not good. He touched the cut on his forehead, reminding himself that it could have been worse.

"If I'm in this mess, you're in this mess," Luke called, stamping the circulation back into his already numbing feet. "Get out here."

Sam managed the narrow opening with more grace than Luke, but he had twice the traction. The yellow Lab bounded up the side of the ditch and looked at him expectantly.

"Aren't you supposed to have a keg of beer or something?"

Sam cocked one round eyebrow and wagged his tail.

"Yeah, that's what I thought."

A gunshot cracked through the still night and Luke instantly dropped to the ground, drawing his gun.

"What the hell...?"

A second shot shattered the silence that had followed the first, and Luke heard someone cry out. The voice was muted but distinctly female. He felt the hairs on the back of his neck rise in response. He crouched on the balls of his feet, listening as he reached for his two-way radio at his waist. Damn. He'd left the radio in the Jeep.

The road took a sharp turn a short distance down the mountain, following a treacherous cliff and creating a natural overlook. Luke jogged, crouching, until he reached it.

The sound he heard next was unmistakable. Someone was running—crashing—through the forest. He could hear the underbrush snapping, even hear their panicked gasp for breath. He cocked his head, listening. The shots had come from the right, he calculated, making the person below him the woman.

He knew with every lawman's instinct he possessed that she was running for her life. What was going on? There wasn't time to make sense of anything other than the fact that she needed his protection.

He intentionally slowed his breathing, concentrating on

what few facts he had. He couldn't pinpoint exactly where
the shots had come from. He scanned the area below him.
There was only blinding darkness to his left with one exception. A faint light glowed through the cover of the trees.
The old forest ranger's station, he realized.

When the woman reached it, she would find it locked.
Worse, she would discover that it had been built on the
furthermost point of a natural rock crag, chosen to provide
rangers with an unrestricted view of the forest below.
Flanked only by the impossible rock face of the mountain
behind it, there was only one way in—and out.

She would be trapped.

# *Chapter 2*

She wasn't going to die. Gonzalez—it had to be Gonzalez—wasn't going to win. Dana clawed at the doorknob, rattling it against the solid pine door. It was locked. The baby was silent inside her jacket. Too silent. Fear cut through her. Oh, God, had she hurt him while running? She had to check, had to get inside.

Hot tears of frustration burned her eyes. She stepped back, admitting that the door was not going to open. Her heart pounded as she frantically paced the cabin's porch, searching for a way in. It looked as if the porch wrapped around the cabin but it was difficult to tell. A bare lightbulb burned next to the door but the light didn't extend...

Dana stopped abruptly. The window. There was a window near the door. Hope filled her. She needed something to break it, something hard. A dark object was on the porch stoop next to her feet. She knelt, curling her fingers around solid metal. A boot scraper. She could use it to—

Glass shattered above her and the porch light was instantly extinguished, plunging her into darkness. Rough fingers curled over her mouth, swinging her body up and against a solid form.

Oh, God, he was here. He'd found her. She was going to die…. As soon as the thought formed in her head, the baby squirmed against her chest, reminding her that her life wasn't the only one at stake.

*She would not let him die.*

Dana brought the boot scraper up as hard as she could, aiming for the man's face. It met flesh with a solid thump, then fell against the wooden planks of the porch. She heard the man curse beneath his breath. She'd hit him, but the heavy metal had connected with flesh rather than bone. He'd been too tall for her pitiful weapon to hit its mark.

She tried to scream then, even knowing that the effort would go unheard.

"Shut up," a deep voice whispered next to her ear. "I'm not going to hurt you."

He was dragging her, she realized, and she was helpless to fight with one hand securing the baby beneath her jacket. Her feet shuffled against the wooden porch. Was he was hauling her to the back side of the cabin? She heard the sound of keys rattling, and her mind struggled to make sense of what was happening. As Dana felt the man's grip on her relax, she realized he was fitting a key into the door.

It might be her only chance.

Maybe he felt her muscles tense or maybe he read her mind, but his grip returned to her arm, pulling her against his side, his other hand still firmly wrapped over her mouth. "Who's out there?" he whispered.

The words stopped her, and she repeated them in her head to try and make sense of what he'd asked. She heard the door creak on its hinges and a gust of stale air flowed over her as he dragged her inside. He used their coupled bodies to push the door closed behind them, then leaned his head near her ear.

"I'm here to help you." He didn't whisper this time, and the deep sound of his voice vibrated against her ear. "I'm a law officer. Do you understand?"

Relief, mixed with wary disbelief, poured over her. She wanted to believe. She nodded against his hand.

"If I let go of you, are you going to hit me again?" There was a tinge of humor in his voice that comforted her far more than his words had.

She shook her head.

She scrambled backward as he released her, connecting with something hard. She used her free hand to steady herself in the darkness. A stone fireplace. She took in huge gulps of air, never taking her eyes off the dark form of the man.

"Who was shooting at you?" His voice resonated in the dark. "What's going on?"

Her thoughts tumbled over one another. The only logical answer was Gonzalez. But she was wary. After all, she didn't know this man. He'd appeared out of nowhere, just as the shots had. Was she supposed to believe more than one person was crazy enough to be in the middle of nowhere during an ice storm?

"I don't know," she finally answered, her voice hoarse.

Luke studied the faint outline of the woman, sensing her presence as much as anything. She was small. That much he could tell. Her ragged breathing spoke volumes in the darkness. She was obviously scared as hell. Whether or not she was telling the truth was temporarily irrelevant.

"Are you hurt?" he asked.

"No, but..." She shifted and he thought he heard a soft grunt as if she were hiding an injury.

He glanced over his shoulder at the window, at the faint

outline of light that shone through it. "Stay where you are,"
he commanded.

Luke felt his way along the interior wall of the ranger's
cabin, finally reaching a bookcase. He knelt, hoping his
memory of the place was still worth a damn. His fingers
brushed along a row of books, finally reaching cold metal.
The flashlight. Paydirt. He inched his way back down the
wall, then covered the small distance between himself and
the woman, grabbing her by the arm.

"We need to get to an interior room," he said as he half
dragged her through the cabin. She made a small cry of
protest and followed clumsily behind him.

The cabin's layout flashed in his head. It was practically
one room, with a small kitchenette adjoining the den area
they'd entered. There was a bedroom but it had a window.
He mentally dismissed using it for that reason. A supply
pantry off the kitchen was the only choice, and he pulled
the woman toward it, finally hauling her through the door.

As soon as he released her, she began to fall. Luke caught
her arm again and flicked on the flashlight. The floor was
littered with supplies, and the woman had inadvertently
stepped into the circle of a coiled water hose. The flashlight's beam focused first on the hose, as she stepped clear
of it, then on the woman's boots and slender, jeans-clad
legs. Mud and moisture clung to her thighs where they met
an oversize down coat. Luke's gaze traveled upward but
stopped abruptly at the hand that protectively cradled her
full abdomen.

*She was pregnant.*

He inadvertently flashed the beam of light toward her
face, and she used her free hand to protect her eyes.

"Please..."

"I'm sorry," he muttered. Luke sat the flashlight on the
floor, its beam of light pointed toward the ceiling, softly

illuminating the small room. He hoped she understood that the apology included manhandling a pregnant woman.

The woman immediately ducked her head, straight blond hair falling about her shoulders as she concentrated on unzipping her jacket. Her actions were frantic, her fingers trembling. Was she hurt? The sound of the jacket's zipper lowering was punctuated by a shrill cry.

Time seemed to freeze as the woman reached into the bulky coat and pulled out an infant.

Luke suppressed a nervous laugh as he took in the blue-patterned sleeper that covered the baby from chin to toe. What had he expected? Considering he'd thought the woman was pregnant just moments before, not even a naked newborn would have surprised him.

She hugged the baby against her for a moment before easing herself to the floor. Laying the infant against her thighs, she inspected every inch of him, ignoring Luke during the process. "Thank God," she finally whispered.

Luke knelt down next to her. "Is he okay?"

The woman glanced up, making eye contact for the first time. Luminous gray-blue eyes stared back at him, her cheeks flushed with color. Disheveled blond hair covered her shoulders, and a trail of dried blood had stopped midway down her left cheek. Beautiful. The thought registered, though it had no logic in the time and place. He frowned, reaching out to inspect the wound.

She didn't pull away, but he watched her bite her lip as if the action frightened her. He turned her head slightly, noting that the wound wasn't a threat, then forced his hand down. "Your baby—is he okay?"

"Oh, he's... Wind rattled the walls of the cabin, and she jumped, her eyes searching the open doorway. "I think he's okay," she whispered.

"What's your name?"

A look of surprise crossed her face. "Dana Langston."

"I'm Luke Sutherlin. I'm the local chief of police." Her eyes narrowed as she looked him up and down. He realized then that she probably expected him to look more official. He'd slid on his oldest pair of jeans and a black, long-sleeved T-shirt before making the trip up the mountain. The brown leather jacket he wore was hardly official either. Luke pulled out his ID and passed it to her. "Do you want to tell me what's going on?"

Relief softened her features as she examined the ID and returned it. Her gaze returned to the baby. "There was an accident. The car went off the cliff..."

Luke summoned his patience when he saw a tear slide down her cheek. "Ma'am?" He gently touched her chin with his fingers and tipped her face upward. "I need to know what's going on so that I can help."

"I tried to help." She pulled the baby against her chest when he began to fret. "Someone started shooting at me."

"Why would someone shoot at you?"

The baby began crying and the woman tried to soothe him, glancing nervously at Luke and then at the door. He let out a piercing yell as she rocked him against her shoulder.

"You've got to get him quiet," Luke growled, knowing the infant's cries were like a beacon in the darkness, blowing any cover they had.

"I know." She shifted him, patting his back frantically. "I think maybe he's hungry. I'm really not sure."

"I hope you have the answer in that diaper bag." He paused, his gaze dropping to her chest. "Unless you need some privacy, in which case you're right out of luck."

"No." The woman looked confused then angry as she pulled the diaper bag to her. "I think I saw some formula in here."

Luke frowned. "You think? Why don't you know?"

Dana Langston looked at him as though he'd lost his mind. "This is not my baby."

She began frantically searching the diaper bag with her one free hand while Luke digested her words. "The baby was in the accident?"

"Yes." She cupped her hand over the side of the baby's face, as if shielding him from her next words. "His mother is dead."

Luke cursed, his gaze scanning the confines of the cabin. He needed backup. Why hadn't he gotten the damned two-way radio out of the Jeep?

He forced his next words to sound calm. "You're telling me someone died in this accident?"

"A woman. I assume she was his mother. She was the only other one in the car." Her voice took on a faraway tone, and he glanced up to find her staring at the baby as if she didn't hear his cries, her expression fixed and her pupils dilated. "Her car went off the cliff. I climbed down and found them. I took the baby and then…"

"It's okay." He forced himself to speak the words softly and to postpone the other questions he wanted to fire at her. Luke laid his gun on the floor and jerked the diaper bag from her hands. Inside it was a cell phone. "You have a phone?"

"It doesn't work," she answered, patting the crying infant on the back.

"Figures," he muttered, substituting the word for a stronger one that came to mind. He turned his attention back to the diaper bag. There were several miniature glass jars full of milky-looking fluid and a canister of powder. He turned the label to the light. Powdered Baby Formula. Fat good that did. He found a couple of bottle nipples in the bottom of the bag but no bottle. The baby's cries became even more frantic and Luke dumped the contents onto the floor, growing a little frantic himself.

"Here—hold him. I'll do it."

As Luke looked up, Dana thrust the baby into his arms. He felt a surge of panic as the baby squirmed against his grip, arms and legs flailing. He instinctively pulled the infant against his chest, his gaze falling to his gun, judging how many seconds delay lay between him and his weapon. Any delay could cost them their lives.

"I'm glad one of us knows what they're doing," she whispered, her voice trembling.

Luke looked up to find a sad smile playing about Dana's mouth. The expression snagged some emotion within him, and he had to force himself to follow her gaze. When he did, he found the baby had pulled his pinky finger to its mouth and was gumming it frantically. "Beginner's luck," he replied.

She lifted her hand. "Should I try?" Luke saw that she'd opened one of the small glass jars and capped it with a bottle nipple.

"Yes." He thrust the baby toward her and she popped the bottle into the infant's mouth before he could protest.

Luke watched as she covered the baby with the hem of her long jacket, and decided that she instinctively knew what to do. Unlike him. He retrieved his gun, relieved to hold something that he actually knew how to handle. He stood and covered the door, assessing the dark cabin, listening. He glanced down at Dana and the baby. The infant greedily consumed the bottle, but the woman's eyes were glued to him.

"You don't know who I am, do you?" she asked.

He frowned, examining her face. "No. Should I?"

"No—it's just... I've gotten used to being recognized in Atlanta. I'm a television news anchor."

''We don't really get Atlanta reception up here.'' He cocked his hip against the door frame, his eyes scanning the interior of the cabin that was visible from the hallway. ''We get Greenville, South Carolina, if the weather's good.''

Dana's gaze flowed over Luke. He literally towered over her, especially from her position on the cabin's floor. His shoulders filled the doorway, casting an impressive shadow into the hall. If he was a cop, and Dana had every reason to believe that he was who and what he said, she was a lucky woman. If he wasn't—if he were playing some sort of twisted game—then she was...how had he put it?

Right out of luck.

But the choice to trust Luke Sutherlin had already been made. She'd made it the minute she saw him hold the infant. He'd obviously not known what to do. Yet he'd held the baby with tenderness. An old pain twisted inside her, but she forced herself to focus on the present.

''Have you heard of Paul Gonzales?''

''Yes.'' She noticed a muscle twitched at the side of Luke's jaw. ''I don't know much about the case but I know what he did.''

''I think that's who's out there.'' Her voice sounded uncertain, even to her own ears. ''That's who was shooting at me.''

Luke whirled to face her, his blue eyes narrowed. For a moment she recoiled at the anger reflected there. ''Why would you think that?''

Dana hesitated, thrown off guard by the question. Every news station, including her own, had hinted at her involvement in the Gonzalez case. The Atlanta papers had reported the story endlessly, at least until a fresher story had finally stolen the headlines. Maybe her guilt had led her to believe that her connection was more obvious to others than it really was.

Or maybe it was that this north Georgia mountain range was a world unto itself. The borders of North Carolina, South Carolina and Georgia came together like the crosshairs of a rifle scope, with Sweetwater situated at the borders of all three. It was as close to no-man's-land as you could get. Was it possible that he really didn't know her tragic connection to Michael Gonzalez?

A sort of freedom presented itself to her. She'd lived with the judgment of others—including herself—for over a year now. But if Luke Sutherlin didn't know...

He doesn't have to know, her mind whispered, that Paul Gonzalez had been ready to relinquish his paternal rights until the story aired. He didn't have to know that because of her a madman had been given the opportunity to kill an innocent child.

Her mistake was her own. All Luke Sutherlin really needed to know was that she was scheduled to testify in the Gonzalez trial. And that Paul Gonzalez wanted to stop her.

"Why?" Luke demanded a second time.

"I'm a key witness in his trial. He's threatened me." She met Luke Sutherlin's flinty-blue eyes and saw them soften. But would he feel concern if he knew the whole story? "Someone broke into my apartment two days ago. I believe it was Gonzalez." Her chin began to quiver and chill bumps rippled down her arms, scattering her thoughts. "He wants to scare me, to keep me from testifying." She forced the words out, wrapping her free hand over her arm to still the trembling.

What was happening to her? It was cold, but she still wore her jacket. Besides, this cold seemed to come from within, emanating outward. She drew in a ragged breath. It was becoming difficult to breathe. Her hands began to tremble and her arms felt weak. Dana clamped her chattering teeth together and concentrated on her precarious grip on the baby.

"Are you okay?" Luke's voice was deep but soft.

She looked up. "I—I don't know what's happening." It was becoming more difficult to breathe with each passing second. "I'm cold and it's like I can't…I can't get enough air."

"Damn." Luke dropped to his knees in front of her. "How badly were you hurt?" he asked, leaning over the baby as he examined the cut on her forehead a second time. "Were you injured anywhere else?"

Dana shook her head.

"You might be shocky." He said the words more to himself than her. "Or it could be a panic attack—a delayed reaction." He shimmied out of his jacket and draped the leather over her knees, partially covering the baby. He grasped her shoulders firmly. "Either way, you need to calm down. Try and relax." His palms slid to her neck and upward, finally cradling her face. "Look at me, Dana."

Her eyes met his.

"You're safe."

She felt tears well up in her eyes and hated herself for the weakness. They spilled as she nodded, trailing over Luke's warm hands.

"I'm not going to let anything happen to you." He placed one hand against the baby's head, absently caressing the dark peach fuzz that topped it. "Not to either of you."

Dana tried to answer, but she couldn't seem to take in enough air to form the words.

"You need to slow your breathing," Luke stated, his eyes never leaving hers. He pulled her free hand to him, spreading her fingers over his chest. "Breathe with me."

Dana stared at her hand, pale against the black fabric that covered Luke's chest, her fingers resting inches from the leather holster that crisscrossed it. Slowly she began to match her breathing to the rhythmic rise and fall of Luke's chest. Time passed in a haze, and every breath she took with Luke loosened the smothering tightness in her chest. Soon Dana was more aware of the subtle play of muscle beneath fabric than the rise and fall of his chest.

The baby squirmed in her lap and Dana blinked, her gaze rising to Luke's face. Loose waves of dark-brown hair just brushed the neck of his T-shirt. The fabric expanded to cover broad shoulders. He was a giant of a man, yet there was a gentleness about his face, more specifically his eyes. Set above high cheekbones, his eyes were startlingly blue against his dark complexion. Eyes that watched her intently, missing nothing.

Dana was surprised to find that a surreal warmth had filled her, calmed her when she wasn't even aware of it. But to her amazement, that wasn't all. She'd hardly been aware of herself as a woman during the past year and a half. But emotions she'd thought long dead now warmed her body in places she'd learned to ignore. Luke's gaze flickered to her mouth, and Dana jerked her hand away as though she'd been burned.

"Is anyone expecting you?" Luke's deep voice cut through the silence that followed.

Was anyone expecting her? She desperately wanted to say yes, but couldn't think of a soul who'd look for her. Her aunt and uncle had raised her since the age of five, after her parents died in an auto accident. Dana checked in with them once a week. But if she didn't, would they call her? An old pain threatened to resurface, and she suddenly knew why she phoned them so regularly. The answer was no.

Her chest constricted again, but this time Dana reached for Luke, her hand seeking his chest like a lifeline. He placed his hand over hers, warm and reassuring.

"No, Dana," he crooned, his deep voice hypnotic. "Don't let it happen again. Breathe."

Her eyes were glued to his chest, but her thoughts were frantically searching for a positive answer to his question. The list of people close to her was short and getting shorter. Her ex-husband? She shook her head, forcing down a hysterical sob. No, Robert was busy tending to his new wife and newborn son. His *biological* son, she mentally added. A child that even the most advanced fertility treatments hadn't allowed her to bear.

Perhaps that was the reason she was so out of control, she reasoned. She'd continued to try to become pregnant, even after the divorce, for the last year and a half. Her doctor had pumped enough hormones into her system to give her normally laid-back personality a jolt of hysteria. Not that the effort had done any good.

And now that door had permanently closed.

*I'm afraid we've reached an impasse, Dana.* Her doctor had delivered the news as gently as possible. *There's nothing more we can do.*

She'd received the call from her doctor just moments before she was to go on-air today. The proverbial straw that had broken the camel's back.

There hadn't been time to confide the news to anyone, but she could predict the reaction of friends and family. It's for the best, they'd say. After all, she was a single woman in the public eye. If viewers reacted negatively to a pregnancy, it could mean the end of her career.

But what did she care?

People looked at her carefully arranged appearance, her high-profile career, and thought she'd achieved her dream. It made her want to laugh and cry at the same time. What she wanted was to spend sleepless nights holding an infant against her breast, make mud pies with a toddler, and teach a first-grader how to turn a wad of gum into a shiny pink bubble.

At one time the dream had included a loving husband, but not anymore.

"Dana?"

Dana looked up, knowing his watchful eyes had seen the play of emotion on her face. She dropped her hand, forcing her breathing to steady on its on. This was her life, the hand she'd been dealt. She called on the stubborn pride that had seen her through more than one lonely crisis, including her childhood.

Dana lifted her chin slightly. "No. No one is expecting me."

# Chapter 3

Luke nodded, trying not to be distracted by the sudden moisture in her eyes. In his experience in law enforcement, emotion that intense could be traced to one of two things. Either the suspect had just bared their soul or they were desperately lying. The thought struck him as odd. He had no logical reason to think Dana Langston would lie.

He flexed his free hand, wishing for the familiar feel of the radio, for the chance to call for backup. And to check her story, he admitted. He lifted the cell phone from the floor where it lay among the spilled contents of the diaper bag and optimistically pressed the power button. The phone came to life, its face illuminating in the dim lighting of the storage room. Luke cast a questioning glance at Dana.

"I couldn't get through earlier when I tried. Maybe the mountains, maybe the storm…"

Luke punched in the number for the police station and hit the send button. Nothing happened for a few seconds and then the familiar no-connection tone sounded. "Still nothing," he announced.

His shoulder muscles tensed beneath the thin fabric of his shirt, reacting to the cold in a painful spasm. There was nothing more bone-chilling than an empty house, no matter what shelter it offered. Luke looked at Dana and the baby. Dana's jeans were encrusted in mud and melting snow, as his were. And the baby just looked vulnerable as hell. Without a means to call for help, they were stuck for the night. He had no intention of spending it shivering in a supply closet.

"Do you know how to use a gun?"

Dana's eyes widened in response to his question. "I—I did a segment once on personal protection. The instructor at the range showed me how to shoot the targets." She shook her head and Luke noticed she was making an effort to breathe slowly. "It was just for the camera."

Luke grinned. "How'd you do?"

The corners of her mouth twitched slightly. "Pretty good for a city girl."

My God, she almost smiled. Luke had a feeling that didn't happen often, even under better circumstances. "Good." Luke noticed that Dana held the baby in the crook of her left arm, propping the bottle with the same hand, which left her right hand free. He laid the gun on the floor and gently slid it toward her. "I'm going to leave this with you while I—"

"No." She shook her head. "Please don't. Don't leave me."

"Shh…" Luke placed his hand on her knee, absently caressing her leg beneath his discarded jacket while he spoke. "The temperature is dropping, and we're stuck here for the night. We're going to need a way to stay warm. The good news is, the porch light was on, so I know there's an electrical feed.'' He gestured behind her at a dusty space heater. ''I just need to find the fuse box and switch the circuit breaker. If that doesn't work, I've got to see if there's any firewood.''

''No—you can't build a fire. He'll see the smoke. He'll know where we are.''

''He already knows where we are, Dana.''

She went perfectly still, but her eyes registered fear so deep that Luke regretted the words. ''Look, whoever is out there can't stay out there in this storm for long. He'll freeze to death before he gets another chance at us. We're safe here.''

Dana looked around her, as if considering where she was for the first time. ''What is this place?''

''An old forest ranger's station. They gave me a key a couple of years back when they built a new observation tower. It's no longer used.'' He smiled, for some reason determined to see the worry lines disappear from her face. ''At least not normally.''

''How far are we from town?''

Luke shook his head. ''Too far to walk, which is the only option right now.''

''Your car...''

''Is in a ditch up the road.'' He experimented with another smile. ''Lucky for you.''

She returned the smile, then her face went serious. ''Thank you.''

''You're welcome. Right place at the right time. What are you doing on the mountain, anyway?''

She looked uncertain. ''Vacationing.''

Luke nodded, though suspicion hit him like a fist. ''Take the gun and level it at the doorway.''

Dana pulled the baby more tightly against her chest. ''I can't.''

Luke looked down at the infant's face. He'd fallen asleep, oblivious to the danger around him, the bottle nipple now slack against his lips.

"Yes, you can." Luke nodded toward the baby. "Besides, I left my four-legged partner out in the cold. I need to check on him, at least."

Dana crooned softly as she eased the bottle from the baby's mouth. Her expression was hopeful when she looked up. "A police dog?"

"No, an ornery old Lab. But he's as big as a pony and barks like he means business. Besides, he likes kids and beautiful women."

Where had that comment come from? He'd intended to lighten the mood, to see her relax, but he'd caught himself off guard instead. The wary expression on Dana's face told him he wasn't the only one who wished he'd kept the comment to himself.

Luke retrieved the coiled hose from the supply room floor and molded it into an oval shape. "Here. Use my jacket and lay him inside."

Dana pulled the supple leather jacket from her knees and folded the baby inside. He barely stirred when she laid him inside the makeshift cradle, only nuzzled contentedly against the lining of Luke's jacket.

Dana lifted the gun but looked at it as if it were a snake. "I don't think I can do this."

"You have to." He took her by the upper arm and turned her toward the baby. "Unless you want to freeze to death and leave this little guy alone."

Anger and determination flashed on her face as she pulled her arm free. "Okay."

Just the reaction he'd been hoping for. "I'll leave the flashlight with you. I have a lighter." Luke stood when she nodded. "Keep the gun focused on the door. I'll try and alert you when I—"

"Just say my name." She interrupted. "I'll know your voice."

Luke nodded and disappeared through the doorway, leaving Dana alone. What she'd said was true. She could pick that deep, captivating voice out of a crowded room. Maybe it was the tense circumstances, but that voice had the power to soothe her, to irritate her and, if she were honest with herself, make her want to crawl into the shelter of his arms.

Power. The word stuck in her brain as she rested her wrist on her knee and, with a trembling hand, pointed the gun toward the empty door frame. Hadn't she learned a thing or two in the last year and a half about giving up her power? But this was hardly the same as her marriage to Robert. Luke had just given her the power of his weapon and, with barely a word of instruction, trusted her not to blast him to kingdom come with it.

Time passed. Five minutes. Ten?

"Dana…"

The sound of Luke's voice made her jump. She hadn't heard him enter the cabin. "Yes," she responded, lowering the gun.

"It's us."

Us? This time she heard a shuffle, heard the gentle sound of the cabin's door closing and the unmistakable click-click of canine paws against the wooden floor. Big brown eyes suddenly peered around the doorway, framed by a golden muzzle and inquisitive eyebrows. Dana laid the gun on the floor and fought the overwhelming urge to cry. There was something so entirely welcoming about the presence of the dog. Something so *normal* that she wanted to fling her arms around his big neck and squeal with delight like a child.

Luke appeared, resting his hand against the dog's head in an easy gesture. "Sam, this is Dana. Dana, this is Sam."

"Hi, Sam," she whispered, her voice betraying the emotion.

When she looked up, she found Luke watching her again. Assessing her. The expression on his face was neutral, but his eyes said something else. He looked at her as if she were a puzzle with half its pieces missing. She thought of the broken mess her once-orderly life had become, and shivered. Maybe he was right.

"Good news." He stepped inside the supply room and pulled the chain on an overhead fixture. The single lightbulb came to life, its glow barely brighter than the flashlight.

With the light, Dana could see that snow dusted his shoulders, darkening his black shirt as it melted. He'd sacrificed his jacket for the baby's sake.

He reached around Dana and retrieved the space heater. "I'll be right back. Sam—" he looked behind him at the dog, then gestured toward Dana "—stay here."

Sam walked over to Dana and plopped down next to her feet. She eased her fingers into his thick fur and was rewarded with a friendly lick. This time she didn't ask where Luke was going but trusted that he wouldn't go far. Trust. The emotion surprised her.

She heard Luke move to a nearby part of the cabin, could make out the sound of something heavy being moved, the soft shuffle of his feet. In a moment he returned, filling the doorway with his silhouette. Dana noticed that he'd changed shirts. He'd put on a white thermal shirt, the sleeves of which were drawn tightly around his arms. He walked into the supply room and knelt down beside her. For a moment she thought he was going to lift her in his arms, but he reached for the flashlight instead.

"Come with me. Bring the baby." He stood, gently slapping the side of his leg. "Sam."

She lifted the baby and drew him into her arms. His warm, trusting little body fitted perfectly against her shoulder. How many times had she dreamed of holding a child of her own like this? Dana closed her eyes against the threat of tears.

"Ready?"

The expression on Luke's face told her that he hadn't missed the moment of weakness. Dana stood, her legs shakier than she'd expected. It was then she noticed Luke held out his hand. She stared at it. His hand was so large that hers would disappear inside it. Her gaze slid to Luke's. Why was she afraid to make the simple contact?

A frown marred his forehead. "Dana?"

She stepped forward and slid her hand into his. The contact should have been simple, but it wasn't. Luke took her hand inside his, his thumb caressing her knuckles for a moment before he abruptly stopped. It was too late. The gesture had already caused her breath to catch in her chest.

"Ready." She forced the word out, trying to deny the awkwardness that had filled the room.

He turned away, still clutching her hand in his, and slowly drew her from the supply room. Dana followed, steadying the baby against her shoulder with her free hand. Luke kept the beam of light trained on the floor and led her down the short hallway to an adjoining room. The hum of the space heater filled the room, though its heat had yet to make progress against the cold.

As her eyes adjusted to the near darkness, Dana realized the room was a small bedroom. Though she could see the faint outline of a window against the far wall, Luke had apparently pulled a dresser in front of it, its attached mirror blocking the expanse of glass.

"This will conceal us well enough, but I don't want to risk the lights."

He drew her forward a few steps and Dana realized he was leading her to the bed. Despite the circumstances, the intimacy of the bed made her pause. Luke must have felt her tense, because he dropped her hand.

"Settle the baby in the bed."

He didn't whisper, but his voice was lower, softer than it had been in the supply room. The realization that he was more alert to danger here caused a fresh chill of fear.

"You need to get out of those wet jeans and boots. I found a pair of sweatpants and some socks."

The words hung in the air for a moment. Changing out of her clothes somehow meant the situation was real. They wouldn't be rescued in a few minutes. No wailing sirens outside. Only the howl of the blizzard as it finished the job it had started. And it meant something else. They were in this together. Things were going to get pretty personal pretty fast. Starting with the fact that she was about to undress in the same room with a stranger.

He gestured toward the bed, where the clothing lay. "It's not much but at least the clothes are dry."

She nodded, then gently laid the baby in the center of the double bed. He was still wrapped snugly in Luke's jacket, and the selfless gesture again triggered something inside her. She'd learned from Robert the hard way that some men lacked paternal instinct. Or at least, in her ex-husband's case, paternal feelings for a child that wasn't his biological child.

Dana eased the jacket from around the baby, then substituted the bed's thick blanket. She extended the jacket to Luke. "Thank you," she whispered.

She felt him tense beside her in the darkness. Had she said something wrong? Perhaps it was because she'd thanked him, because that right belonged exclusively to the child's mother. And the child's mother was dead. Whatever the reason, he silently accepted the jacket and slid it on.

Luke commanded Sam to lie down at the foot of the bed, then walked to the window, peering through a small crack between the dresser's mirror and the window frame. There was moonlight despite the storm, and the ghostly white light was bright enough to cast dancing shadows in the room. As her eyes adjusted, Dana could see that Luke held the gun in position as he scanned the outside perimeter of the cabin.

"What is it?" she asked.

"Nothing." His voice was soothing, deep and hypnotic against the steady hum of the space heater. "Everything's fine." He kept his back to her. "You need to change."

She realized that he was offering her a measure of privacy. To turn down either the dry clothing or the privacy would be foolish. Her toes were numb, and her jeans were heavy with moisture. The idea of a soft pair of fleece pants and dry socks sounded like heaven.

She sat down on the edge of the bed and pulled off the department-store boots she'd once thought perfect for the trip. Instead of protecting her feet, the porous suede had soaked up moisture like a sponge, including the whiskey from the bottle that had burst at her feet. Dana stood, unzipping her jeans before she lost her resolve.

The sound of the zipper lowering was only slightly less embarrassing than the rustle of fabric as she forced the jeans over her hips. As Dana wriggled free of the wet, clinging denim, the cold seemed to wrap itself around her bare legs, seeping instantly through the silky fabric of her panties.

She felt totally vulnerable and glanced up, only to find that Luke had taken a step back from the window and had caught her reflection in the dresser's mirror. Dana could see her own reflection, illuminated by the moonlight and the seductive red glow of the space heater.

The instant their eyes locked, he looked away.

Even so, Dana could feel the lingering brand of his stare, feel his gaze touching her bare skin as she stepped into the waiting clothing. Luke said nothing, just resumed his watch at the window. An apology or acknowledgment, she realized, would only make things worse. Better to pretend the incident hadn't happened, which is what she intended to do.

The clothes she wore smelled like cedar, no doubt having been stored, but she couldn't have cared less. The socks and fleece pants were heavenly against her skin, warming her instantly. She walked to the side of the bed and arranged a pillow against the headboard, then slid carefully beside the baby. Despite herself, she relaxed. It was a strange, surreal state. One part relief and two parts exhaustion. Mentally she was still pumped with adrenaline, though, and her mind relentlessly returned to the scene of the accident, then back to the events that had brought her to this darkened room with the man who now stood watch.

Her gaze followed Luke as he paced from the window to the hall. When he glanced in her direction, she looked down, embarrassed that she'd been staring.

He'd done the same, she reminded herself. And more.

Her eyes now accustomed to the dark, she could see that the baby was peacefully sleeping at her hip, his lips pursed and his fist balled next to his chubby cheek. She lightly stroked his cheek with her fingertips. His skin was like velvet, so new and unmarred. It was a miracle that he hadn't been injured in the accident.

"How could someone be so careless with this precious life?" she whispered, as much to herself as to Luke.

Luke turned to face her. "What do you mean, careless?"

Dana realized that she hadn't explained the cause of the

accident. Her mind flashed back to the whiskey bottle as it tumbled from the car and shattered at her feet, to the sound of metal screaming against rock as the car slid down the mountain face. The memory was so vivid that she jumped, waking the baby. He struggled to find the thread of sleep again, his little fist punching the air at the unseen enemy that had awakened him. Dana traced the outline of his ear, cooing and whispering until the soothing motion worked its magic.

When she looked up, she found Luke staring at her, waiting for an answer.

"The mother had been drinking." She heard the anger in her words and realized that it matched the anger she felt. A delayed reaction, she supposed, but fierce.

Her comment was met with silence, as if Luke were considering the validity of her words. "Are you sure?" he finally asked.

Was she sure? She stifled an edgy laugh. "Yes, I'm sure. There were several bottles of alcohol in the car. Only one of them was full. It fell out and broke at my feet."

"Can you tell me about the accident now?"

*Now…* The single word said a lot.

It said that he'd known how close she'd been to breaking down and that he'd intentionally gone easy on the questions because of it. She was grateful. It was only natural that someone in his position would be anxious—obligated even—to sort out the details of the accident. And again he'd used that soft, hypnotic voice. She realized that, intentional or not, he used it when he wanted to soothe her or needed her cooperation.

Like now.

At first she was reluctant, but talking about the events surrounding the accident proved easier than she'd imagined, likely because she'd relived it in her head countless times already. And each time she relived it, certain details grew clearer, jumped out at her. Her years as a reporter were probably to blame. She'd reported on and written about catastrophic events for so many years that certain dramatic details tended to jump out at her, stick in her memory, even when she would rather they didn't.

This was similar, she realized, as she recited the events to Luke for at least the third time. The one detail that kept emerging, each time with more intensity, was that the mother had been drinking. She was surprised to hear the anger in her voice. She hadn't realized how angry she was at the infant's mother until now. But she was. Because of one reckless decision, a little boy would grow up without a mother.

Just as she had.

Finally weary of her own voice, she stilled, waiting for Luke's response. It was slow in coming, and when it did it was that same, controlled voice that made her feel as if she was his entire focus.

"I'm glad you and the baby are okay." The words were a near whisper in the darkness. No questions. No commentary.

Maybe it was the purging of the details, but Dana was suddenly so tired she could barely keep her eyes open. She propped her cheek against the pillow and watched the baby as he slept.

"Lie down next to him." Luke's voice vibrated with some emotion that Dana didn't recognize. "He could use your body heat until the room warms."

Dana eased her shoulders to the mattress and curled her body around the baby's. She felt drugged by his nearness, by the sweet, sound sleep that possessed him. In the back of her mind she recognized that the adrenaline that had saved their lives was now depleted.

As she closed her eyes, the last image she saw was of Luke standing at the window. Standing guard.

Luke heard the gentle sound of Dana's breathing and knew she'd drifted off to sleep. He walked to the bed. It was an invasion of her privacy, violated some damned code of honor to watch her as she slept, but he didn't care. He was drawn to her. Maybe it was that he admired her fierce maternal instincts, or maybe it was as simple as the arousal he'd fought since the moment he'd laid eyes on her long, bare legs.

Or maybe it was that her story didn't entirely ring true.

He looked down at her. Her face was pale in the moonlight, her features near perfect as she slept. Yet he recognized a pattern to her behavior that didn't fit the angelic features. She'd repeated her story over and over again, literally cramming the details down his throat as if she were desperate for him to believe how the events took place.

As if she were convincing herself in the process.

Why would a woman alone want to vacation in a mountain cabin in the middle of nowhere? Especially a woman like Dana Langston. His eyes flowed over her. Even with the trickle of blood staining her cheek and little makeup on, she looked more like cruise ship material. Glitz and glamour. And wouldn't a woman in her position be brighter than to drive headlong into a storm?

He had to admit he'd been caught off guard by the storm, as well. But he'd at least known the storm had changed course, just decided in a fit of male bravado that he could outrun it. But no matter how well intended, his actions were just as stupid as hers. Maybe his sense of suspicion had become overblown through the years. A job hazard, he mused.

Still, he had had all sorts of questions about Dana Langston. And all sorts of ideas. His mind flashed to the scrap of panties she wore, pulled tight as she stepped out of her jeans. Hell, not half of his ideas were honorable. But the other half clung to a sense of duty.

Between the two, one thing was clear: she was hiding something.

The question was, What?

## Chapter 4

It was like waking to another world. Dana peered through the small expanse of glass next to the mirror. The snow had coated everything, transforming the shadowy forest into a stark white landscape dotted with ghostly shapes. Only the occasional stubborn branch poked through the shapes, hinting that the mounds of snow were really saplings, their tops bent double with the weight of ice and snow. Other larger trees had succumbed to the storm and now lay across one another on the ground like fallen soldiers.

"Looks like we're trapped here for a few days."

Dana jumped, pressing her hand against her heart. She'd been so lost in thought that she hadn't heard Luke enter the room behind her. She turned to face him.

Some part of her subconscious noticed that Luke carried an armload of firewood, but the thought never made it to the forefront of her brain. Instead she focused on Luke's face. It was the first time she'd seen him fully in the light. He was handsome. Not the pretty-boy handsome of her male co-workers at the news station but an honest, rugged handsome that matched his imposing size. His face was reddened from the cold, and his dark hair was sprinkled with snow.

Dana blinked, realizing she'd been staring. "It's incredible." She turned back toward the window, embarrassed at her abstract reaction to his announcement.

"Are you okay?" Luke asked.

She glanced at the baby, still sleeping soundly on the mattress. She'd awoken this morning to the chirping of birds, an odd, cheerful sound against the backdrop of all they'd experienced last night. She'd gently risen from the bed and followed the sound to the window. There she realized that the birds weren't cheerful at all, but squawking and flittering over the frozen ground in frustration.

Even they knew the situation was dire. So why wasn't she panicking? Why didn't she have sense enough to be afraid instead of noticing that Luke's eyes were an incredible shade of blue in the morning light?

It had to be a reaction to the overdose of stress she'd received in the past twenty-four hours. A sort of final surrender to a situation that was out of control. An image of Gonzalez flashed in her head. The situation had been out of control for some time.

She'd just faced it alone until now.

Dana forced a smile. "I'm okay." Her gaze went to the baby, and Luke's eyes followed.

As if on cue, the baby turned his head against the mattress and sighed, his tiny fingers caressing the sheet. There was an almost tangible relief in the room, and Dana realized that both she and Luke had been watching the baby in anticipation, looking for some reassurance that he was okay.

"I'm going to stack this next to the fireplace." Luke shifted the firewood against his chest.

Dana looked at the firewood, then at the space heater that faithfully hummed a steady stream of warmth into the room.

Luke read her thoughts. "I'm afraid the power won't last much longer." He nodded toward the window. "The trees are coming down like crazy. But there's at least a cord of dry wood outside."

"You left the cabin?" Her words conveyed the wave of panic she felt.

"The wood is stored under the porch. I didn't go far." He watched her intently for a moment. "The snow has blanketed everything, and there's no shelter other than this cabin for miles. If anyone were out there, it would be obvious. I want you to stay inside, keep away from the windows. But that's just a precaution. We're safe here."

Dana nodded. "I guess I'm still a little shaken."

"Are you hungry?"

She was. In fact, she was starving, which surprised her. Her appetite had been a casualty of the roller-coaster ride that was her life as of late. "Actually, yes."

"I found some canned goods in the kitchen." Luke took a few steps toward the other room, then stopped, looking over his shoulder. "If your tastes aren't too elaborate."

She wanted to laugh. She'd eaten at every upscale Atlanta restaurant by the time she was eight. And had been thoroughly sick of it by the time she was eighteen. Her aunt, who had never planned on raising a child and certainly never planned on cooking a well-balanced meal based on the food pyramid, had nonetheless taught her the finer points of dining out. Not the most maternal of lessons, but her aunt had never tried to be anyone other than who she was. Dana may have craved more, but she appreciated her aunt's honesty.

Still, the first thing she'd bought after moving into her own apartment was a cookbook and a set of cookware. Ten years had passed and she could now make corn bread and pot roast with the best of them.

"Thanks." Dana ran her hand through her hair, and her fingertips stilled on the side of her face, stopping at the trail of dried blood.

Luke frowned. "There's a bathroom next to the supply closet."

Dana nodded, then watched him leave the room. His ability to read her thoughts was unnerving and comforting at the same time. She secured a pillow on either side of the baby and watched him for a moment as he slept. With a chubby cheek pressed against the mattress and his lips puckered into a sweet cherub's smile, he looked like an angel. She stroked his cheek with her index finger. He was completely at peace, completely oblivious to the fact that he was alone.

*Alone.* God, she hated that word. The baby might not have her for long, but he had her for now. He wouldn't be *alone*. She would see to that.

Dana walked quickly to the bathroom, closing the door behind her. She pulled the overhead chain that lit a bare bulb and stared at the stranger in the mirror. Old-fashioned vanity assaulted her. It was wrong to be embarrassed by her appearance, given the fact that another woman had lost her life, but she couldn't help but be mortified. It hadn't occurred to her that she looked like hell. After all, Luke had looked like a model in some outdoorsman's catalog, right down to the armload of firewood and his perfectly disheveled hair.

She sighed, running her fingers through her hair. It was hopelessly tangled, twigs and briars sticking out from it like a pincushion. A swollen gash was visible at her hairline, a trail of dried blood pointing to the source. She was pale as a ghost, and dark circles rimmed her eyes.

A roll of yellowed paper towels sat next to the sink, and Dana pulled one away and dampened it, gently dabbing at the dried blood until it was gone. She tugged all the visible twigs from her hair and finger combed it into submission. She stared at her unkempt image for a moment then closed her eyes, sending up a silent prayer of thanks that she'd lived through the incident. That the baby had lived.

And that Luke Sutherlin had found them.

Dana opened her eyes and searched her reflection. She'd grown accustomed to seeing her own image over the years, from nightly broadcasts to countless ad campaigns. The consummate professional. But she didn't know the frightened, shaken woman who now peered back at her. Which image had Luke seen when he looked at her?

Dana shivered, recalling the heat in Luke's gaze as he'd watched her change clothes. He'd seen neither image, she realized. He'd seen something she hadn't felt in a long time, resurrected it with one heated glance. He'd seen her simply as a woman.

She switched off the light without another glance in the mirror and stepped into the hall. It was strange, unnerving to walk through the cabin in the light of day. When she made her way to the kitchen, she had to resist the urge to crouch, to shrink from the daylight that poured through the window above the kitchen sink. Only a few feet of wall separated the den and kitchen, and she could hear Luke stacking the firewood in the next room. But she couldn't force herself to join him. The few steps that separated them meant walking toward the front of the cabin, toward the windows. The direction the gunshots had last come from.

Dana decided she preferred the kitchen. Its solitary window was high and small. Safe. She mentally admonished herself. For her sanity's sake, she had to stop viewing every structure as a means of protection, every door a means of escape. Luke said they were safe and she believed him. Dana took a steadying breath and glanced around the room. An old table crowded the tiny kitchen, its laminate top warped with age. On it were several dusty cans of food. Dana lifted one, turning it to read the label. Green beans. She checked another. Pears.

"Definitely a better breakfast choice."

The sound of Luke's voice was startling yet comforting with its deep timbre. Despite herself, she smiled as she turned toward him. "I'm almost hungry enough to gnaw through this can."

He grinned. "As entertaining as that would be, it's not necessary." He walked to a kitchen drawer and withdrew a metal can opener and fork, then came to stand beside her. "Pears, is it?"

"Yes, thanks." Dana handed him the can, and he went to work on it, his large hands dwarfing the can. She glanced up at him.

"Six-four. Since I was fifteen."

"Oh, I wasn't…" Dana took the can when he offered it to her. "Okay, I was wondering."

"I know." He passed her the fork. "I would offer you a dish to put those in, but there aren't any."

"You keep doing that."

"Offering you a fork?" Luke watched Dana's expression go from confused to charmingly irritated.

"You seem to know what I'm about to say, about to do."

He intentionally hesitated, waiting until her gaze slid upward to his. He wanted another look at her eyes in the daylight. They were an unusual shade of gray blue, but their color wasn't what fascinated him. It was the way they expressed her thoughts. It wasn't any wonder he knew what she was thinking. Hell, those eyes made her an open book.

The thought surprised him. After all, he'd had more suspicions than he'd known what to do with last night.

Luke watched her fork a dainty bite of pear and wondered how she managed to look sophisticated eating out of the can, with its jagged lid and faded sides. But she did. And, despite her ladylike demeanor, she didn't make any bones about being hungry. She immediately slid another bite of the juicy pear into her mouth, catching a syrupy drip on her index finger and sucking it off. Luke felt his body harden with such intensity that he physically winced.

The fantasy that slid, uninvited, through his mind was totally out of place. He had no business thinking of Dana Langston as anything other than a potential victim, someone who needed his protection. But the effect the simple gesture had on him couldn't have been stronger if she'd planned it. His thoughts stilled, traced their way back to his earlier suspicions before he dismissed them. There was a fine line between fact and instinct, a line Luke normally walked with ease. Normally.

A piercing cry cut the silence, and both Luke and Dana jumped. The baby was awake. Dana plopped the half-eaten can on the table and headed for the hallway, just as Luke made his way around the table and did the same. They collided, and the force of the collision knocked Dana against the wall. Luke instantly steadied her, catching her against his body in the shadowy hallway. He clenched his teeth against his body's instinctual reaction to her nearness, to the distinctly female scent that assaulted his senses as his hand snaked around her waist.

This wasn't going to do at all, he realized. Not at all. "Sorry," he muttered through clenched jaw. "Are you okay?"

"Yeah." Her gaze lifted to his for a moment before drifting to the holster that was slung across his chest. She pulled away from his grasp and continued down the hall.

Luke let her go, running his hand through his hair and willing his body to return to normal. Had it been so long since he'd been with a woman that he'd begun to react as out of control as a sixteen-year-old schoolboy?

He could hear Dana in the next room. She was whispering to the baby, comforting him. Luke took a deep breath and joined her. "How is he?" he asked as he rounded the corner and saw Dana gently lay the baby back against the mattress.

"To be honest, stinky," she replied.

Her eyes were lit with amusement and something that Luke couldn't quite define. Something maternal that made him want to do nothing other than watch her. Maybe it was that the tender moment between Dana and the baby was so foreign to him. Or maybe it was because it triggered some long-buried memory of his own mother, a memory all but wiped out by the cold aloofness of his stepmother.

He shook off the thought. "So what do we do?"

"Uh…" Dana raised her voice to be heard over the baby's insistent cries. "Can you get me the diaper bag?"

Luke retrieved the diaper bag from the floor, passing it to Dana. A rustling noise in the hall surprised him and he spun toward the sound, his hand going immediately to his gun. Sam stood in the doorway, his brow drawn into an inquisitive expression and his tail wagging cautiously. Luke walked to Sam and gave him a scratch behind the ears. The dog looked as puzzled as Luke felt. He could usually feel his way through any situation, but a baby was another matter entirely.

"I need, uh…"

Luke looked up to find the expression on Dana's face had turned a little frantic. No wonder. Though she was busy fastening on a fresh diaper, the baby was still crying. Louder even, Luke thought. If that were possible.

Dana held up the dirty diaper, its contents neatly folded inside. The sticky tabs that had once secured it on the baby were now holding it in a perfect triangle. At least it looked harmless. Luke took the diaper from Dana's hand.

"Can you throw that away for me?"

Her expression was slightly amused and slightly commanding. No doubt because he was standing frozen in place, smelly diaper in hand. Not much help in the scheme of things. He took the diaper to the porch and sat it outside. Freezing it to death seemed like a good enough plan.

When he returned to the bedroom, he found Dana sitting cross-legged on the mattress and the baby contentedly taking a bottle.

"There's not much formula left," she announced, her face pulled tight with worry. "How long do you think we'll be stuck here?"

Luke thought of the solid layer of ice that lay beneath at least ten inches of snow, of the downed trees that dotted the landscape. He'd intentionally made light of the situation when he'd told Dana they were snowed in for "a few days." Everything depended on how quickly the temperature rose, but it could be longer than a few days before they could attempt to navigate outside without committing suicide. Much longer, in fact.

"At this point it's hard to say. How long do you think the formula will last?"

Dana glanced down at the diaper bag. "This is the last of the premixed bottles but there's a small can of powder we can use. It's only half-full, though. I really don't know how long it'll last."

Luke nodded, determined not to make matters worse with any dire predictions. Surely there was something they could do other than watch their options disappear with the formula. He pulled the cell phone from the diaper bag. "I'm going to try and get a signal outside." He turned to Sam, then pointed at the foot of the bed. "Stay."

Dana looked relieved when Sam obeyed the command and plopped himself down with a contented sigh. "Be careful," she whispered to Luke.

He nodded, thinking how the situation would look to someone who didn't know them. A man, a woman and a baby tucked inside a cozy cabin with a greeting-card landscape outside. Hell, there was even a dog. Picture-perfect family.

The thought made him want to laugh. Luke knew better than anyone that there was no such thing. He'd learned that lesson at a tender age.

An old pain twisted inside him. The largest of the Sutherlin factories had burned the day of Luke's sixteenth birthday. Seventeen lives had been lost. Children of factory workers were left orphaned, husbands, wives, friends lost in an instant. But that hadn't been the worst of it for Luke. The worst part had been learning that his own father had chained and padlocked the factory's emergency exits. In a way, he'd lost his father that day. He'd certainly lost his innocence.

Luke gripped the cell phone as memories assaulted him. What warped code of ethics had his father used to justify what he'd done? When questioned, he'd denied the accusations. But rumors had abounded that the chains had been put there to keep employees from taking smoke breaks. Smoke breaks, for God's sake.

Luke had become a man that day. Not because he'd turned sixteen but because he'd seen who and what his father was with sickening clarity.

He'd refused his father's wealth from that point forward

and had gone into law enforcement to find honor in his own name. But in a twist of fate, his career choice had only fueled the town's resentment. A Sutherlin was in charge again, this time wielding a moral sword.

The son of a money-hungry murderer. How dare he.

The men of Sweetwater treated him with cool reserve. The women summoned him to their homes with complaints of fierce dogs and unexplained noises in the night. They asked him to stay for coffee and asked him to stay the night. He'd learned to turn down the invitations to their beds, knowing better than to expect anything more. Because nothing more was exactly what was offered in the light of day.

"Luke? Is something wrong?"

Luke blinked away the memories, his eyes narrowing as he focused on Dana and the baby. Nothing was wrong. At least nothing new.

"Stay right where you are," he commanded. "I'll be right back."

He stalked away from the too-cozy bedroom and through the cabin. Luke forced himself to take it slow as he opened the back door, scanning the milky landscape for any sign of life before stepping outside. What he'd told Dana was true. He didn't sense any immediate danger. The storm had built a barrier of protection around them.

It had also cornered them in.

And when the snow melted, all bets were off. He was damn sure going to get them out before they became sitting ducks.

Luke walked to the corner of the porch, flipping open the cell phone. He punched in the station's number and waited. No signal. He tried several more spots before abandoning the porch and walking into the thicket of woods that surrounded the cabin. Even with the shelter of the trees, his boots sank to midcalf in the snow. The wind whipped across the face of the mountain, lifting the snow like shards of glass against his exposed face. Luke cursed, then tried the number again.

"Sweetwater Police Department," a stern voice answered.

Luke was caught off guard by the official sound of Ben Allen's voice. "Ben, it's Sutherlin."

"Chief..." Ben suddenly sounded younger than he had before, his voice cracking slightly. "Where are you?"

"Stuck," he replied, then glanced at the cabin. He didn't exactly feel stuck, but that was as apt a description as he could come up with. "I put the Jeep in a ditch and got caught by the storm. I'm at the old ranger's cabin on the side of McCullough's bluff."

"Aw, hell," Ben spat, then added, "I'm sorry, Chief. It's just that all hell's breaking loose here. We've got most of the town in the dark. Old Man Hess has had a heart attack and died and Dolly Preston needs her meds from the drugstore..."

Luke winced at the news of Hess's death, then put it in perspective. The old man was in his midnineties and ill. And as far as Dolly's medication was concerned, the aging beauty queen wouldn't die without her Valium. Besides, he knew firsthand that she had ample access to more. After all, she lived only a few houses down from his father and Camille. If the town would just calm down and wait the storm out, there would be no reason to panic.

But calm was a rare occurrence when the Deep South got buried by snow.

"Ben," Luke interrupted. "Listen up. I need your help. There's been an accident on the mountain and a woman's dead. A passerby was able to pull the dead woman's baby from the wreckage. The infant and the passerby are fine— they're with me—but someone took a shot at them."

Static crackled on the line. "Did you say someone shot at them?" Ben asked.

"Yes. I need a unit to check the scene and the surrounding area as soon as possible."

Ben was silent, and Luke knew from experience that the young man had gone chalk-white at the assignment. The cell phone chose that moment to beep and Luke looked at its face. A low-battery light was flashing. Damn it to hell and back.

"Lieutenant Allen!" Luke yelled into the phone. "I'm on a cell phone, dammit, and losing battery. Are you there?"

"Yes," Allen answered. "Chief, I hate to tell you this but we can barely get the units out of the station, much less put them on the road. There's a solid sheet of ice from the South Carolina border to south of Atlanta. The road crews are digging out the downtown area but if you're sure the accident victim is dead…"

Luke cursed, but the words were ripped away by a harsh wind. "According to the witness, she's dead. Forget it. Don't risk it. I've got the woman and baby covered. Just keep your eye out for anything—anyone—out of place. Do you hear?" he yelled above an onslaught of static.

"I hear you. Listen, Chief, we'll get you out of there. Don't worry."

Luke weighed the offer against the fact that a madman was probably lurking somewhere in his town. But Luke was already where he needed to be—at the scene of the crime and protecting the victims. The baby wasn't out of formula yet. They probably had at least two days' worth of powder. He'd think of something rather than ask his men to risk their lives.

"No, we're okay for now. There's a possibility…" He hesitated, despite a second low-battery warning from the cell phone. "There's a possibility that the person who shot at the woman is Paul Gonzalez. Check with the Atlanta PD. The witness to the auto accident is Dana Langston."

"The television reporter?" came the incredulous response on the other end of the line.

"There's apparently a connection between the two," Luke added. "Check it with Atlanta," Luke yelled as the signal weakened. "I've got to switch this unit off. I'm losing battery. I'll be back in touch."

"Yes, sir."

"And Ben—" Luke hesitated, caught in indecision "—do what you can to keep everyone calm. Keep a close eye on any missing-persons reports, but the last thing we need is for word of this fatality to spread."

"Will do, Chief…" Ben Allen's voice was lost in a wave of static, and Luke switched off the unit and turned to face the cabin. Apparently Lieutenant Allen was a fan of Dana's. No wonder. Even under bad circumstances she dripped with sex appeal. He'd never seen her on camera but could imagine that her co-workers paled in comparison. With such a high-visibility job, she was bound to have her share of fans. And no doubt some of them weren't the type of fans a beautiful woman would want. Luke considered that before his thoughts returned to Gonzalez.

Apparently he was one of the few who hadn't known of Dana Langston's connection to Paul Gonzalez. The wind hit the mountain again, sending ice-coated limbs raining to the ground. He glanced at the cabin and saw the faint outline of Dana standing at the kitchen window, watching him. She'd given him all the details of the accident but little information about Gonzalez.

He needed to do two things: get the full story on Gonzales

and get a firsthand look at the accident scene. Maybe his cop's instincts were working overtime to waylay other, more base instincts where Dana was concerned.

Then again, maybe not.

# Chapter 5

Dana opened the door before Luke reached it, the baby clutched against her shoulder. "Did you call for help?" she asked.

Luke stomped snow from his boots and slapped it from the shoulders of his leather coat before stepping over the threshold. His eyes grazed hers, then went to the baby. A small smile tugged at the corners of his mouth, and the softening of his features made him look less fierce, less like a predator.

*Predator.* That was the word she'd been searching for, the one that best described his constant pacing, the scowl he wore when scanning the windows. He was like a predator watching for prey. But Dana knew differently. He was trying to make sure they didn't *become* prey.

Luke didn't say a word but walked behind her to get a better look at the baby. "Hey, you. How's it going?" he asked. There was no baby talk, no ooing and cooing. But that was the last thing she would expect from Luke Sutherlin. She felt a gentle movement against her shoulder and realized the baby had lifted his head to get a better look at Luke, as well.

"I got a signal." His interest in the baby was cut off as quickly as it had materialized and he stepped around to face her. "My men are checking with the Atlanta PD regarding Gonzalez."

"Is that it?" she asked when he didn't offer any other news. "Did they say when they could get us out?"

"Actually, no." He removed his jacket and withdrew his gun, checking the safety. "But it's going to be a while. We'll have to manage on our own."

"But the formula…" Dana stroked the wisps of soft hair that covered the baby's head, jiggling him gently when he began to fret.

"Stretch it as far as you can. Dilute it."

The command was stark, unfeeling. Where was the concern for the baby he'd shown a few minutes earlier? Dana pressed her hand between the baby's shoulder blades and felt his heartbeat steady and strong. Maybe Luke's plan was the only choice they had for now, but she wouldn't blindly follow his commands without putting the baby's needs first. She'd done that once. Lesson learned.

"Give me the rundown on Gonzalez," he said abruptly. "What's your connection to him?"

"I've already told you." She narrowed her eyes, wondering at the sudden change in his manner. "I'm a key witness. I'm scheduled to testify against him."

"What, exactly, will you be testifying to?"

There it was again. The chance to tell Luke Sutherlin everything.

But the confession wouldn't come. Luke's very presence was intimidating, his professional scrutiny unnerving, but there was no condemnation in his eyes. That would change if she told him the whole truth about Paul Gonzalez and his son. And the thought of being trapped with Luke and her confession was suddenly unbearable.

She closed her eyes. In her mind she could see Michael, could still envision his brown eyes brimming with tears as he begged her to become his mommy.

She'd wanted to say yes, wanted it more than she'd ever wanted anything in her life. But she'd said no. Why? Her reasons had all seemed so logical at the time—maintaining professional distance, Robert's objections, fear of her own inadequacies. But none of that had mattered after the state located Michael's natural father.

Everything changed when Paul Gonzalez entered the picture. Michael was terrified of his father. And with good reason. When he confided to Dana, on camera, that his biological father had abused him, Dana knew she'd do anything to keep him out of his father's reach.

She'd been so certain that airing the interview was the right thing to do. She thought it would wipe out any possibility that his father could obtain custody. So she'd mailed a copy of the tape to the Deputy Director of DCFS, then gone public with the interview.

But Dana's plan backfired.

Paul Gonzalez had been enraged when the story aired, claimed that Dana had coached Michael in order to sensationalize the story. Claiming he'd been publicly humiliated by the accusations, he suddenly demanded custody of his son. Without hard evidence, the judge allowed Gonzalez to take Michael. There were miles of red tape and stipulations—heavy supervision by DCFS, unannounced inspections, pediatric exams. But the stipulations failed. The judge failed, the system failed.

Dana failed.

She knew in her heart that what Paul Gonzalez claimed

to be an accident was really murder. And it was up to her to help the district attorney prove it.

She shook her head, her gaze meeting Luke's as she searched for a simple answer to his question. "I covered a story involving his son. M-Michael confided in me that his father abused him."

Luke looked skeptical and Dana had the feeling that he wouldn't rest until her darkest secrets were revealed. But he didn't say anything. Instead he offered her the gun. "Take this. I'm going to have to check the accident scene on foot."

"No." She took a step backward, refusing the gun. "You can't do that. You can't leave us here alone."

"It's my job. The roads aren't navigable. There's no other way in, and no one else to do it."

Tears of anger sprang to her eyes. "She's *dead*. There's nothing you can do for her." But there was something he could do for them, she mentally added. He could keep them safe.

Luke walked to her, placing his hand against her shoulder. He caressed it a moment before he spoke, the innocent gesture sending waves of awareness through her. "If I thought for a minute that you couldn't handle things here, I wouldn't leave."

His words stopped her short. That kind of trust coming from a man was foreign to her. Her uncle hadn't exactly been a driving force in her life but rather a pleasant addition. And he still treated her as though she were twelve years old. Her ex-husband hadn't trusted her with the checkbook, much less a gun. Luke was empowering her with his weapon. Trusting her. Expecting her to be both brave and strong.

So she would be.

Dana took the gun, her free hand wrapping around the butt. She bit her lip as her gaze slid to his. "Be careful,"

she said, then realized it was the second time she'd warned
him today.

He grinned, that sideways half smile she'd only caught
glimpses of before, then scowled as if he'd caught himself
doing something wrong. Her overactive maternal streak was
showing again. And obviously he found it confusing.

Luke straightened. "I want you to stay in the bedroom.
Lock the door and keep watch at the window. There's
enough space between the dresser and the window frame
for your weapon. Shoot anything that moves if it isn't coated
in two feet of snow. Come to think of it, shoot even if it is
covered in snow."

Dana nodded, then attempted to return the humor. "As
long as it's not you, right?"

"Right." He grinned and laid the cell phone on the
kitchen table. "Did you know you're almost out of battery?"

"I don't have a charger for it."

The scowl returned. "I'll identify myself when I get back.
In the meantime, if anyone tampers with the bedroom door,
aim a foot above the doorknob and pull the trigger. No
hesitation. Okay?"

"Okay."

"You'll need to gather everything you or the baby might
need in the bedroom," he added.

Dana thought for a moment. "The baby didn't finish the
formula, so I have half a bottle left. I'll need a way to keep
it from ruining, though."

Luke rummaged through the kitchen cabinet, eventually
retrieving a beat-up soup pan. He stepped outside and returned with it filled with snow. "Refrigeration isn't exactly
in short supply right now," he said, sitting the pot on the
kitchen table.

Given his change in mood, Dana wasn't certain if he was

joking or scolding her for her lack of ingenuity. "How long will you be?" she asked.

"I'm not certain. Just be patient and remember what I said. If it moves, shoot it."

Dana nodded, suddenly feeling neither brave nor strong.

"I'll take Sam with me," he said, glancing out the window at the dog. "Otherwise you'll have a hundred pounds of hissy fit to deal with. He can be pretty single-minded when he wants to find me."

"Okay," Dana agreed.

Luke took a step toward the door, then hesitated. "You're going to be okay."

It wasn't a question but a statement, so Dana took a deep breath and nodded, drawing the baby more tightly against her shoulder.

"Go to the bedroom now," he commanded, then walked out the door.

A hysterical laugh escaped her. Just her luck. A drop-dead-gorgeous man commands her to go to the bedroom, then abandons her for a dog. The thought made her laugh outright, reminding her of her ex-husband. Robert's wife was hardly a dog, though. She was a beautiful twenty-six-year-old redhead with enough ripe ovum to bear a house full of children.

When the last of the laughter threatened to turn to tears, Dana busied herself with what needed to be done. She carried the gun to the bedroom and laid it on the bureau, then settled the baby against the mattress, barricading the edges with the pillows. She made a quick trip back to the kitchen and rummaged through the drawers, choosing a couple of trinkets that might amuse the baby—a bright green plastic cup and a woven potholder. Grabbing the snow-filled pan and bottle, she headed back to the bedroom and locked the door behind her.

A thousand possibilities ran through her mind. All of them bad. She closed her eyes, envisioning Luke, seeing in her mind's eye how he'd placed her hand against the steady rise and fall of his chest. Dana took a deep breath and turned to look at the baby. She could do this. She had to.

The baby began to whimper, and Dana went to him, sitting on the edge of the mattress. "Please don't cry." She handed him the plastic cup. His clever little fingers gripped it, examining it clumsily before dropping it against his nose.

"Uh-oh," Dana exclaimed, removing the cup and kissing the tip of his nose.

She drew back, literally assaulted by emotions. She shouldn't have kissed him. She also shouldn't let herself melt at the sweet baby-powder scent that followed his every move or the dimples that appeared when he smiled. So far she'd managed to keep her care for him methodical, her emotions rationally distant. She was well aware of the void in her life that only a child could fill. That void was a dark and dangerous thing.

Capable of swallowing her whole.

The potholder turned out to be the baby's favorite trinket. He chewed it and wadded it up just to watch it spring back into shape. Finally, exhausted, he curled his body against one of the restraining pillows and popped his thumb into his mouth.

Dana felt tears well up in her eyes when he drifted into a peaceful sleep. She'd done this for him. Managed, despite her inexperience, to feed, diaper and entertain him.

Dana stood and walked to the window, alone with her thoughts since the baby had nodded off. Not good. She tried to focus on something positive. Work. She would think about her job, her career. Despite the breakdown, her career had been on the rise since she'd first entered the field of television journalism.

So why wasn't she happy about her promotion to anchor?

Clyde Jenkins, her news producer, had complimented her on her accomplishments at the station. *You deserve the promotion, Dana. You've taken risks,* he'd said. *Pushed the envelope and delivered the story as only you can do.*

Then it hit her.

Dana should have recognized what Clyde *wasn't* saying instead of what he *was*. Her coverage of the Michael Gonzalez story, while tragic and controversial, had raked in the ratings. For a moment she thought she would be sick. Dana gripped the edge of the dresser. She'd known. In the back of her mind, she'd known. It had tried to come to the forefront yesterday evening, during the broadcast.

*The lights burned against her skin as the station's makeup technician dusted her face with powder.*

*"I heard about the break-in at your apartment," the young woman whispered. "You're lucky they didn't take anything."*

*Dana clasped her hands together to keep them from shaking. If only something had been taken. Then it would have been a common robbery. "It hasn't been the best of weeks."*

*"Thirty seconds!" someone called.*

*John Miller, her coanchor, shifted beside her. "Ready?" he asked, his voice as neutral as his camera-friendly suit.*

*She nodded in response. John would have a ranting fit if he knew how ill prepared she was for tonight's broadcast. Instead of reading through the last-minute changes, she'd been on the phone with her OB/Gyn, learning that she would never become a mother.*

*"Three—two—one." The producer pointed at John.*

*The top story was the storm, and John followed the Tele-PrompTer with maddening perfection.*

*The camera shifted to Dana and she focused on the*

TelePrompTer. *"In breaking news tonight, a Dunwoody mother has been arrested in connection with the violent death of her four-year-old daughter."* Dana's breath caught. She hadn't known about the story, hadn't read the last-minute additions. *"History seemed to tragically repeat itself as facts of the abuse and death of little Ashton Taylor were revealed."*

A photo of the child, smiling and gripping a Christmas package, flashed on the screen. Despite years of training, Dana allowed herself to glance at the side screen. What horrors had the child hidden with that smile?

Belatedly Dana realized the camera had returned to her, capturing her frozen expression. *"As you may recall, it was only one year ago that five-year-old Michael Gonzalez—"* she faltered, then found her focus *"—was killed, allegedly at the hands of his own father."*

Dana forced herself to continue, though the words on the TelePrompTer blurred. *"Unlike the Gonzalez case, however, the mother of Ashton Taylor has admitted to the crime. Paul Gonzalez, accused in the murder of his son, Michael, is currently out on bond awaiting trial."*

She'd known from the minute she'd seen her ransacked apartment that Paul Gonzalez had been involved. When his phone calls hadn't persuaded her not to testify, he'd upped the ante. His madness had lingered in the air like smoke, permeating every inch of her home. Dana felt her skin tighten, felt the familiar dizziness that signaled her emotions were spiraling out of control.

She stared at her hands, at the perfect manicure and subtle gold bracelet that were supposed to distract viewers from the absence of her wedding band, and began to cry.

As if from a great distance, she heard the shuffle of panicked cameramen and muted whispers of the producers.

*John's voice rang clear next to her, picking up the story. "And now we'll go live to the scene of the tragedy..."*

Dana slapped her hand over her mouth, silencing a sob. What kind of business rewarded a tragic mistake with accolades and superior ratings? And job promotions, she mentally added. Worse, what kind of person accepted such a reward? She lifted the gun from the dresser with trembling hands and stared out the window, wishing for the form of Paul Gonzalez to appear.

If he did, she would pull the trigger. And send him straight to hell where he belonged.

# Chapter 6

Luke peered over the bluff. His feet were numb with cold and his fingers so bloodless they barely functioned. Even Sam, who had bounded through the snow like a puppy when they'd first set out, now voiced his displeasure with throaty whimpers. He honestly hadn't known what he was up against when he left the cabin. It literally looked as if a bomb had dropped, trees and limbs littering the landscape like scattered toothpicks.

He squinted, scanning the side of the mountain until he finally spotted the vehicle. There was just enough paint to reveal the car, the unnatural color making it visible against the sea of white. The snow had thoroughly coated the roof and trunk and blown ice against the dark-blue sides like frosting on a beer mug. Unfortunately, the coating of ice was also thorough enough to conceal the tag. The victim would go unidentified. At least for a little longer.

For a minute he forgot how cold he was, forgot about the razor-sharp wind that was slapping him in the face. He was sad, sickened, relieved that the baby had survived. Grateful to Dana. Most of all he felt helpless. There was no way he could reach the car without rappelling equipment.

Luke lowered himself down the bluff, scrambling for a secure foothold as he reached the frozen ledge below. Had this been where Dana pulled the baby from the wreckage? As he shuffled through the snow, his boot hit something hard. Luke knelt, plunging his gloved hand through the snow until he felt the object. He lifted the jagged shard of a whiskey bottle, turning the obscene object in his hand. The accident scene was exactly as Dana had described it. He tossed the glass back to the ground and watched it sink into the snow. He couldn't put his finger on it, but something just didn't feel right.

Sam yapped, and Luke looked up to find the dog pacing the bluff above him. From his vantagepoint, he could barely make out the form of Dana's car to the right, resting near the edge of the mountain in an area of thick underbrush. Hidden from the road. Again, just as Dana had described.

He huddled into his coat, taking one last look around the scene. What was it that bothered him? Maybe it was just that Dana had described it so precisely, but it all seemed so clean, so convenient.

A ripple of uneasiness pricked the skin on the back of his neck. Something was up. He shouldn't have left Dana and the baby alone. Whether Dana was a victim or somehow involved was beside the point. He needed to get back to the cabin. Now.

Luke was surprised at how difficult the climb back up the bluff was. It was rough going, even at his height. How had Dana managed with the baby in her arms? Luke dug the toes of his boots in and grasped handfuls of scrub brush and rough mountain rock. For several minutes he lost more ground than he gained, his grip hindered by the cold. As he finally dragged his body over the top, Sam bounded toward him in a frantic welcome.

Clumsy from the cold, Sam lost his footing and fell, sliding toward Luke like a canine bowling ball. Luke reacted on sheer instinct, grabbing for Sam as they both tumbled down the face of the mountain.

He felt the pain only for an instant as his head collided with rock. Then there was nothing but sweet darkness.

Where was he? The cabin's bedroom was exactly six strides in width. Dana knew because she'd been pacing it for hours, trying to obey Luke's instruction to stay in the bedroom. She'd slipped out once to make the baby a fresh bottle, dipping into the precious powdered formula. She hadn't exactly known what she was doing, but she'd managed by following the instructions on the can. The tap water wasn't sterile and the bottle had been cold, but the baby had seemed grateful nonetheless.

Now the baby watched her pace with a curious expression, even abandoning his favorite toy, the potholder, to focus on her. Dana stopped and smiled at the little guy. He'd been her saving grace, summoning her from suffocating memories with his cries. He had needed her and she'd had no choice but to pull herself together and get busy. After making the bottle, she'd taken inventory of the disposable diapers in the bag and decided that, with careful planning, they should have enough to see them through.

She'd found something else, as well.

Dana withdrew the piece of paper from her jacket pocket and stared at it. Emergency: 555-5309. No name, no other identification. The slip of paper had been inside a zippered interior pocket of the diaper bag, along with a cassette tape marked "Lullabies."

She slid the paper back into her pocket. At least it was a

clue as to the mother's identity. And the baby's, she realized. What was his name? Who would come for him when this ordeal was over? She tried to imagine what his father would look like. His mother had been blond so the baby's father would likely have dark hair, like Luke. An image of Luke holding the baby popped into her head. He was a natural with the infant, even if he refused to admit it.

Dana glanced at her watch, then out the window. It was only four o'clock but the sky was still overcast, making it seem much later. It would be dark before she knew it. What if Luke was hurt or… She pushed away the image of Luke being under fire as she'd been last night. No, there hadn't been any gunshots, no sound other than birds and the relentless wind.

A new sound echoed through the cabin, startling her. It was Sam, she realized with relief. She recognized the unmistakable tapping of his toenails against the cabin's porch. She opened the door, and Sam scooted past her legs and into the cabin. "Hey, buddy, where's Luke?" she called. She leaned out the door, scanning the snowy landscape for Luke. Sam returned to sit at her feet, trembling. She laid a comforting hand against his head and ruffled his ears. He instantly yelped in pain and backed away from her.

She looked down at her hand. It was coated in blood.

Dana stared at her hand in horror, then dropped to her knees next to the dog. There was a deep gash next to his right ear, and blood had matted the thick fur beneath it. She examined the wound with trembling hands. The cut was deep, but he would be okay.

Sam circled the tiny kitchen and jumped against the door. He yapped, circled, yapped some more. It didn't take a genius to figure out what the dog was trying to tell her.

*He can be pretty single-minded when he wants to find me.*

Adrenaline surged and her mind went into overdrive. She

had no choice but to assume that Luke was in trouble. And if so, it could take hours to find him. And with darkness closing in on them, she didn't have hours. Dana didn't stop to ponder the situation. Her decision-making skills were never as sharp as when a crisis hit. It had made her a good field reporter. With any luck it would see her through this.

She walked calmly to the bedroom and lifted the baby, cooing to him gently as she zippered him into her jacket. She lifted the gun, switched off the safety and made her way back to the kitchen. Sam looked immensely relieved when she opened the kitchen door, scooting around her and flinging himself headlong into the snow.

As she made her way down the ice-coated stairs of the cabin and out into the open, she felt a tremor of alarm. The security of the cabin was one thing, being the only moving object in the middle of a world of white was another. Dana bit her lip and forced her feet through the snow.

Sam ran ahead, then halted abruptly at the edge of the clearing and began a high-pitched yapping. Dana squinted through the glare. She stilled as she made out the silhouette of a person leaning against a tree. Someone was there, intentionally staying in the cover of the woods. Was it Luke? The person was tall and the dark clothing looked right. Sam's bark was a bark of discovery, not the deep-throated bark of a dog who felt threatened. But if it was Luke, why wasn't he moving? Maybe someone was holding him captive, tricking her into searching for him.

Dana slid her free hand into her jacket pocket and gripped the gun.

The closer she came to the edge of the woods, the more certain she became that the figure was Luke. A mixture of suspicion, concern and anger battled within her. When she finally closed the distance between them and stood face-to-face with a relaxed and smiling Luke, anger won.

"What are you doing out here?" she asked, her voice a near shout.

Luke leaned casually against an oak tree, his blue-jeans-clad hips resting against the scaly bark and his right leg cocked against the trunk. His grin turned into a frown. "You're pregnant again," he whispered.

"What?" She blinked, trying to make sense of his words.

"I don't think I did that," he stated seriously, pointing to the outline of the baby beneath her coat. His eyes slid upward to meet hers. "But I wanted to."

"What?"

For a moment Luke's gaze held hers. There was no mistaking the desire she saw there. But his eyes were unnaturally bright, different.

Dana watched in horror as Luke's eyes fluttered shut and he slid to the ground, using the tree as an anchor against his back. "I think we should call the doctor," he stated flatly.

She knelt next to him. "Luke! Are you all right?"

"Yeah." He looked up, his eyes clear again. He pulled the glove from his right hand and touched the back of his head. "It's not too bad." When Luke withdrew his hand, the tips of his fingers were covered in blood.

Luke and Sam—both injured. And Luke was obviously dazed. Her mind tried to solve the puzzle. "You hit your head?"

He nodded.

"What happened?"

"Sam fell." He paused. "I fell." Then a huge grin came over his face. "We all fall down," he whispered, then threw back his head to laugh at his own joke.

"Oh, God," she muttered. "Dr. Jekyll and Mister Rogers."

"What was that, missy?" he asked, a comically offended look on his face.

Dana didn't know whether to laugh or cry. He wasn't dead and he wasn't lost. He was wounded. But not mortally. He was even making jokes. Bad ones. She grasped his shoulder and squeezed. "You've got to get up."

"It's Saturday," he responded, closing his eyes. "I don't have to get up."

Dana bit her lip, searching for an angle to use. "Yes, you do," she commanded in her deepest, most authoritative voice. "You've got to get up."

He slid his hand down her arm until it met the bare flesh of her palm. His blue eyes turned smoky and his gaze flickered over her mouth. "Trust me, I am up."

Despite the circumstances, Dana felt her face flush and her body react to the mental image that flashed in her head. He wasn't in his right mind. She knew that. But the hungry way he looked at her mouth…

Dana shook off her thoughts and decided to make the best of it. She stood, offering him her hand. "I need you to come with me to the cabin where it's more private." She smiled suggestively. "We need to hurry, Luke."

The tactic worked and he stood. A little too quickly. He gasped and threw both hands over the back of his head, swaying. Dana steadied him as best she could with one hand still gripping the baby beneath her jacket. Finally he found his balance and looked at her as though they'd just met.

"We're on our way to the cabin," she stated calmly, pointing toward it. "Take my arm."

He grasped her arm as though she were the one needing help. Dana grinned but didn't argue. As long as they were headed in the right direction, she wasn't about to correct him. Sam, who was relieved to have retrieved Luke, circled them frantically.

When they reached the cabin stairs, Luke released her arm and grasped the hand railing, his eyes remarkably clear. "Sam, sit," he commanded.

Sam, who had been slipping and sliding on the ice-coated porch, plopped down at the sound of his master's voice.

Dana turned toward Luke in surprise. "Are you feeling better?" she asked.

"Like hell," he replied, taking the stairs slowly.

Dana followed Luke and Sam into the cabin, immensely relieved to close and lock the door behind them. Luke stood in the center of the kitchen, one hand against the back of his head and one hand against the wall, steadying himself. Dana tugged him toward a kitchen chair, and he slid into it without argument.

Her mind was still in overdrive, making a mental list of all that needed to be done. First, she needed to settle the baby down, hopefully for a nap, so that she could examine Luke's wound.

"Stay here." She held up a hand for emphasis, and Luke and Sam both looked up, twin expressions of curiosity on their faces. "I'll be right back," she added with a shrug, knowing the lucid moment Luke was having could be gone in a flash.

Dana ran to the bedroom and unzipped her jacket, drawing the baby out and into her arms. From what little she knew the baby was being incredibly patient. She kissed him on the cheek without hesitation and laid him in the center of the bed. Panic rippled through her as she stared down at him. She was no longer responsible for one helpless person, but two.

Knowing that Luke would need the bed, Dana went to work, jerking an oversize dresser drawer from the bureau and dumping out its contents. It hardly qualified as a bassinet, but it would do. Staring at the floor, she felt a little vindicated for all the bad luck that she'd had lately. The drawer had been filled with extra bed linens. She selected a cotton blanket and stuffed it into a well-worn pillowcase. Voilà. Crib mattress.

Now for the real test. Dana assembled the makeshift crib, tucking the padding inside and sitting it on the floor. She laid the baby inside and watched with more apprehension than a bomb squad officer defusing a bomb. There was no need for concern. The baby took to his new bed with a contended sigh, drawing the soft fabric of the pillowcase against his face and popping his thumb into his mouth. Dana sent up a quick prayer of thanks.

She was out of breath when she made her way back to Luke. "Oh, no, you don't!" she cried when she saw that he'd leaned against the table, his head cradled against his arm. "No sleeping!" she literally yelled.

Luke lifted his head and eyed her suspiciously. "Your name is Dana," he stated as if it were breaking news.

"Yes." She walked over and placed her hands against his shoulders, taking a steadying breath. "And I need to check the wound on your head."

His body went perfectly still. "Go ahead," he finally answered.

Dana felt his deep voice resonate through his body, pass through his shoulders and into her hands. She pulled her hands away and rubbed them over her heated face. This was awkward, intimately touching someone she barely knew. That was all. It had nothing to do with the sexual tension that arced between them.

What a lie.

Luke sat forward and started to remove his jacket, his motions awkward and stiff.

Dana placed her hand against the leather, stilling him. "You don't have to—" Just as she spoke the words, crusted snow fell from the collar of his jacket and landed at her feet. "Oh," she whispered, "okay, then. Go ahead."

He pulled his arms free of the jacket and threw it against the floor as if it were the enemy. Dana touched the thermal shirt he wore and realized it was soaking wet. Skin-warmed fabric and snow didn't mix. Had he been knocked unconscious from the blow? He either had tumbled hard enough to accumulate the snow or had lain in it until it adhered to his shirt.

She frowned. "We've got to get you out of this." She turned to go in search of a dry shirt when she heard him moan. Looking back, she saw that he'd gotten the shirt halfway over his chest and had stopped, obviously in pain. She walked back, suddenly unsure of herself. When he didn't make another move to finish the job, she grabbed a handful of the wet fabric and tugged upward, eliciting a new moan from Luke. "I'm sorry," she apologized, biting her lip, then finished pulling the shirt over his head.

"Oh, my God..." she whispered.

# Chapter 7

Dana's gaze fell to an angry bruise that covered Luke's right shoulder. Despite the wound, his body was beautiful, as she'd instinctively known it would be. His shoulders were wide and tanned, the flat planes of his chest muscular, covered with a light spattering of brown curls. Without thinking, she gently touched the bruise, running her fingers over the inflamed patch of purple that covered part of his bicep and chest. His skin was warm and soft, and Dana's fingers lingered over the wound.

Luke shivered and Dana instantly withdrew her hand, meeting his eyes. Something passed between them, something more than concern, or necessity or survival.

"What happened?" she whispered.

A sideways grin hid the expression of desire that was there moments before. "You hit me."

What? Was he talking out of his head again? He certainly seemed lucid, at least for the moment. Dana shook her head. "No. You're confused."

Luke's eyebrows lifted. "Boot scraper." He examined the bruise, then rotated his shoulder.

Oh, no. Dana's gaze fell to the dark-purple bruise. The boot scraper. She'd tried to hit her attacker... Only Luke hadn't attacked her. He'd saved her life.

"Oh, my God, I'm sorry." She clapped her hand over her cheeks. "You should have said something. I could have checked it..."

"You can't treat a bruise." His eyes met hers for a moment, and Dana literally watched the moment of clarity shift, saw Luke swept back into a world of confusion.

"Luke?" She practically yelled his name, frantic to keep him with her.

Dana squeezed her eyes shut, trying to recall her last emergency training course. A blow to the head... She couldn't remember much, but she did recall that she was supposed to keep the victim awake. For how long? she asked herself. The term eight hours stuck in her head.

Dana watched as Luke glanced around the room, focused on her and frowned as if he had no idea who she was. He leaned his bare chest against the table and laid his head against his arms. Just then a frantic cry echoed through the cabin. The baby. She looked down at the near-helpless form of Luke, at six feet four inches of heavily muscled man. Short of cloning herself, the best she could do would be to situate her two charges in the same room.

When Dana saw Luke's eyes flutter shut, she leaped into action, grabbing him by his uninjured shoulder and hauling him upright. She bent her knees and draped his arm over her shoulders, trying to ignore the sensation of muscled flesh sliding against the sensitive skin of her neck, the scent of Luke's warm skin.

"Come with me," she commanded. When Luke didn't budge, she added, "The baby needs us."

He stood abruptly, toppling the heavy wooden chair to the floor and nearly toppling her in the process. Sam retreated from the sudden chaos and made himself at home on a nearby sofa as though he knew his master was being taken care of. Luke, however, appeared to have a new mission and followed the baby's cries at a staggering speed.

*Staggering* being the operative word.

To both their credit, they made it to the bedroom in a flash. Before she knew what was happening, Luke knelt down and lifted the baby from the makeshift crib. Dana's breath caught in her throat, but he seemed suddenly lucid as he walked the few feet back to the bed and lowered himself against the mattress. To her relief, he held the infant with steady hands and placed him against his bare chest. She watched in fascination as the baby snuggled against Luke's warm skin, curious fingers tangling in the curls of chest hair.

"There you go, little man," he whispered so softly that she wondered if she'd heard the soothing words correctly. Luke scooted gently against the mattress until his back rested firmly against the headboard.

Dana openly stared at the scene before her. The stoic veil she'd wrapped around herself during the past year and a half slipped, and raw emotion hit her like a fist. How many times had she imagined just such a scene? A father comforting a child while she, the mother, looked on... Only she wasn't a mother. And the pastoral scene before her simply *wasn't*.

"I—I'll be right back."

She shook off the onslaught of emotions and bolted from the bedroom in search of something to tend the wound. Her feet flew across the cabin floor as she made her way to the kitchen. Luke seemed steady enough holding the baby, but she couldn't take anything for granted. She'd seen him slip in and out of conscious awareness several times already.

Dana found a clean dishcloth in a kitchen drawer and rummaged through the cabinets until she located an old porcelain bowl. She tossed the dishcloth inside the bowl and filled it with cold water from the tap.

After making her way back to the bedroom, she found that Luke had leaned his cheek against the headboard of the bed and closed his eyes. Luckily his grip on the baby had remained strong. She eased the now-sleeping infant from his arms and gently laid him back in the makeshift bassinet with a whispered promise to return soon. By her calculations, it was past time for the baby to have another bottle. The reprieve couldn't last much longer. She only hoped that the hunger pangs wouldn't wake him before she'd tended to Luke.

Returning her attention to Luke, she gently touched his shoulder. "I need to check the wound on your head," she said in her most commanding voice. "Are you awake?"

"Unfortunately," he mumbled.

Dana switched on the bedside lamp and sat down on the edge of the mattress. Hesitantly she lifted his hair, gently moving the dark strands aside in search of the wound. She didn't have to search long. An angry gash at the base of his skull was crusted with dried blood, impossibly matting Luke's hair around it.

"I'm afraid this might hurt a bit," she apologized in advance.

"And I was afraid you were going to say that," he replied, his voice laced with sleepiness.

The dried blood loosened little by little as she dabbed the damp cloth over the wound. Dana rinsed the cloth in the bowl and watched with horror as the water began to turn a murky blood red. How long had he staggered in the cold and how had he managed to find his way back to her and the baby? When Luke didn't stir, let alone flinch, a tremor of fear trailed up her spine.

"Luke?" she whispered. He didn't answer. She sat the bowl on the bed stand. "Are you okay?"

Luke shifted positions, sitting upright and turning his head so that Dana could have better access to the wound. He rested his hand absently against her thigh. "I'm okay," he finally whispered.

Dana shivered. The man had a voice like dark silk, even when it was laced with sarcasm or barking orders. And right now he was doing neither. Right now his words were lazily Southern, whispered and seductive. For a split second she wondered what it would be like to really have Luke Sutherlin whisper to her in bed. She started to brush his hand away but hesitated. In his state of mind he probably wasn't even aware that he was touching her, and to call attention to it would just make things more awkward.

"Are you finished?" he asked.

"No. I still need to clean—"

Dana froze when his thumb began tracing lazy circles against her thigh, the soft fleece that separated his fingertips from her flesh only enhancing the sensation. A rush of unexpected longing vibrated through her.

"Luke…" she said in protest, but her tone said something else.

Luke turned to look at her, and his gaze held such intense desire that she froze. Without warning, he threaded his hand through the back of her hair and pulled her mouth against his. His lips were hard, hungry with a desire she'd never felt before. He didn't wait for permission, his tongue delving deep to find the sweetest response from her.

And she did respond. In the back of her mind she knew it was ludicrous, knew intimacy and desperation had mixed to form some fleeting cocktail of desire. Still, she kissed him back. The sensations poured over her like water from a fountain. She was frightened yet secure, aroused beyond belief. Most of all she felt needed. And for the first time in a long, long time, Dana felt like a woman. Reveling in the sensations of the moment, she met the thrusts of his tongue with her own, her hands sliding over his bare shoulders.

He responded by pulling her against him. Dana reached to steady herself, her palms flattening against the warm, silky flesh of his chest. He was living muscle beneath her hands. Firm, warm and alive. Her mind reasoned with her traitorous body, told her to pull away. But she couldn't.

Luke made a throaty moan of pleasure and slid his hand beneath her shirt, sliding one breast from the cup of her bra. She gasped as he rubbed his knuckles against her hardened nipple.

Something inside Dana stilled at the intimacy of Luke's hand against her breast. Heady desire and encroaching reality battled within her. In the past year and a half she'd been abandoned by her husband and betrayed by her own body. Infertility treatment had stripped her of her identity as a woman, and her ex-husband had stripped her of her self-worth. No man, no matter how seductive his touch, could ever restore what had been forever lost to her.

Luke stilled. Had he sensed her hesitation? He drew away slowly, looking as puzzled and confused as she felt. In the next instant he leaned across her and switched off the lamp. The waning daylight left little light in the bedroom, and Dana felt the scrutiny of his gaze in the near darkness.

"No light," he whispered.

"Luke—" she started to protest.

He shook his head, glancing over his shoulder at the window. "It's getting dark outside. The light is too risky."

He was giving her an out, a way to end what he'd begun.

"I'm sorry." Dana felt the sudden urge to cry, the apology having little to do with the light.

"Don't be," he whispered, tracing the outline of her cheek with his fingertips.

"We—I should bandage the cut," she commented, her voice shaky.

Dana stood, smoothing her hands against the fabric of her shirt, and did her best to control her pounding heart. She needed to keep her wits about her and concentrate on Luke's injury. She began rummaging through the bureau drawers, eventually finding a second thermal shirt and an old pillowcase that was a likely candidate for a bandage.

She wadded the shirt in her fist as she looked over her shoulder at Luke, recalling the way her fingers had trailed over the warm flesh of his chest. The shirt was a really good idea. For her sanity as well as Luke's body temperature.

Dana shook the shirt open and eyed it with doubt. It looked suspiciously small, even though the fibers would give. Dana tugged on the binding of the neck, stretching the fabric so that it would slide over Luke's head without grating against the wound.

"We need to get this on," she said as she returned, her voice shaky. "Are you ready?"

"I'm ready when you are." The words slid over her like heavy cream, and Dana felt her face flush with heat.

One look into Luke's eyes told her he'd hit the intended mark. Her. She tossed the shirt in his direction and turned her back as he worked it on. Dana took her frustrations out on the pillowcase, tearing half of it into strips. She folded the remaining half of the fabric into a thick square and turned to face Luke.

The shirt didn't do much to conceal the wide contours of his chest. On the contrary, it hugged his muscles and curled over his shoulders like a second skin. Dana swallowed and met his eyes. "Let's get the wound bandaged."

Before I forget what I'm trying to do.

She pressed the folded square of fabric over the sensitive wound, careful not to touch Luke unnecessarily, and tied the ends around his head. A nervous laugh escaped her when she looked at him.

"What?" he asked.

"You look—" she grinned "—less imposing."

"I feel less imposing," he added with a grimace.

Dana noticed that his arms trembled slightly as he adjusted himself to lean against the headboard. Frankly, she felt a little shaky, too. But she wasn't vain enough to think that she'd affected Luke as deeply as his kiss had affected her.

Would Luke even remember the incident in the morning? She took in the drawn expression on his face, noticed dark shadows beneath his eyes. Even in the waning daylight he looked pale. He wasn't the delirious comedian she'd found wandering in the snow but he wasn't entirely lucid, either.

It struck her then that he was probably starved. Was it okay to give someone in his condition food? That portion of the first-aid lesson was totally lost on her, but she decided that he needed to keep his strength up. Dana made her way to the kitchen and opened a second dusty can of pears, placing a beat-up old fork in it. Making the best use of her time, she prepared the baby a bottle and carried both back to the bedroom.

Luke wasted no time drinking the liquid from the pears, then used the fork to polish off the rest of the food. As if on cue the baby began to fret, glancing frantically from side to side. Dana went to him immediately, kneeling beside the bureau drawer that was serving as his bassinet. He punched at the air with one chubby fist then presented her with a gummy smile. Dana felt her heart twist, felt the imaginary barriers she'd constructed between this child and her heart tumble down around her.

"He recognizes you," Luke commented.

Dana glanced over her shoulder at Luke, surprised by the lucid observation. "He just recognizes me as the food lady," she replied. But the smile never left her face.

Dana felt Luke's gaze follow her as she changed the baby's diaper and sat cross-legged on the foot of the bed, preparing to give him the bottle.

"You need to feed the…" Luke's sentence trailed off as if he couldn't remember what he was about to say.

Dana smiled. "I have the bottle."

"No," he argued, shaking his head. "Not the baby. I need you to feed the…Sam."

"Oh, the dog." Dana substituted the word he'd been searching for.

Guilt washed over her. With all she'd faced, Sam hadn't entered her thoughts. She wasn't sure what she'd find in the cabinet to feed him but she'd definitely find something. If not for the overzealous Labrador, Luke might have frozen to death within sight of the cabin. The realization caused a fresh wave of fear. She stole a sideways glance at Luke, who looked perturbed by the blank spaces in his vocabulary. He was obviously still shaken by the blow.

The baby hungrily consumed the bottle, his eyelids drooping by the time the last of the formula was gone. Dana was surprised that he would drift back to sleep so soon. She frowned, adding that to her growing list of worries. It wasn't supposed to be that easy, was it? Was he getting enough nutrition? The only experience she had was from reading baby-care books. An old sadness settled in her chest as she remembered how excited she'd been at first when trying to conceive. She'd bought volume after volume of how-to books and read most of them before hope faded into disappointment.

The baby gave a healthy burp when she shifted him to her shoulder, and Dana couldn't help but grin. Despite her concern, he was lively and alert when awake and his cheeks literally glowed with color. She sighed. Hopefully he was merely coping with the stress he'd endured during the accident by getting additional sleep.

Yawning herself, Dana settled the contented baby back into the dresser drawer. She glanced at Luke, who was again watching her every move. Being the focus of his gaze was unnerving, especially since the kiss, so she adjusted the space heater, which didn't need adjusting, locked the bedroom door and focused on the baby, the floor, her feet. Anything but Luke. She doubted her actions were that fascinating, there was simply nothing else for him to do. Finally, when she'd endured all she could stand, she hightailed it down the hall to the kitchen in search of something for Sam.

The hungry dog greeted her with enthusiasm. She rinsed and filled an old mop bucket with water, then perused the dwindling canned goods in the cabinet, finally choosing a can of salmon. Though she and Luke desperately needed the nutrition themselves, Dana decided the unappetizing fish, coupled with an impending expiration date, made it her best choice for the dog.

It took about twenty seconds for Sam to consume the food and a healthy portion of the water, but apparently the gesture of goodwill made them friends for life. Dana seized the opportunity to examine the dog's wound, finding a shallow cut behind one ear. Satisfied that the cut wasn't serious and unwilling to push Sam's patience too far, she let him outdoors for a romp and a nature call. The snow was an obvious deterrent to lingering, and Sam returned immediately, scratching at the door.

Dana greeted him with a scowl. "I'm trying to kill time here," she scolded with mock anger. "Are you sure you're done?" Sam only wagged and returned to his spot on the sofa.

Dana decided it was time to face the fire. There was no sense letting what happened unnerve her. The kiss was just a reaction to the close quarters, the life-and-death circumstances. She took a deep breath and headed back to the bedroom. Though Luke's eyes were closed when she first entered, he opened them immediately and straightened.

She forced herself to smile casually. "You weren't thinking about sleeping, were you?"

"Now why would I do a thing like that?"

Dana paced the bedroom floor, suddenly uncertain what to do with herself. The baby was pacified, and Luke's wound was bandaged, solving her two most pressing problems. But how was she going to keep Luke awake?

"Let's take a walk," she suggested.

Luke cocked one eyebrow, the bandage tie lifting comically. "Yes, let's take a stroll by the beach."

Dana bit back a caustic comment of her own. If arguing or trading sarcastic remarks would keep him awake, she was game. Instead, she offered him her hand.

With a heavy sigh he stood, slipping his hand into hers. Dana did her best to mentally block the warmth of his callused palm against hers, then grasped his arm. "Are you okay?"

He grimaced, frozen in place. "If the sensation of being beaten over the head makes me okay, then, yeah, I'm all right."

Together they walked the length of the cabin, then Dana guided Luke to sit on the den sofa. When Dana felt Luke begin to relax, she urged him up and through the interior again. The pattern was traced again and again until her own thighs began to ache from the effort. Finally Luke collapsed against the mattress and refused to go another step.

Now what? "We need to talk," she blurted out, voicing the next idea that came to mind.

"That's never good," Luke muttered, blinking lazily. "But I wouldn't be too eager to dump me. Your options are limited."

Dana tried to determine if he was confused or joking. It was impossible to tell. She leaned her palms against the mattress and leveled a serious stare at him. "Look, I'm going to be honest with you because I need your help. You've obviously taken a serious blow to your head, and if I allow you to sleep right now you might not ever wake up. That means I have to keep you awake. I have a baby to care for, and there's quite possibly a madman stalking us. To top off this delightful scenario, I'm fresh out of entertaining material. So let's talk."

"Yes, ma'am." Luke grinned. "Hey, if you ever decide to get out of the news business, I've got a job waiting for you. You can take my place as police chief." His sleepy gaze slid over her. "The guys would be grateful."

Something in the way he said it made Dana wonder if the comment was more than a chauvinistic compliment. "Why?" she asked, leaping at the opportunity to extend the conversation. "Why would the guys be happy?"

"You know how it is." He closed his eyes. "I'm a Sutherlin."

"No," she countered. "I don't know how it is. I'm not from here, remember?"

"Yeah, yeah, right. I forgot." He cradled his forehead. "Damn, my head hurts."

Dana instinctively moved to sit beside him. "I have pain medication in my purse but I left it behind." She could have kicked herself for not bringing her purse, but it was normally nothing more than an oversize burden. Right now she'd give anything to access its contents. "So why is being a Sutherlin such a bad thing?" she prodded, hoping the conversation would distract him from the pain.

"In a nutshell—" he looked at her and laughed without humor "—my father."

"I take it he isn't Father of the Year this year?"

"No, he let that one get away. I think they'll pass him over for Boss of the Year, too. Padlocking your employees inside a burning building tends to be frowned upon."

"What?" Dana searched his steely blue gaze for some trace of humor. He wasn't joking, nor was he delirious. She softened her next words. "Tell me what happened."

Luke never looked up, just continued to rub his forehead as if he could make the pain go away. "Ancient history."

"But—"

"End of story," he stated flatly.

The dismissal stung, and Dana covered her reaction by checking the baby. She lingered longer than necessary, watching the even rise and fall of his chest.

"I'm sorry." Luke's voice cut the silence. "Maybe I'll explain it some other time."

Dana nodded, keeping her back turned.

"Come here." His words were soft but commanding. "Dana, please."

She moved to sit cross-legged on the bed, her gaze never meeting his.

Luke cleared his throat. "What about you? Was your father ever Father of the Year?"

Dana shook her head, her fingers toying absently with the worn fleece of the jogging pants she wore. "He didn't get a chance. My parents were both killed in a car accident when I was a toddler."

Silence encased them for a moment before Luke spoke. "So we're both orphans of sorts, you and me?"

She looked up. "What about your mother?"

"She died of cancer when I was ten."

Dana flinched at the old pain in his eyes. "Then I suppose you're right. We are orphans." Her eyes drifted to the baby. The gesture didn't go unnoticed by Luke.

"All three of us," he amended.

Unwelcome tears filled her eyes, and the vulnerability she'd felt most of her life threatened to swallow her whole. Dana stood and crossed the room, drawing the sleeping infant from his bed and cradling him against her shoulder. At that moment she wanted nothing more than to make his life whole again. If only she could. The world with all its cruelties would make itself known to him soon, and the realization that he'd navigate it without a mother would forever haunt him. She knew this without a doubt. She'd lived it.

Luke reached for her, his fingers trailing down her arm until they reached her hand. She understood the unspoken invitation to lie next to him, and just as silently accepted, sinking against the soft mattress and settling the baby near her chest. She was beyond weary, stripped of the emotional armor that normally protected her from broken dreams. Dana rested her head on one folded arm, encircling the infant with the other.

Her gaze fell on the locked door. Sam was guarding the other side of that door, and the gun lay on the bedside table next to her. She'd use if she had to. She was totally responsible for their safety tonight, yet there was a certain resignation in knowing that she was doing everything humanly possible to protect them.

In that moment Dana understood that vulnerability was a human condition everyone suffered. Not just her. A certain amount of living was simply left to fate.

Luke gently pulled her against his body, and Dana felt a tremor of response. Not just to the nearness of his body but the nearness of *him*. She felt a connection with Luke Sutherlin that defied logic. Maybe it was the circumstances that they were living through, the danger.

Or maybe it was simply Luke.

For now she accepted it without question. The scent of Luke surrounded her, and Dana inhaled deeply, committing the moment to memory. He smelled of aftershave, of leather and warmth. Security. The baby stirred, and the soft unmistakable scent of baby shampoo wafted around them. Tears fell against her arm. Tonight she would lie in the arms of a stranger, cradle an infant who didn't belong to her and live the dream.

And then tomorrow she would wake.

# Chapter 8

Someone was trying to kill him. From *inside* his head. Luke closed his eyes against the sunlight that streamed through the bedroom window, willing the pain away.

Sleep tempted and he grasped the thread of slumber like a lifeline, desperate to escape the pain. Soon the pounding waned and he drifted into the welcome reprieve of sleep. In the next instant he was dreaming.

*She stood over him, golden hair cascading around her bare shoulders. Luke reached up and she slid her hand into his. He pulled her down, down against the mattress and against his waiting body....*

Something warm stirred next to him, and Luke snuggled against it. When his fingers tangled in strands of long silky hair, he smiled. The woman. He breathed in the womanly scent of her, the smell of floral shampoo mixed with a lingering hint of perfume. He pressed the length of his body against hers and when his hips brushed her backside he hardened in a painfully sweet morning arousal.

"Luke…" He heard his voice whispered from far away.

He shook his head, moaning softly in protest. He didn't want to be interrupted. Not now. The feel of the woman's soft round bottom against him was too sweet.

"Luke…" Again he heard the sound of his name, more insistent this time.

His arms tightened around her, and his hips moved against Dana's as if of their own accord.

Dana…

Luke bolted upright, grasping his pounding head to keep it from rocketing off his shoulders. He stared down at the mattress, his fears confirmed. Dana looked up at him, the humiliation of the moment etched in her beautiful face. She was so beautiful. Her golden hair was fanned recklessly over the pillow, her lips full from sleep. Her eyes were round with surprise, but the expression she wore was one he couldn't quite define. Curiosity perhaps?

Or desire?

The thought made him want to sink back against the mattress, to tangle her in the sheets and bury himself deep within her.

Dana glanced nervously beside her, and Luke followed her gaze. The baby lay nestled in the crook of her arm, sleeping peacefully. Luke rubbed his head, trying to recall what happened, what had brought the three of them here.

He remembered hiking to the accident scene. Stupid, reckless move. Sam had bolted toward him, slipping on the ice and knocking them off the ledge. Luke vaguely recalled waking, searching for the cabin, praying he'd make it back to Dana and the baby. He didn't remember the specifics of how he got back, but he did recall seeing Dana again, the elation he'd felt at finding his way back to her. And he remembered her concern, her tender touch.

Luke touched his bandaged head and confirmed that she'd

tended to his injury. He recalled being forced to walk through the interior of the cabin, to talk when all he really wanted to do was sleep. And there was something else. His gaze fell on Dana's mouth, remembering. Realization slowly dawned, seeping into his consciousness and bringing him, little by little, to the present.

Any doubts he might have had about the fleeting memory of a kiss were wiped out by the embarrassment in her eyes.

The gaps in his memory were huge, but the pieces of the puzzle were beginning to come together. And the picture it created disturbed him.

Luke scowled at Dana. The truth of the matter was that he'd wanted to do more than kiss Dana Langston since the moment he'd first met her. What man wouldn't? The fact that he'd given in to the temptation after bashing his common sense against a rock ledge wasn't surprising. But holding her through the night when he should have been standing guard was a failure that could have cost them their lives.

And she'd let him. No, she'd done more than that. She'd obviously arranged it. He looked at the picturesque scene with disdain. To an outsider the scene would be easy to interpret—father, mother and child. But that would be a lie. This was real life. He didn't have time for her adolescent fantasies and his own pseudo-paternal emotions. If living in a pretend world made her feel more secure, then fine.

But he damned sure wasn't going to participate.

The tie of the makeshift bandage slipped over his eye, and Luke pulled it away, casting it into a corner of the room. He stalked toward the bathroom, doing his best to ignore the nauseating pounding at the base of his skull. He stared into the hazy mirror. What monster had eaten him and now stood glaring back at him? The look of rage surprised even him. He gingerly touched the gash on the back of his head, his fingers meeting a thin layer of dried blood.

Luke remembered Dana's hand steadying his head as she'd rinsed the wound, her fingers laced through his hair. He remembered the way her forehead had puckered in concern and that she'd apologized for hurting him. He felt a little guilty. He owed Dana a debt of gratitude for bandaging the wound. But instead he'd groped her and scared the hell out of her.

Probably in more ways than one.

He moaned when he recalled the sweet fit of their bodies as he'd cradled her hips against his. Luke leaned against the sink and took a deep breath. He didn't normally lose control like this. Just the opposite, in fact. His life was about control. About being the good guy and coming to the rescue. For more years than he cared to admit he'd been hell-bent on proving that even a Sutherlin could have redeeming qualities.

His mind flashed back to the last run-in he'd had with his father, or at least his father's dirty work. It paled in comparison to the tragedy of the fire but it had been more personal. Seeing his father's mistress up close had somehow been worse.

And then, of course, Luke had managed to make it even more personal.

Yes, Shelly had been well aware of what she was doing. It had been Luke, not her, that had killed the better part of his judgment with Jack Daniels. She'd seduced *him,* but the playing field had been far from level. Shelly had been looking for a place to hide and found it in Luke's bed.

His father had hit an all-time low, and damned if Luke hadn't followed suit.

At least he could blame his moral failures on bad genes, on lack of paternal—or maternal for that matter—nurturing. Luke thought of Dana, of the maternal ease she used to care for the baby. Unlike him, she was a natural. He was about as far from father material as a man could get. Hell, you couldn't practice what you didn't know.

An old ache tightened his chest. Sometimes he allowed himself to recall his mother's touch, her love, but he'd been just a kid when she died. The memories faded a little more each day. Luke turned on the faucet and took a long sip of the freezing cold water to clear his mind of the pathetic fantasy. He was a grown man, for heaven's sake.

He knew one thing for certain. He wasn't confusing the memories of his mother with any remotely related to Camille. If he'd harbored any hopes of maternal love from his stepmother, they'd died a quick death. Sometimes he thought the woman didn't have the capacity to love.

Or maybe, like half the people in this godforsaken town, she'd simply lost too much.

Lawrence Williams, his stepmother's first husband, had been his father's business partner and had died in the factory fire. From what Luke remembered about the man, he'd been gregarious and always laughing—just the opposite of Lucas Sutherlin. Luke's father had made no secret that his marriage to Camille was one of business and personal convenience, but Luke often thought they both endured it like a penance for some past sin.

He cupped the freezing cold water in his palms and splashed his face again. There was no love lost between him and Camille, but he had to admit that the sins all belonged to his father, including the more recent ones. At the very least his stepmother deserved credit for cleaning up his father's messes. Maybe, in that respect, they had something in common.

Suddenly the walls of the cramped bathroom seemed to close in on him. A wave of dizziness hit him, and he grasped the edge of the sink until his fingers ached.

"Are you okay?" Dana's voice sounded outside the door.

Luke realized that he'd left the faucet on. How long had he been standing there, staring into the swirling water? He closed the tap, cleared his throat and straightened. "Yeah, I'm okay."

Dana stepped back when he pushed the door open, but she inspected his face. He noticed that she held the baby against her shoulder, patting his back to try to soothe his fretting. "You don't look good. Maybe you should sit down."

Luke didn't argue with her logic, since he felt as weak as a kitten at that moment. He walked back to the bedroom and sat down hard on the mattress. "Where's my gun?" he growled.

Dana straightened. "There." She nodded toward the bedside table.

Luke grunted and slid the gun from the table, holstering it. He wasn't sure who was the bigger fool, Dana for treating the gun like a damned paperweight or him for relinquishing it in the first place. He rubbed the swollen knot on the back of his head. Now wasn't the time to go soft, but damned if his head didn't hurt as if he'd been hit by a bulldozer.

Speaking of which… "Where's Sam?" he asked.

"Asleep on the sofa." She gestured toward the den. "He has a cut on his ear, but I don't think it's serious. Luke, what happened out there?"

That was one of the few questions he could answer with certainty. "Sam lost his footing and slammed into me at the top of a bluff. We fell."

She calmly nodded but the expression in her eyes registered fear. "I thought that might have been what you meant."

Luke looked up. "What I meant…?"

"I found you at the edge of the clearing, sitting at the base of a tree. You said something about falling down."

"You left the cabin?" Luke stood.

"I was worried." Her voice was small but her expression was defensive. "You'd been gone so long."

"I specifically told you not to do that." His voice boomed in the quiet cabin, and the baby began to cry. He did his best to ignore the growing wails.

Dana turned her back and walked away from him, whispering soothing words against the baby's cheek and bouncing him against her shoulder. When the infant calmed, she looked over her shoulder at Luke. Anger flashed in her eyes.

"Would you rather I'd left you there to die? You were delirious, Luke. You didn't know who you were or where you were. You would have frozen to death. Which, by the way, wouldn't have done me any good, either."

Though he ignored the question, he acknowledged that she was probably right. Gratitude threatened his sense of logic, and he pushed the dangerous emotion aside. Dana's Good Samaritan act was beginning to look like just that. An act. The woman either had a death wish or a seriously overblown sense of responsibility. He paced back and forth beside the bed, feeling trapped and frustrated and manipulated.

But why? Why did waking up next to Dana Langston and the baby unnerve him so? Why did he feel as if he was a player in some larger game, a game he didn't know the rules of?

Luke cleared his thoughts, forcing himself to think outside of his own involvement. He was trapped by circumstances and frustrated by his growing attraction to Dana. But manipulated? He glanced at her, looking objectively at the scene before him. Dana crooned, her cheek resting protectively against the baby's, soothing him with the rocking motions of her body as if she'd done it a thousand times. She had some maternal connection with this baby that he couldn't explain. It was as if he filled some void for Dana instead of the other way around.

A look of intense protectiveness entered her eyes, and he knew: there was something she wasn't telling him.

"You're good at that." He nodded toward the baby. "I never thought to ask you…do you have children of your own?"

Dana's expression hardened. "No."

"Nieces, nephews? Cousins?" He met her glare with one of his own. "You seem awfully practiced with infants."

"I'm an only child, *Chief* Sutherlin." The implication that she felt interrogated was clear. "Anything else you'd like to know?"

My, my, he seemed to have touched a nerve. Luke grasped the suspicion with an odd sense of relief. His role here was one of a lawman. He didn't do paternal and he didn't do relationships. But he did have an instinct about situations, an instinct that made him good at his job.

And it was past time he started doing it.

Luke analyzed Dana's behavior with cool detachment. She seemed unnaturally prepared to assume the maternal role. Could she somehow be involved in the mother's death? He recalled her anger when she explained that alcohol had been involved in the accident, her tirade about irresponsible behavior. Was it possible that Dana knew the mother before the accident, had judged her unworthy of the child? It was crazy, he knew. Luke had heard the gunshots with his own ears, knew that Gonzalez was on the run. Still, he couldn't shake the thought that something was wrong with Dana's story and her actions.

She'd made herself an obvious target in a snow-covered landscape to rescue him. Was she that naive—that willing to risk her life for someone she hardly knew? Or maybe she knew something he didn't—that the danger wasn't real.

She'd slept in his arms—slept—knowing that their lives were supposedly in danger. Though he'd be the first to admit the experience was pleasant, it would seem suicidal on her part.

The situation didn't add up. The realization weighted his shoulders with tension. Dana Langston didn't add up.

"I found something." Dana's words cut the silence. She lifted her chin in the air and crossed the room, retrieving the diaper bag. She pulled out an audiocassette and a scrap of paper. "These were tucked in a zippered compartment inside the bag."

Luke accepted the items, turning the cassette over in his hands. One side was clearly marked, "Lullabies" spelled out in fat, black marker. He tossed the tape on the bed. The scrap of paper was a preprinted emergency card with a telephone number scribbled on it. Luke felt his pulse quicken. This might actually be useful.

He weighed using the waning cell phone battery against the discovery. Odds were that somewhere out there the mother and child had someone who was frantically searching for them. He didn't look forward to relaying the news of the mother's death, didn't like being the one to cause a husband or father grief. But that was part of his job. The other part was protecting the living.

His gaze fell to the baby. Was it his imagination or did the infant seem more discontent? Luke tamped down a growing feeling of helplessness where the baby was concerned. If there was something he needed that he wasn't getting, it was beyond Luke's control. Hopefully the weather would soon break and the little guy would be back where he belonged.

But where was that? He belonged in his mother's arms. And that was no longer an option.

Luke cleared his throat. "I'll call the number in," he growled, his gaze lingering on the baby.

He had to admit that the infant seemed right at home in Dana's arms, a fact that was beginning to bother him. But why? He turned away, the odd suspicion lingering, and headed for the door. The frigid blast of air was almost welcome as Luke stepped out of the cabin, clearing his aching head. He walked a few yards into the snow and pressed the power button on the phone. He watched the illuminated face, hoping for a signal icon. It took several attempts, with Luke repositioning himself in the clearing, before it finally registered a weak signal.

He dialed the station's number and waited. "Sweetwater Police De—"

"Allen!" Luke interrupted.

"Chief—"

"I'm on a cell and losing battery. I need you to run a number."

"Sure thing," Ben Allen responded.

"It's 555-5309. You got that?"

"Yes, sir."

"How are things at the station?" he asked.

There was a slight hesitation before Allen responded. "Chaos, sir. But we're handling it. We're doing out best to get you out of there, but we've already lost a dozer over a cliff and we can't risk sending another outside of the downtown area."

"Was anyone hurt?" Luke had to know, though he felt the battery power slipping away as he waited for the answer.

"Milton Crump was driving. He bailed over the side when he realized what was happening. Broke his wrist but he's okay."

"Damn," Luke muttered. Milton Crump was in his seventies and had been driving heavy construction equipment since he was a teenager. If he couldn't manage the road-clearing equipment in this mess, no one could. At least he hadn't been killed in the attempt. "Don't risk it again until the weather breaks," he ordered. "Is that clear?"

"Yes, sir." Allen sounded slightly relieved.

The cell phone beeped, warning that the battery had reached a crucial stage. Luke ground his teeth. As if he didn't know. "I'm losing battery, Allen. Any word on Gonzalez?"

"He hasn't been accounted for but with the lines down and half the power out in Atlanta—"

"Okay. Keep checking."

"Sir?"

"Yeah?"

"Your father and Miss Camille have phoned several times looking for you. I promised I would relay the message *if* I heard from you."

Good boy, Luke thought. Ben Allen had been raised in Sweetwater and understood the subtleties of Luke's rocky relationship with his father and stepmother. His job, his life, was none of their business. They'd lost the privilege of knowing anything beyond the basics a long time ago.

"Just tell them I'm safe. Nothing more. I'm shutting off now. Check that number, and I'll call within twenty-four if the battery holds."

Luke pressed the off button and wondered if there would be enough juice to power up next time. He walked back to the cabin's porch and stomped the snow from his boots. He found himself lingering outside the door, his thoughts still on his conversation with Ben Allen.

What were his father and stepmother up to? Camille Sutherlin only concerned herself with her stepson when it fit into some plan to manipulate her husband. And Lucas Sutherlin, Sr., only moved when his puppet strings were pulled. Luke rolled his aching shoulder. Or if there was profit to be gained, he thought.

Luke opened the door to the cabin and stopped short, puzzled by the scene in front of him. Dana was sitting cross-legged in the den, digging at some electronic equipment with a butter knife. Sam lay nearby, watching hopefully as though Dana might be opening a can of dog food. She looked up, then went back to whatever she was doing without acknowledging his presence. He didn't doubt that she was angry.

It was entirely possible—probable, actually—that she was an innocent bystander, a victim in this mess. But he had the right to reserve judgment and to question her story. It was his job.

"What are you doing?" Luke asked.

She continued to work without meeting his eyes. "I found an old radio in the storage closet. It has a tape player but half the buttons are gone and the cassette door is jammed."

Luke recalled the lullaby tape. "Is the baby still crying?"

She looked at him as though his IQ had bottomed out. "No, he's asleep. But it took a lot of work to get him to relax. I can use all the help I can get."

The comment was pretty straightforward, and Luke understood that it included him. He knew the responsibility of caring for the infant had fallen to her. But what was he supposed to do? He knew zip about caring for a baby. He noticed that Dana's eyes were rimmed in red and slightly swollen, as though she'd been crying. Had he done that?

Luke sank to the floor beside Dana and took the radio from her lap before she finished murdering it with the butter knife. The piece of equipment belonged in a museum. It was ancient, covered in a layer of dust and, as Dana had said, was missing most of its buttons. It did have an electrical cord, though. Maybe if he could get it operational it would help on some level.

"Have you eaten anything?" he asked. Dana shook her head. "Then go do that. Keep your strength up."

She rose and disappeared behind him into the kitchen. He could hear her rummaging around in the cabinet. Luke studied the radio, noticing that the plastic facing had warped, jamming the cassette door. He slid the butter knife beneath the facing and pried it off. It cracked and fell away, leaving the equipment uglier than ever. If that were possible. He plugged in the radio and hit the eject button, which was one of the few that remained. The cassette door slid open.

Shrill cries split the silence and Luke jumped, his hand automatically going to his holster. Just as quickly he recognized the baby's cries. He looked at Dana, who had just opened a can of yams and forked one out. She looked exhausted. Her fair complexion was waxy, her eyes devoid of spark.

"I'll take care of it. Of him," Luke amended.

Dana looked surprised, then nodded.

So much for her denying him the pleasure, Luke thought. He found the baby intermittently punching invisible enemies and grasping the side of the bureau drawer. Luke grinned at his attempt to escape the makeshift crib.

"Hey, you. Where do you think you're going?"

He slid his hands beneath the baby's arms and lifted, surprised at how incredibly light he felt. Had he always been this tiny? Luke remembered holding him the day of the accident but couldn't recall. He'd been so pumped full of adrenaline at the time that the memory was sketchy. Or maybe that was the result of whacking his head on a boulder.

The baby momentarily stopped crying, then picked up

where he'd left off. "Don't do that," Luke said, half in jest and half serious. "It makes me nuts."

He grabbed the diaper bag and carried the baby to the bed, laying him on his back. He eyed the diaper area with suspicion. It wasn't brain surgery. If he could run a police force, surely he could change a diaper. Luke managed to undo the tiny snaps that lined the legs of the sleeper and peeled them back. He studied the adhesive tabs of the diaper so that he could reverse the process when the time came.

Luke breathed a sigh of relief when he found that the diaper was only wet. Wet he could do. He wasn't too sure about the other. He pulled the disposable diaper away and folded it into a triangle as he'd watched Dana do. After a ridiculous amount of fumbling, he replaced the diaper with a fresh one and looked for the adhesive tabs. They were missing. No, they were…on the front. The diaper was on backward. He corrected the mistake to the sound of fresh wailing and was annoyed to find he'd broken out in an honest-to-God sweat.

Finally he pressed down the adhesive tabs—in the right place this time—and lifted the baby without bothering with the snaps. Who in their right mind would put twenty-five tiny snaps on a baby's outfit? Snapping them would be like trying to put sandals on a centipede.

Luke wasn't ashamed to admit that he needed help. He scooped up the audiocassette of lullabies, shoving it into the back pocket of his jeans, and then hightailed it to the kitchen. There he found Dana wearily finishing the last bite of the yams.

Her entire demeanor changed when she saw the baby. Despite the fact that the little guy was screaming his lungs out, Dana was obviously delighted to see him. Her face transformed from bleak to warm as she rose from the chair to greet them. She leaned over the baby, whispering words of comfort as she rubbed her knuckles against his cheek. The baby hesitated, hiccuped, then grew quiet, his eyes wide with curiosity as he looked up at Dana.

Guilt crept up on Luke like a thief.

With Dana standing so close he could see the wound at her hairline, and ached to brush her hair back and examine it. The truth was, he wanted to comfort her. Despite the strength she'd shown, she looked fragile. The hollows beneath her cheekbones seemed deeper, and her fingers trembled slightly. Regardless of her motivation, she'd given a lot of herself.

She deserved credit for that.

"Thank you," he said softly.

Her gaze slid upward to his. "For what?"

"For hauling my ass in out of the snow." He risked a smile, and his heart clutched when she returned it.

"You're welcome."

"You're right, you know," Luke continued. "I would have frozen to death if you hadn't helped."

"I know." She wasn't being superior, just agreeing with the fact. The baby interrupted the awkward moment with a piercing cry, and Dana jumped into action. "I have a bottle ready."

Luke watched as she pulled a ready-made bottle from the sink. He joined her there, amazed by what Dana had obviously done yesterday. She'd salvaged the disposable glass bottles they'd used and filled them with fresh formula. Clumps of snow floated in a thin layer of water in the bottom of the sink, keeping them fresh and cool.

"He seems accustomed to taking a bottle cold," she said, reaching for the baby. "Thank heavens he's never objected."

Luke deposited the baby in her arms and watched as she juggled the slippery bottle and crying infant with ease.

"Maybe you should feed him in the bedroom where it's warmer," he suggested.

Dana nodded, looking a little less angry and a lot less frazzled as she headed down the hall. He wasn't sure whether it was the truce they'd silently reached or that the food had worked its magic. At any rate he was glad.

Luke watched Dana disappear through the bedroom door and fished the audiocassette out of his pocket. He turned it over in his hand, doubting that a thousand lullabies would do as much good as Dana had done with a simple touch. But it never hurt to have a backup plan.

That was, if his handy work with the butter knife had done any good. Luke walked to the cassette player and popped the tape in the rickety door and pushed it closed, pleased that the cracked plastic didn't disintegrate beneath his fingers. The button cover for the play mode was missing but Luke pressed the amputated lever anyway. What was the risk of a little electrical shock when you'd been shot at and fallen off a cliff?

The cassette began to play without incident or bodily harm, and Luke raised the volume, filling the cabin with the sound of a lullaby. The sound was strange after having grown accustomed to no sound other than their voices, but pleasant. The artist sang in a hauntingly soft voice, the lyrics urging the baby to sleep. Luke recognized the tune but not the words, lyrics promising that the child would wake to an array of pretty horses.

He started to switch the music off but hesitated. They'd been a bit deprived of entertainment, and the sound was strangely comforting. Perhaps Dana and the baby would prefer that it stay on.

He rose and walked softly down the hall to the bedroom, peering around the corner. He smiled at the scene before him, then froze. Dana was sitting on the bed, humming along to the music as she rocked the baby in her arms. Her eyes were closed, and though the expression on her face was serene, tears were streaming down her cheeks.

Something was wrong.

Yes, Dana had every right to be emotional. She was tired and hungry and probably scared. No doubt she wanted to be free of him and the confines of the cabin. But the emotion etched on her face went far deeper than any of that.

In all honesty Luke had never seen such pain before. Part of him wanted to hold her, to wipe away her tears.

Another part of him simply wanted to know what Dana Langston was hiding.

# Chapter 9

Night was falling. Dana gripped the windowsill and peered out into the darkness. She could no longer see the ongoing destruction, but she could hear it. Branches were cracking like gunshots in the night, succumbing to the weight of the ice and snow as a new, harsh wind hit the mountain face. She hugged her arms over her chest. Like the winding of a watch, she felt strained with the pressure of time. But instead of passing, each minute felt as if it were winding backward, threatening to break her.

The day had come and gone in a series of tasks, each one a judgment call. Every bottle that the baby consumed meant one less that was available. Even the necessity of simple things, such as changing his diaper, had to be weighed. She and Luke both knew their supplies were waning, though neither mentioned the fact.

Luke had taken on more responsibility with the baby, even changing another diaper at one point. They seemed to have silently agreed that caring for the little guy was neutral ground, one that occupied their hands and minds. Dana noticed that the baby had begun to recognize Luke and seemed delighted when he held him. Watching the two of them together touched her in places her heart normally guarded, and she carefully busied herself with chores rather than watch.

Other than sharing in the baby's care, Luke steered clear of Dana. He'd spent the last hours of daylight searching for kindling and hauling firewood into the cabin, stacking the logs against the den wall. For some reason the sight of the firewood made Dana uneasy. It was a confirmation that they weren't going anywhere anytime soon.

And now night had fallen, dashing any hope for a rescue.

Dana was determined to stand watch this evening. She'd obviously erred in Luke's eyes for not doing so last night. Standing guard also eliminated the need to make sleeping arrangements, a problem they hadn't yet faced.

The first night Luke had guarded them as she slept. And the second night she'd slept in Luke's arms. A chill ran the length of her body as she remembered the feel of his long, muscled body pressed against hers.

Dana fought an illogical rush of desire. She was grateful to Luke, and grateful that he'd survived the fall. Anything beyond that was emotional suicide. With any luck they'd be out of here in another day or two, going their separate ways. And in all likelihood, they'd never see each other again.

"We're bound to lose power anytime now."

Luke's deep voice was mere inches behind her, and she startled, whirling to face him. He frowned, his gaze intense as he examined her features then nodded toward the woods. He brushed particles of ice and snow from his jacket.

"The branches are snapping like glass. It's only a matter of time before one takes down the feeder line."

Dana hugged her arms a little tighter. "Is there anything I can do?"

"Yes. Search the cabinets for anything that will hold water and fill it up." He met her puzzled gaze. "The ranger's station is served by a well. No power means no water pump. We'll need water for ourselves and the baby, and I'd rather not haul in snow and have to sterilize it."

Dana nodded, feeling a fresh tremor of fear. She'd thought things couldn't get worse, that they were surely nearing the end of this ordeal, but she'd been wrong.

"Is the baby sleeping?" Luke asked.

"Yes." A smile touched her lips. "That evening bottle is like a sedative. He didn't take it all, but if his pattern holds, he should sleep through the night."

Luke scowled and Dana wondered if she'd said something wrong.

"We need to fill the sink with water. I'm afraid we'll have to have to disrupt what you've done," Luke commented as he removed the prepared bottles out of the sink and drained the icy water. "But you get points for ingenuity." He hesitated as if weighing his next words. "You must have done your share of baby-sitting when you were growing up."

Dana considered the comment. It was innocent enough, but something in his tone put her on guard. In fact, it wasn't a comment but a question—and a pointed one at that. She, of all people, could recognize an interview. "No, baby-sitting wasn't something I did."

Take that, she thought, and turn it into another question.

"Oh? I thought all girls did that, a kind of prep course." Luke replaced the stopper in the drain and began filling the sink with water without looking up.

Dana didn't comment right away but began searching the cabinets, pulling out pots and buckets. She held each under the running water, filling it to the brim and placing them on the kitchen counter. Yes, she had been offered baby-sitting jobs as a teenager and had ached to accept. She'd viewed it as an opportunity to see how other families—real families—lived, a peek into a world that had been snatched away. But her aunt had only laughed at the absurdity of the idea and given Dana extra spending money.

"I guess I missed my prep course, then."

"It sure doesn't seem like it. In fact, you seem better equipped to deal with the baby's needs than most new mothers."

Dana's hands froze midtask. The words pierced her emotional armor like a knife. She wasn't and never would be a mother. She'd first thought it a cruel twist of fate, but the more she thought of Michael's death, the more justified it seemed.

A loud crash followed the strained silence, and Dana stilled. Though she recognized the sound as falling trees, it seemed to go on forever, no doubt a chain reaction. This time the noise came frighteningly near the cabin. Luke had allowed them the luxury of switching on a single lightbulb in the kitchen's overhead fixture, and it suddenly dimmed, then went out.

Just as quickly Luke switched on the flashlight. Though Dana noticed the bulb was waning to an amber yellow, she was grateful for the light, grateful that the batteries were still functioning at all. Despite her anger, she took a step closer to Luke.

He pressed his hand against her shoulder. "Are you okay?"

She nodded, emotion clogging her throat.

"Help me get a fire started," he commanded, urging her toward the old stone fireplace.

Dana followed. She found that she didn't want to leave his side and just as desperately wanted the fire lit. Her mind spun. There were a million things to do and the responsibility of them all made her chest ache with panic.

Dana mentally covered all that needed to be done: though the baby was thoroughly bundled, the space heater was no longer working so she would need to bring him nearer to the fireplace. But not so close that a spark might harm him. Luke had removed the bottles from the sink, so they would need to keep them chilled, away from the heat of the fire until she needed one…

Panic clutched at her. She failed Michael but she wouldn't fail this child.

"Dana!" She looked up to find Luke frowning at her, his expression a mixture of anger and concern. "Take this firewood and stack it on the grate."

Dana blinked, realizing that he'd called her name more than once. She wondered at the armload of firewood Luke held and realized he must have retrieved it from the stack in the den while she'd been lost in panic. She pulled the logs one by one from his arms and began stacking them atop the old iron grate.

"Open the fireplace flue," he commanded. "It's overhead. You'll need to feel with your hand until you reach a handle. Push it up."

She did as he commanded and was met with a handful of soot and ash that fell into the fireplace and scattered around them. Dana coughed, meeting Luke's eyes with an accusing glare.

He grinned. "Don't look at me like that. You need to know how to do this."

"No, I don't," she countered, taking in his meaning. "You're not going anywhere."

"I may have to, Dana." His voice was deep and smooth and Dana shivered, not knowing whether it was the tone of Luke's voice or his words that stirred her. "If worse comes to worst, you need to be prepared." He nudged her arm. "Here. Take the kindling and force it beneath the grate."

She did as Luke instructed, and Luke disappeared into the shadows of the room, returning with a few yellowed magazines that the rangers had, undoubtedly, left behind. He tore the pages into strips and then reached around her, stuffing the dry paper around the kindling.

When the fireplace was loaded to capacity, he lit the paper with his lighter. The flames spread rapidly from the paper to the kindling and were soon licking at the underside of the firewood, filling the room with light and heat, surrounding them with a welcome glow.

Dana felt the knot of tension in her chest loosen. She breathed deep and slow, the way Luke had instructed, inhaling the comforting scent of the wood and fire.

"That was a compliment back there, you know." Luke's words came from beside her.

She opened her eyes to find Luke sitting near her, his left knee bent and his right leg stretched behind her. His handsome face was lit by the firelight and she could see the soft crinkles of laugh lines at the edge of his eyes. She suddenly longed to see Luke Sutherlin laugh, to see something other than the burden of responsibility in his face.

Dana tried but couldn't find words to answer him. The dam of emotion that held her tears was crumbling and she knew it.

Don't... she mentally begged. Please don't say anything else, Luke.

"When I said you were more prepared than most new mothers," he continued, "that was meant as a compliment."

Dana closed her eyes. Not only did the words threaten her balance, she doubted they were true. There had been some strange tone of suspicion in his voice when he said it.

He was fishing again, she realized, a tactic she'd used countless times in interviews. But for what? What confession did
he want her to make?

Then it hit her.

She opened her eyes and met Luke's gaze. Anger sizzled
within her and she felt the burn of it in the form of tears.
"You think I had something to do with—" She drew in a
ragged breath, disbelieving the acceptance she saw in
Luke's eyes. "That I *took* the baby?"

"It's not like that Dana—"

"No," she interrupted, standing. "That's exactly what
you were thinking. You think I kidnapped him, that I had
something to do with the accident—"

Luke stood, towering over her, and she began walking
backward. She felt the trail of tears cooling on her cheeks,
belying the consuming anger she felt within.

Luke grasped her arm, held it when she tried to pull away.
"I'm not accusing you of anything. I'm asking you questions. It's my job, Dana."

"I see." An odd strength filled her and she straightened,
staring up at Luke. "Then by all means let me help you
out. I didn't baby-sit because my aunt is a snob without a
maternal bone in her body who thought it was beneath me."

"Dana—"

She held up her hand. "No, let me finish. As for my
competence with infants, you can credit chapters…let's
see—" she tapped her temple "—one through five of my
favorite baby-care book. Of course, if you don't like that
one, I have a lot more books on infant care in my apartment
to chose from."

A dark look crossed his face. "Why?"

Dana stood at the threshold of the truth, hating that the
moment had come. For the past two days she hadn't been
a barren fertility patient. She'd been a mother. For the last

two days, she hadn't been the woman who caused an innocent child's death. She'd been a child's rescuer.

A steady stream of tears flowed down her cheeks. "Because I once thought I'd have a child of my own." She wiped the tears away, hating her weakness. "But that was before Prince Charming left me for someone less barren and I learned to stop believing in fairy tales."

Luke pulled her forward, grasping both shoulders in his large hands. "I'm sorry. I never thought you capable—"

"Of what?" she interrupted. "Of killing someone?" She laughed, the sound hollow and dead. "I did that, too."

His eyes narrowed. "What are you talking about?"

Dana was silent. She couldn't tell him about Michael. Not Luke. Surely he, of all people, didn't have to know.

Luke shook her shoulders. "Tell me what you mean."

What difference did it really make? Luke was nothing more to her than a fantasy created by her imagination. But one thing was certain: as soon as he learned who she really was, she would be nothing to him. Her knees began to shake, and Luke supported her weight, easing her against him as she sank to the floor.

"He was nothing but sweetness and innocence…" Dana cradled her head in her hands. "And it was my fault he died."

"Who?"

"Michael," she whispered. "Michael Gonzalez."

Luke stroked the back of her head. "Paul Gonzalez's son?"

She nodded.

"Tell me," Luke urged.

*Tell me. Tell me what your father did to you, Michael…*

Dana cupped her hand over her mouth to contain a scream. "I knew it was wrong, knew he was too young to be asked a question like that during an interview." Dana shook her head. "But I asked him, anyway." Her eyes met Luke's, imploring him to understand. "I asked Michael to tell me what his father had done to him."

"And he did?"

"Yes. I was elated at first. He confessed that his father had hit him. Repeatedly. I thought the recorded testimony was all the proof we'd need that Paul Gonzalez had hurt his son. But the whole thing backfired."

Luke smoothed her hair, tracing the outline of her face until his fingers rested beneath her chin. He gently tilted her to face him. "How?"

"I'd been working with the deputy director of foster care—of the Department of Child and Family Services. We'd been trying to locate Paul Gonzalez." Dana drew her legs against her body, hugging them with her arms. "We had hoped he'd sign away guardianship rather than face prosecution."

"That sounds logical."

She shook her head. "To any sane person, yes. But not Gonzalez. What I didn't know was that DCFS had located him in the meantime and had arranged for the final paper-work. He had agreed to sign Michael over to the state." A sob caught in her throat. "I was that close to getting Michael away from him, and I blew it."

"You wanted to adopt him?"

"Yes." Dana lowered her head to her knees. "God, yes. But my husband refused. Robert wanted a child that was biologically his. And he was afraid. Michael's mother died of hepatitis C. If I only had it to do over again…" Sobs shook her body. "I was a fool to give in to him."

"No, Dana, he was the fool."

She looked up, a look of gratitude on her face. "I did what I thought was the next best thing—I became certified

# GET FREE BOOKS
## and a
# FREE GIFT WHEN YOU PLAY THE...

# LAS VEGAS
## GAME

*Just scratch off the gold box
with a coin. Then check
below to see the gifts you get!*

# YES!

I have scratched off the gold box. Please send me my
**4 FREE BOOKS** and **gift for which I qualify.** I understand that
I am under no obligation to purchase any books as explained on
the back of this card. I am over 18 years of age.

| Mrs/Miss/Ms/Mr | Initials | S5AI |

BLOCK CAPITALS PLEASE

Surname

Address

Postcode

| 7 | 7 | 7 | **Worth FOUR FREE BOOKS**<br>plus a BONUS Gift! |
|---|---|---|---|
| 🍒 | 🍒 | 🍒 | **Worth FOUR FREE BOOKS!** |
| 🔔 | 🔔 | ♣ | **TRY AGAIN!** |

**Visit us online at
www.millsandboon.co.uk**

Offer valid in the U.K. only and is not available to current Reader Service subscribers to this series. Overseas and Eire please write for details. We reserve the right to refuse an application and applicants must be aged 18 years or over. Offer expires 31st July 2005. Terms and prices subject to change without notice. As a result of this application you may receive offers from Harlequin Mills & Boon® and other carefully selected companies. If you do not wish to share in this opportunity, please write to the Data Manager at the address shown overleaf. Only one application per household.

Mills & Boon® is a registered trademark owned by Harlequin Mills & Boon Limited. The Reader Service™ is being used as a trademark.

NO STAMP NEEDED!

THE READER SERVICE™
FREE BOOK OFFER
FREEPOST CN81
CROYDON
CR9 3WZ

If offer card is missing write to: The Reader Service, PO Box 676, Richmond, TW9 1WU

NO STAMP
NECESSARY
IF POSTED IN
THE U.K. OR N.I.

as a foster parent.'' She smiled. ''Robert never even knew what I was doing.''

''But you didn't get the chance?''

''No. I didn't.'' Tears threatened. ''I was so close to getting foster custody of Michael.''

''I don't understand why Gonzalez would want to back out of the deal.''

Dana met Luke's gaze. ''Because of me. The tape of Michael's testimony was heart-wrenching. No, wait… *Riveting* was the word my station manager used.'' She shook her head, disgusted by the memory of what happened next. ''The ratings soared. They replayed the interview again and again. It was only a matter of time before Gonzalez saw it.''

''And when he did?''

''He was furious, claimed he'd been publicly humiliated. He did an about-face, saying that Michael was his 'property' and that he'd never give him up. I think he thought that if Michael was returned to him, his name—his pride—could be restored.''

''But the interview—''

''They said I coached him.'' She balled her hands into fists. ''Gonzalez's lawyers painted me as an ambitious journalist who took advantage of a lonely child and sensationalized the story for my own gain. Maybe they were right about that part.''

''Dana—''

''The bottom line was that the judge bought it—at least to some degree. He was under a lot of pressure. The public was outraged by Michael's testimony but the legal world was watching. I think he tried to split the difference between the two powers, make everyone happy. In the end he placed Michael with his father on a trial basis.''

Luke cradled her against his side, his warm, large hands rubbing her shoulders. Dana leaned against him, craving his strength. To her surprise every muscle in his body was taut, and she felt him trembling. The realization made her breath catch. He was angry.

"Less than a month later Michael was dead." She felt drained of grief as she spoke the words, devoid of anything but a slow-burning inner rage. "Gonzalez claimed the fall from his two-story apartment window was an accident. It wasn't. I know that in my heart. Michael's father never wanted him. He just wanted to prove that he owned him."

"So you were scheduled to testify that you didn't coach Michael?"

"Yes, but the court date was postponed more than once. But I will testify. I'll testify against that monster if it's the last thing I do."

"He made threats against you?"

"Yes." Dana tensed at the memory. "It started with phone calls in the middle of the night. I would answer but the caller wouldn't speak. It went on and on, night after night."

"The police didn't do anything?"

She shrugged. "You're in law enforcement. You know how it is. There's a protocol to these things, steps they wanted to take to document what was happening."

"There's also a limit to protocol." Luke's voice vibrated with anger.

"The police urged me to get a call identifier but by the time I had it installed, the calls stopped. But then he took the harassment up a notch, started showing up wherever I was—restaurants, city streets. You name it. I would glimpse his face—not long enough for anyone I was with to see him, of course."

"He was too smart for that," Luke added.

Luke's understanding brought her closer to tears. In all the time she'd dealt with Gonzalez, it seemed no one had understood what he was capable of. She was made to feel as though her imagination was getting the better of her or that she was downright paranoid. ''Right after that he ransacked my apartment.'' She wiped a tear from her face. ''That's when I headed here.''

Luke smiled. ''And what a nice, relaxing vacation you're having.''

Dana almost laughed aloud with relief. She'd expected… What had she expected? At the very least she'd thought Luke would have the same controlled look of condemnation that everyone else wore when she spoke of Michael. Of course, none of her friends or co-workers had been callous enough to accuse her of causing Michael's death. In fact, they'd gone to great lengths to reassure her that she'd only done her job, but the truth was always just beneath the surface. She could see it in their eyes.

But not Luke's.

A piercing wail echoed through the cabin, and Dana and Luke both startled before they recognized the baby's cries. Dana automatically started to go to him but hesitated. She'd just confessed her role in a child's death. Things had changed. The trust she'd taken for granted was in question.

''The baby needs you,'' he whispered, handing her the flashlight and urging her up.

Relief poured through her, and Dana stood, her legs wobbly. ''Okay,'' she whispered. She grasped the flashlight, unsure what to say. What *could* she say? Thank you for believing in me? Thanks for giving me a second chance? She hardly knew Luke, yet that's exactly how she felt.

Dana hurried down the hall before she blurted out something that would only cause them both embarrassment, the beam of the flashlight leading the way. She entered the dark bedroom and set the flashlight on the floor, pointing its beam toward the ceiling as she'd seen Luke do that first day in the storage closet.

"Sweetheart," she cooed, lifting the crying baby against her shoulder. "Don't cry."

An incredible satisfaction washed over her when he instantly quieted. She was still capable of comforting him. Nothing had really changed. At least not here. Not now. Dana smiled as tears spilled over her cheeks again.

She could still do this.

Dana felt, rather than saw, Luke enter the room behind her. There was a soft noise, and then she felt the heat of his body near hers in the darkness. His hand brushed her shoulder and Dana shivered, inhaling the scent of him, reveling in the comfort of his nearness. He reached around her, his forearm brushing against her breast.

She smiled when she saw what he held in his hand. A bottle for the baby. Dana gently lowered the baby from her shoulder and Luke offered him the bottle. He hungrily accepted it and Luke chuckled, the deep rumble emanating from his chest.

Dana shivered, and Luke stroked her arms with his big hands. "Cold?" he asked.

"No," she answered, knowing there was more truth to the words than she wanted Luke to know.

His hands lingered on her shoulders, the three of them clinging together in the shadows.

"I know a thing or two," he whispered, his lips a fraction of an inch from her ear, "about carrying the weight of other people's guilt."

"But you don't understand—" She turned and started to protest, but Luke pressed his finger against her lips, silencing her.

"Don't do it, Dana." His finger trailed over her lips, tracing them in the near darkness. "Don't accept the responsibility for someone else's actions. If you do, your own dreams will die.''

She could feel her heart pounding in her chest. There was something in his voice and she knew that his words held as much meaning for him as they did for her. She was certain of it.

''Why?'' she asked. ''What dreams did you let die?''

# Chapter 10

Luke pulled back, considering her question.

He hadn't dreamed in so long that he'd forgotten how. Maybe as a child he'd held the same assumptions as others—that he'd someday marry and have a family. Maybe he'd even wanted that once. But the idea had died a long time ago. He'd stopped making assumptions about happiness and faced the truth: his life would take a different path, one that repaid the Sutherlin debt to this town.

One that didn't include the reward of a wife or child.

Luke's fingers lingered, savoring the softness of Dana's mouth before he forced his hand to drop.

"What dreams did you let die?"

"None," he answered. "I don't dream."

*At least I didn't until now.*

Even in the darkness Dana took his breath away. He wanted to hold her, to *really* hold her. Even more than that, Luke's body ached to make her his. He wanted to kiss away her pain, to wrap her in pleasure until she forgot who she was and where she'd been. What she'd endured.

His body began to respond to the idea of making love to Dana, to the temptation to touch her in the darkness. It would be so easy to lift his hand right now, to brush the fullness of her breast with his knuckles, to stroke her nipple until it hardened beneath his touch. And he knew it would. They would be good together...

He took a small step backward, putting distance between them so that Dana wouldn't feel the readiness of his body. What Luke could give her now and what he couldn't give her later warred within him.

They were two very different things.

Women like Shelly Henson were easy to come by. And even easier to let go. Dana Langston wasn't that kind of woman. Luke knew already that she would stay with him, would haunt him in a way that no other woman ever had. He'd dealt with all sorts of ghosts in his life, but none made him ache for something he couldn't have.

And wasn't able to give.

"Why?" Dana asked.

She didn't draw closer to him. She didn't reach for him or take his hand. But he *felt* her in a way that made him weak. That simple, breathless word was somehow laced with desire, and it made him insane with want.

It also scared the hell out of him.

Luke shook his head. "Because dreaming isn't good for some people."

"People like you?" The words were soft, filled with sadness.

"Right." He picked up the flashlight but held the beam against the floor. "For people like me."

"But—"

"You really should feed the baby near the fire," he interrupted. "It's warmer there." Luke heard the frustration in his own voice and winced.

Dammit, she was getting to him.

He flashed the beam of light over the bedroom floor as he gathered the baby's supplies. When his arms were full and his body under control, he headed toward the den. Dana followed without comment and settled on the floor near the fire, tears drying on her cheeks, fading like a bad memory.

Luke stole a glance at Dana as she stared sightlessly into the fire, her back straight with the determination of a true warrior. Her profile was regal and her face was flawless, but the emotional wounds were as obvious as any scar. Luke knew that the pain of losing Michael would always remain. His wish for Dana was that it could at least be a bittersweet one, that she could remember the child that was, as well as the child that could have been.

Maybe one day that's all that would be left of Paul Gonzalez—a faded bad memory. He hoped that was true, for her sake.

His hands ached with the urge to touch her. He wanted to comfort her, to make the pain go away. But Luke only knew one way to do that. And that way would entangle them in body as well as soul.

Luke balled his fists and released them, focusing on what needed to be done instead of what he wanted to do to Dana. With Dana. The fireplace, with its warmth and light, would become the nucleus of the cabin since they'd lost power. They would need to settle here. But there was a lot to be done first, from both a safety and comfort perspective.

Though Luke instinctively felt the sniper was long gone, he couldn't afford to be wrong. Being constantly exposed to the windows that lined the den was a definite liability. He needed to block them or they would be entirely too visible from the outside.

And from a comfort perspective the hardwood floors weren't a good option. Struck with an idea, Luke ordered Sam off the sofa and removed the cushions. As he'd hoped, there was a functional, if not comfortable, pull-out mattress inside. He angled the sofa toward the warmth of the fireplace and unfolded the mattress. There were questionable lumps and stains, but at least they'd have a place to sleep for the night. Sam returned, his tail wagging, ready to reclaim the sofa in its new and improved form.

"Forget about it," Luke warned, rubbing Sam's shoulders. Sam slumped away and settled at Dana's side with a sigh.

"I think you've hurt his feelings," Dana whispered, a hint of amusement back in her voice.

"He'll forgive me," Luke countered. Looking at the disgruntled expression on the dog's face, he added, "Eventually."

"What are you doing?"

"Giving up on that call from the Holiday Inn."

Luke retreated to the bedroom, flashlight in tow, and pulled the pillows and blankets from the bed, carrying them back to the den. He spread part of the bedding atop the old mattress, hoping that the adage Out of Sight, Out of Mind would work in this case. He used the remaining bedding to block the windows, draping them over an abandoned curtain rod.

"Mission accomplished," he announced, but was met with silence.

He looked at Dana's face, aglow in the firelight as she watched the baby. The little guy seemed to bask in her nearness as well as the warmth, occasionally smiling around the bottle, his eyes twinkling. She smiled in return, obviously unable to resist his charm.

Stacking the cushions and pillows against the sofa back,

Luke motioned for Dana. "Come and sit on the bed. It's bound to be more comfortable."

"I'm okay," she answered, not meeting his eyes.

Luke felt guilt like a fist in his gut. Despite the fact that she'd regained control of her emotions, she wasn't ready to take what he offered. Something more than a flash of desire had transpired between them, and the evidence of it still lingered.

He'd hurt her with his questions and veiled accusations. But dammit, he'd only been doing his job, which was something he should be doing now.

Luke turned and snatched the cell phone off the table, leaving behind the temptation and the tension, abandoning the cozy scene laced with suspicion and desire. He stepped into the night, and the icy wind hit him full force. Luke grimaced, cursing beneath his breath. He needed to get them all out of this freezer. But most of all he needed answers.

"Work," he commanded the phone as he punched the power button. The phone powered up quickly, as if responding to the threat, its face illuminated. He stepped out into the snow-covered grass, returning to the spot he'd last gotten a signal. Luck was on his side today, and the phone beeped, its glowing icon indicating that it had made a connection. Luke dialed the station's number before his luck and the battery ran out.

"Sweetwater—"

"Sutherlin here," he yelled. He didn't recognize the officer that answered over the static-laced connection, but he knew it wasn't Ben. "Has Allen gotten that trace?"

"Chief? Yeah, hold on. He's got it."

Before Luke could protest the idea of holding, Allen was on the phone. "The number belongs to a Michelle Alexander of Atlanta."

"The mother?" Luke asked.

"Looks that way. The DMV has the address in the database. It shows the tenant as owning a blue four-door Buick LeSabre. A 1989 model. The driver's license records for Michelle Alexander list her as blond, five foot six, twenty-nine years old."

"That sounds right all the way around. What about the child?"

"Michelle Alexander has a son named Daniel, listed on the birth certificate as being four months old. The father is listed as 'unknown.' So far we haven't been able to locate any living family, but we're still trying. Does all that fit with what you've got?"

*Dammit.*

Luke swallowed the lump in his throat. What he had was an orphaned infant. He didn't know squat about babies, but the age sounded in the ballpark, as did the other details. And he wished like hell it didn't. Why couldn't the kid have at least had a father waiting in the wings?

"Chief, you there?"

"Yeah," Luke yelled as a hiss of static interrupted. "That sounds like the victim and the survivor."

Another wave of static hit. "Should I go ahead and contact Family Services?" Ben yelled.

Luke looked over his shoulder at the cabin. Through a sliver of windowpane he could see Dana, rocking slightly and talking to the baby as the infant finished the bottle. She still hadn't moved to sit on the bed. Stubborn woman. Despite the delicate packaging, she had enough grit for two people, which was probably what had seen her through all that she'd endured.

"Hold off on that call until further notice," Luke yelled in response.

"Yes, sir. Listen, they say a warm front is moving in.

Hopefully we should be able to get y'all out in another twenty-four.''

"Good news." The news was a relief, but Luke knew it wasn't time to let his guard down. "Any word on Gonzalez?"

"Damn, I'm sorry, Chief. I forgot to tell you that they picked him up—"

The phone beeped, its low-battery icon flashing predictably. Luke knew this was likely the last call he'd be able to make. "Make it quick," he ordered.

"They picked him in Altadena. He was armed and ready to run. He had his suitcase packed and a Remington thirty-aught-six in the back seat and a wad of cash in the glove box. He wasn't going to show for that court hearing or any other."

Guilt and relief coiled in his gut, and he forced himself to drop old suspicions and look at the facts. Though Altadena was a considerable distance from Sweetwater, at least an hour's drive without storm conditions, it was the next viable town south of here. It made perfect sense that if the storm had forced Paul Gonzalez to abandon his plan to harm Dana, he'd head toward Altadena.

The phone beeped one final time and shut itself down before Luke could thank Allen for the information. Just as well. He was anxious to tell Dana that Gonzalez had been captured, and that she'd been right about him being the shooter.

And that he'd been wrong. My God, he'd been wrong. He winced, well aware of the needless pain he'd caused her. Luke shook off a niggling of doubt. The pieces of the puzzle fit, considering Gonzalez had been picked up nearby, so why couldn't he just accept the answers that were right in front of him?

Luke was hit with a revelation that stopped him cold and

crawled through his gut like bad liquor. It had been easier, he realized, to believe Dana was guilty of a heinous crime than it had been to face up to his own feelings toward her and the baby. He felt rigid with emotion he hadn't felt in years, emotion he recognized as yearning.

At that moment Luke knew that he not only needed to set things right with Dana where *he* was concerned, he wanted to set everything that had gone wrong in her life right again. She deserved it. He stepped onto the porch and peered through the window. Hell, she deserved exactly what she was holding.

A baby like Daniel. A shot at happiness.

Maybe it took being snowbound in this damned cabin for him to realize what other people—normal people—wanted in their lives. He hadn't even known what to long for until he'd been unwillingly given a dose of it.

He had a fleeting image of introducing Dana to his grandfather. They'd be instant buddies, he knew. When Luke realized the image in his head included the baby, he almost laughed. Thoughts like that belonged to other people, not to him. But there it was all the same.

He shook his head. Allen said a warm front was moving in. Luke had seen a warm front arrive on the heels of a storm before. Though nothing in his lifetime compared to this blizzard, he knew from experience that a rise in temperature coupled with persistent sunshine could wipe out any trace of ice and snow within a day or two. That was the South's fickle way. In another month, it would seem the freak spring snowstorm had never happened. Trees would begin budding and bulbs would poke their heads through the ground. Life would go on as usual, leaving them nothing but memories and exaggerated stories to tell.

He and Dana would certainly have a story to tell.

A feeling of discontent gnawed at him and Luke rolled

his aching shoulder. Why did the thought of life returning to normal make him want to break something?

Luke watched as Dana settled the sleeping baby in the bureau drawer, patting his back until he settled comfortably against the soft blankets. He studied her movements as she glanced to and from the fire, a worried frown on her face. He smiled, oddly warmed by her maternal instincts as she obviously judged the distance too close. As he expected, she carried the makeshift crib into a shadowy corner of the den, close enough to the warmth but distanced from the glare and danger of the flames.

Her instincts and actions toward the baby were obvious, an open book. So what had ever made him think differently?

When Dana glanced up, she caught his gaze through the glass pane of the door. Despite the distance and the structure that separated them, something electric and intimate was exchanged in the gaze.

Luke opened the door as if he were operating outside his own body. His mind was working double time, and he refused to stop and analyze the images and yearnings that were crashing through his head. He removed his snowy jacket and tossed it over the kitchen table. His holster and gun followed.

"What is it?" Dana asked, her gaze uncertain.

"Gonzalez has been captured."

"Oh." The look on her face transformed to pure joy and Luke felt a rush of pleasure at delivering the news.

"He was caught about an hour from here. You don't have to worry anymore." Instead of tears of relief, as Luke had expected, she only stared at him, as though anticipating something more. "I'm sorry," he whispered. "I never meant to doubt you. It's my job to ask questions."

Dana nodded, her eyes suddenly damp.

He hesitated, his eyes searching hers. "There's a warm

front moving in. The snow should begin melting tomorrow.''

The words hung between them like a thin curtain. One that could remain or be brushed aside.

She realized in that moment that, against all odds and logic, she'd fallen in love with Luke Sutherlin.

''Then all this will be over by tomorrow?'' she asked.

Luke nodded. ''At least it's the beginning of the end.'' He took a step toward her, and his gaze flickered over her mouth. ''But we have tonight.''

# *Chapter 11*

Dana stared at Luke, wondering at the man who stood before her. He'd rescued her, angered her, made her tremble with longings she'd thought dead. He'd hurt her and forgiven her for sins that weren't committed against him. And now he was humbling himself, offering her something that she couldn't define but wanted with all her heart.

The look in his eyes said that he wanted her as badly as she wanted him. All she had to do was say yes. Dana felt her knees weaken at the thought.

Maybe she and Luke were only for tonight. There had been a time when Dana would have turned away from a man like Luke Sutherlin, from the idea of such raw sexuality without the promise of forever. But that was before Robert taught her that forever was only a word and marriage merely a promise. A slip of paper that could be retracted like a typographical error. Both meant nothing if they weren't from the heart. Robert had stood before God and their family and friends and promised her forever. But he'd turned his back on an innocent child and had left her without a moment's hesitation.

Now, with no witnesses, no licenses and no pretenses, Luke was offering himself to her. Yet he'd already given her so much—her life itself. The fire crackled behind her, and she closed her eyes, indecision pouring over her like the warmth from the flames.

Dana wanted him—his heart and his body—more than she wanted her next breath. Before she was aware that he'd moved, Luke's lips brushed her neck, soft but hungry. Gentle but insistent. The smell of his warm skin surrounded her, headily male. Completely Luke.

She wanted more.

"Luke…" she whispered.

He seized the opportunity to kiss her when she spoke, and Dana fell into the trance that was Luke Sutherlin. She was caught by the feel of his lips against hers, lifted to another place by the slight brush of his unshaven jaw as he slanted his mouth over hers. There was no awkward moment, only completion when their mouths joined, as they hungrily explored the taste and feel of each other.

He tore his mouth from hers and rested his head against her neck. "I want you—." The words were whispered, but the deep timbre of Luke's voice vibrated against her neck, sending chills skittering across her skin. He smoothed her hair from her face, his big hands cupping the back of her head. He tilted her to face him, his gaze claiming hers. "I want you so bad that I ache."

He closed the slight distance between their bodies, cupping her buttocks and lifting her against him. Dana felt his arousal as he allowed her body to slide against his, each inch maddeningly wonderful. Anxious to get closer to him, she shed her jacket and let it fall at their feet.

Luke's fingers toyed with the bottom of her shirt. "Say yes."

Dana smiled, filled with a confidence she didn't know she still possessed. "Yes."

She heard the sharp intake of his breath before he lifted the hem of her shirt over her head, stripping her of the garment and throwing it to the floor. Dana stood partially naked in the glow of the firelight. The warmth of the flames reached out to her, caressing her bare skin with invisible fingers. She was surrounded by the storm yet warmed by the fire, exposed at once to both life-taking and life-giving elements. The realization aroused some primal instinct, some need that drove her with even more certainty to Luke.

He was the one. If only for this night, he would forever be the one.

Luke seemed to sense that the barriers that had kept them apart were now gone. He lifted her, laying her down on the blanket-strewn mattress. His hands lingered, drifting slowly down her body until they stopped at the loose elastic waist of the fleece pants. In one slow motion he slid them from her hips and legs, taking her panties with them.

He knelt on the mattress, fully clothed, and reached for the front clasp of her bra. Unhooking it with one deft motion, he spilled her breasts free of the cups. She was completely naked, vulnerable to Luke's hot gaze as he drank in the sight of her. A deep moan resonated from his chest, and he fell forward, taking one breast fully in his mouth.

Dana's neck arched, her mouth parting in a silent sob at the sweet pleasure of Luke's mouth against her. Warm and slick-wet, his tongue encircled her nipple, stopping only to nip at her with his teeth, then lavish the same maddeningly sweet attention to the other.

He withdrew as quickly as he began, straightening to stand over her as she lay on the bed. Dana could see the rapid rise and fall of his chest and automatically matched her own breathing to his, just as he'd taught her. She couldn't explain it but she was somehow connected to this man. Chills danced over her skin as she realized that she'd soon be connected to him in body as well as in soul.

Luke was silhouetted by the flames behind him, his shadow falling over her body like a taste of what was to come. His gaze never left hers as he undressed, first lifting the black T-shirt over his head. His broad chest was highlighted by the flames, shadows dancing against the curve of muscle and bone. He popped the fastener of his jeans. He hooked his thumbs beneath the denim waistband and, carrying his underwear with them, slid them past his hips and down his legs.

He turned, his legs parting slightly as he stepped out of the circle of fabric, and Dana's breath caught in her throat. Luke's silhouette now included every detail of his physique, from his broad tanned shoulders and muscled abdomen to the strength of his manhood.

Her hands reached for him as if of their own accord, and Luke obliged, kneeling over her on the mattress. Dana lifted her shoulders from the mattress and took him in her hands, marveling at the weight of him, the velvet hardness of his arousal, the evidence of his attraction to her. Slowly she began stroking, watching the sweet pain of restraint etch itself on Luke's face.

And then suddenly she was pinned against the mattress.

Skin met skin, fusing them together as Luke's chest pressed against her breasts, and his legs entwined with hers. Dana felt his arousal impatiently press against her parted legs as he pulled first one breast into his mouth then the other. He made love to the hardened peaks of her nipples with his tongue, then trailed kisses across her neck until his mouth met hers.

"It's never been like this," he whispered, pulling back to meet her eyes.

Dana's response was lost when Luke slid his hands up her arms, lifting them over her head. His fingers entwined with hers, and she bent her knees in response, their gazes never parting. He entered her then, filling her, stretching her to the point of sweet torment. Dana shifted, desperate to take all of him, needing to feel the completion of him inside her. Soon they were moving against each other, mating with their bodies and their hearts.

Connected.

Dana arched her back as Luke moved in and out of her in a maddeningly slow cadence, creating a sweet burn that spread from their joined bodies to their joined hands.

"Luke—" Dana whispered his name as she felt herself lifted to another level of ecstasy. The heat in his gaze told her that he would follow.

"Dana," Luke moaned, finally breaking their eye contact as he bent his head, his mouth searching and finding her breasts.

The pull of his mouth on her nipples matched the push and pull of his lovemaking, faster and sweeter still. She writhed beneath him, wanting all he had to offer. And he provided—the tightened muscles of his thighs brushing hers as he moved within her, and the sweet friction of their union pushing her to the edge.

Soon she was falling, succumbing to the completion that was the two of them.

She opened her eyes and found Luke's, watched the play of emotion on his face as he was carried over the edge with her. Every muscle in her body contracted just as he found his release, drawing him tighter within her as the pulsing, spilling of his seed began.

When their breathing slowed and the sheen of moisture

on their bodies began to cool, Luke rolled Dana to her side and wrapped them in the tangled sheets. He kissed the curve of her neck, resting his head against her back.

"Prince Charming was a damned fool," he whispered, his voice hoarse with emotion.

"Not to mention that he wasn't that charming," Dana answered. She laughed and Luke held her tighter, his rumbling laugh mixing with hers.

She snuggled further into the protection of Luke's arms, filled with a completion she'd never known. How could something that started out so wrong end up so right?

Dana turned toward Luke, her eyes meeting his. "That sounded distinctly like a laugh," she said, feigning shock. "You should do that more often."

He kissed her on the end of the nose. "Ditto."

"I mean it." Dana's expression turned serious. "You don't smile often enough."

He grinned at her, the gesture making his argument for him. "Maybe I just need something more to smile about."

"Now?" she teased.

"Give me a minute and I'll take you up on that," he whispered.

Her stomach did little flip-flops that she hadn't experienced since high school. But she wasn't letting him off the hook that easily.

She turned in his arms, wrapping her leg over his. "Earlier you said that you knew what it was like to carry someone else's guilt. What did you mean?"

He shifted uncomfortably, and Dana sensed that he wanted to bolt from the bed as well as the question. She tightened her leg over his, willing to hold him in place if need be.

"It happened a long time ago." He sighed and rolled onto

his back, taking Dana part of the way with him. "It's better left in the past."

The urge to know everything about Luke was consuming, just like the man himself, and she found it close to impossible to let the question drop. She trailed her fingers up and down his arm, following the play of muscle and reminding him that they'd just shared more than secrets.

Dana recalled something Luke mumbled after hitting his head. She took a chance. "Does it have something to do with the factory fire?"

Every muscle in Luke's body tensed, and Dana knew she'd been right.

"What do you know about that?" There was steel in his voice that made her blood run cold.

"You told me."

"That's impossible."

His words were delivered with conviction, but Dana thought she detected a tone of relief in his voice. Or so she hoped. She continued before she totally lost her nerve.

"I needed to keep you awake after you hit your head so we talked. You mentioned your father." She hesitated. "You said he chained the doors of his factory and workers were killed in a fire."

"Damn." Dana expected Luke to bolt from the bed, but he didn't. He remained rigid instead, staring at the ceiling where the fire's shadows danced in a macabre motion. "I told you that?"

"Yes. Did you mean it literally?" she asked. "That he chained them in?"

"Yeah." Luke hesitated. "Sutherlin Industries manufactures paper products. A lot of flammable liquids are involved. Even back then there were smoking regulations because of the chemicals and the paper products themselves. Some workers on the night shift were caught using the fire exits to take unauthorized smoke breaks. Chaining them in like animals was his solution to the problem.''

Dana felt sick at the thought.

Luke was silent for a minute before he spoke. "It was my sixteenth birthday." She recognized the detachment in his voice. It was the same defense mechanism she used on the air when reporting a tragedy. "I grew up that day in more ways than one," he continued. "Everything changed. Everything."

"How many people were killed?" Dana asked.

"Seventeen, some from the same family. Children were left without fathers, some without mothers. One little girl even lost both." He ran his hand over his brow. "It was such a tragedy. The fire changed the whole town, not just me."

"But it changed you, too."

"Yeah. Until that day I never realized my father's power in this town. I realized we were wealthy compared to others but didn't understand the implications. My father and his partner owned several paper factories in the Appalachians, one here in Sweetwater. He employed—employs—half the town. He's powerful, the nucleus of a lot of people's lives. He should have accepted the responsibility, not just the power."

"His partner, too."

"Lawrence Williams, my father's partner, was in the factory when it burned. He paid the ultimate price. He got revenge from the grave, though…" Luke laughed a cold laugh. "My father married his widow, Camille."

Dana felt the pain emanating from Luke, though his laughter belied the emotion. "Your stepmother is—"

"My father's partner's widow," Luke filled in the blanks. "A convenient merging of assets that turned out not to be so convenient."

"Was your father charged with murder?"

"No, the fire involved powerful chemicals and, of course, the paper products themselves. There were multiple explosions that destroyed everything. They could barely identify the dead much less collect hard evidence. Only rumors were left."

"Then maybe it wasn't true. Maybe your father wasn't to blame."

"I wish to God it wasn't, but it was. Camille—Williams at that time—accused my father in front of me." He shook his head. "She was wild with grief for her husband."

"That doesn't put her in the best position to judge, Luke."

"Yeah, you're right. And maybe I would have given him the benefit of the doubt, but my father never denied the rumors to *me*." Luke ran his hand through his hair and sighed. "He denied it publicly to anyone who would listen. But never to me. Never to his own son."

"You were practically a kid. Maybe he didn't think he should involve you."

"Oh, I was involved. The least he could have done was prepare me."

"For what?"

"For becoming an outcast."

Her heart went out to the sixteen-year-old boy who'd been forced to face a side of the world that was ugly and mean. A side she, too, had seen too often. "But it wasn't your fault, Luke…"

"Of course not, but that didn't matter at the time. The people of Sweetwater couldn't turn against my father. They still needed him."

"No one needs another person that badly. What he did was unforgivable."

"True." Luke shook his head. "But before the factory

came to this town, there was more poverty than work. My father gave the people in this community jobs, changed their lives for the better. Lucas Daniel Sutherlin was one step away from being God. They needed him to rebuild the factory, so therefore they needed *him*.''

"But you were another matter," Dana offered.

Luke nodded.

"But you obviously moved on."

"Not really. Dug in is more the truth. I can't help that I have the same last name as my father, but I can find honor in it, pay back the debt my father owes."

"Which is how you ended up as chief of police," Dana stated.

"I suppose."

"But you were appointed, right? They appointed you despite your father."

"Or because of him." He drew her against him. "That's something I'll never know."

"But—"

Luke silenced Dana with a kiss that made her insides melt and wiped all other thoughts from her head. He broke the kiss to look at her.

"I have an idea." His voice flowed over her like melted chocolate. "Let's talk about something else."

It was a very effective way to change the subject. Dana took a deep, steadying breath, the heady imprint of his lips still lingering on hers. The man had enough sexual charm for two people, she decided. It was a painless defeat. But when she looked into Luke's eyes, she saw a wariness that stopped her short.

There was something more. Something he wasn't telling her.

''What is it?'' she asked, propping on one elbow. ''Is something wrong?''

''No.'' He stroked her arm, his gaze falling to the shadows where the baby slept. ''It's just... I have some new information about the baby.''

# Chapter 12

"His name is Daniel."

Dana's gaze followed Luke's. "Oh." She pressed her hand against her lips, suppressing the urge to cry.

The fact that the baby had a name was illogically painful. For the past few days he'd been her responsibility, the focus of her every action. That fact had somehow lent her possession of him, however temporary. But now she knew his name, knew that his mother, whose life had ended on a jagged cliff, had conceived him, carried him, given birth to him...

And named him Daniel.

It was a sobering dose of reality that she hadn't been prepared to face.

"He's four months old. And he has no one, no family that we're aware of."

Luke's words seeped through her thoughts slowly. She stared at the baby who slept peacefully in the corner of the room, his face dimly lit by the fire's glow. Though the shadows hid his features, she'd memorized every one. She knew that his lips were pursed in sleep, that one chubby cheek was pressed firmly against the blanket while he slept.

He was blissfully unaware that he was alone.

Empathy eroded what little barrier stood between her heart and the baby, dredging up painful memories of growing up without her parents. Life was so unfair.

"Dana…" Luke's hand was on her cheek, wiping away tears she hadn't known she'd shed. "I've been thinking. What about you? You should take him."

Luke's words didn't make sense. Was this some cruel test, some scenario he'd conjured up to gauge her reaction? "What?" She pulled away from his touch, scrambling to sit upright.

"Whoa…" Luke sat up, his hand gently encircling her arm. "Calm down." He whispered the words as if she were a frightened animal on the verge of running away.

The room spun in a vortex of color and light, and Dana could feel her heart beating against her rib cage. Maybe she did want to run.

"What I meant was that you could petition the courts to let you keep the baby. You said that you'd been certified for foster care, right?"

Her vision slowly cleared as Luke's meaning became apparent. Dana steadied her breathing, but her heart continued to pound. Yet instead of pounding with fear and outrage, it now beat with excitement, with the possibility of what could be.

"Me?" She touched her fingertips to her chest. "Be his foster mother?"

"I don't know much about the system, but you're responsible for saving his life, and you've bonded in the past few days. Why not?"

Why not? For a thousand reasons that Luke Sutherlin

couldn't begin to fathom, that's why. Because she would be torn apart by grief when it came time to part with him. Because she would dream of it becoming permanent, of becoming Daniel's mother. And Dana knew from experience that those were fragile dreams, the kind that shattered before your eyes and left you alone and empty.

"It's just that—he's been through so much already. And you two look like you belong together."

Dana swallowed hard. "I could say the same thing about you."

Luke laughed. "If there's one thing I was never meant to be, it's a father."

"Maybe I wasn't meant to be a mother, either."

"That's ridiculous, Dana."

"No, no it's not." Dana twisted the sheet against her bare chest, lost in thought. "You know that feeling you get when you realize you've made a mistake—the moment when your chest tightens and time stands still?"

"Yeah." Luke's voice grew dark. "Yeah, I do."

She looked at Luke, blinking away memories of Michael. "Well, you can't make mistakes with a child."

"You're allowed to be happy, you know. You're even allowed to make mistakes. You should think about it. I can't imagine him being placed with someone else, not if you've been certified as a foster parent already."

Placed with someone else...

Dana realized as Luke spoke the words that it was already too late for her heart, that she would die a thousand deaths to keep Daniel with her a little longer. She knew from experience that a child who was not biologically hers could be ripped away without a moment's notice. But the dream had already begun. It started the moment she found Daniel and became possible when Luke saved their lives.

It was simply too late to turn back now.

Dana met Luke's eyes. She touched his face, memorizing his high, tanned cheekbones, the flinty-blue eyes rimmed with dark lashes. She would remember this moment, this night, this man. And she would believe, if only for tonight, that dreams could come true.

"Make love to me again, Luke," she whispered.

Dana watched Luke's eyes darken with desire, his gaze fill with hunger as he pulled her against the mattress.

Luke cracked one eye open, allowing the morning light to filter in. He'd slept like a dead man. Dana had sapped the last of his energy sometime after midnight. He smiled a lazy, contented smile. He'd slept with the peace of knowing that Gonzalez was in custody and that Dana and Daniel were safe. He rolled to his side and listened to the soft noises coming from the kitchen. He'd been aware of Dana, the baby and Sam stirring around the cabin for some time, but had simply allowed the homey sound to lull him back to sleep.

He forced his eyes to open completely and focused on Dana. She carried the baby on one shoulder and was juggling a can of food with the other. She turned suddenly, as though she felt Luke's gaze on her back. A broad smile split her face as their eyes met.

She brought him a glass of murky-looking juice as he scrambled to a sitting position. "I wish it were coffee." She wrinkled her nose. "It's more pear juice."

He took a sip. "I'm glad it's not coffee." He pulled her to him for a quick peck on the lips, stroking the top of the baby's head in greeting. "Because that would be too perfect and I don't want to be dreaming."

Dana blushed, and Luke felt his heart squeeze, knowing that he was responsible. Her skin was devoid of makeup, yet she literally glowed. She'd obviously stoked the fire because the cabin was bathed in warmth, allowing her to putter about barefoot. She'd pulled the sweatpants back on and had added a fresh white T-shirt that Luke suspected had once belonged to one of the rangers.

His eyes drifted lazily over her body. She might be fully clothed but in his mind's eye he saw her as he had last night. Luke smiled, a surge of possessiveness tugging at him as he remembered their joining. He'd tasted and touched every inch of her and he still wanted more. She wasn't wearing a bra, Luke realized. Her nipples puckered the soft fabric of the shirt and her breasts swayed in response to her movements. Last night had been incredible. Memories hardened his body, made him crave more.

Warning bells were going off in his head like sirens, but he ignored them. Happiness had presented itself to him in the form of this one temporary indulgence and he was going to take it.

Warning bells be damned.

Sam chose that moment to claim seniority and jumped on the wobbly sofa bed, plopping down in Dana's spot. "I don't think so, old man," Luke scolded. "She's got you beat in more ways than I can count."

Sam let out a soulful moan, and Dana raised her eyebrows. "I think he's arguing with you."

"No, that's advance notice that nature is calling." He winked at Dana as he slid from the bed and pulled on his jeans. "Me first," he muttered. He made his way to the bathroom and paused when he caught sight of his reflection in the mirror. He didn't look any different after last night. So why did he feel so different?

Because he was.

Luke ran his hand through his hair, shoving the wayward strands into some semblance of order. He was stuck in the middle of nowhere, had inadvertently shirked his duty as chief of police, and had just set himself up for a fall by making love to a woman who'd soon vanish as quickly as the snow. But he was happy. Strange as the combination was, he was genuinely happy.

Luke walked back to the kitchen and stole up behind Dana as she rifled through the canned goods. He tugged her backside against the front of his body, nuzzling her neck. She giggled and he moaned, a jolt of desire weakening his knees. He'd intended the action to be playful, but it ended up being insanely tempting instead.

"You are a drug," he whispered, drawing away from her.

Dana smiled and met his eyes, a sort of disbelief lingering in her expression. Luke understood. He felt it, too.

Sam whined and circled at his feet, and Luke got the message loud and clear. He found his jacket on the back of the chair and pulled it over his bare chest. When he opened the back door Sam dashed headlong into the snow. Luke stepped onto the porch, closing the door behind him, and propped his hip against the railing. The morning air didn't bite at his lungs when he breathed. In fact, there was a hint of warmth.

Though the temperature probably still hovered around the freezing mark, the forest was bathed in sunlight and alive with the sound of melting snow. Drifts were melting into comical shapes, and miniature mounds of snow were sliding from leaves and branches, plopping to the ground in a steady cadence. Squirrels had come out in force, jumping and crashing from branch to branch, their playful actions adding to the chaos.

A muted, foreign sound echoed in the valley below the mountain, barely discernible. Luke cocked his head, listening. The sound echoed again, louder this time, and he recognized the hum of heavy machinery. His men were clearing the road. His pulse increased with a combination of excitement and regret. He'd soon have Dana and Daniel to safety.

And then they'd be out of his life.

He tried to coax himself into feeling relief by mentally creating a list of creature comforts he would soon indulge in. First on the list was a long, hot bath. Luke shook his head when an image of Dana, naked and smiling, slipped into the tub.

He changed tactics.

Closing his eyes, he conjured up the image of a thick steak smothered in mushrooms, paired with a steaming baked potato. His mouth watered in response. While he was in the midst of the fantasy, he got himself a cold beer, chose a good movie from his DVD collection and mentally popped it in the player. Problem was that Dana was nestled on the sofa beside him and the baby lay on a quilt by her hip.

Luke rubbed his eyes. His world had shrunk to the size of the cabin, proof that he'd been cooped up too long. Lack of sleep and nutrition weren't helping, either.

Not to mention the fact that he'd had the most mind-shattering sex of his life with Dana Langston.

No. Luke closed his eyes. Even the thought was wrong, somehow disrespectful. They hadn't had sex. Luke felt something inside him shift.

They'd made love.

He gave himself another mental shake. "Get a grip," he muttered beneath his breath. Things would sort themselves out once they were free of the storm, and his life would soon return to normal. And at some point he'd stop thinking of Dana and Daniel.

Luke realized with a start that Sam had returned and was circling his feet impatiently, whining to return to the warm cabin. He opened the door, and the dog blasted inside, greeting Dana and the baby as though he hadn't seen them in ages.

Dana rubbed Sam's shoulders before raising her gaze to Luke. Her gleeful expression turned serious. "What's wrong?"

"Nothing." He shrugged. "Good news, actually. I can hear them clearing the road. We should be out by nightfall."

She broke eye contact to pet Sam again, and Luke wondered if she'd experienced the same flash of regret that he had. "That's so wonderful," she said. "The baby is down to two bottles, maybe three if I stretch it."

"Stretch it, just in case," he replied. "From the sound of the machinery, they're almost at the accident site. I'm going to dress and hike down there. I should be back in a few hours." He tried on a smile and hoped it looked nonchalant. "Hopefully I'll return with a ride out of here."

"I wish you wouldn't go."

Did she feel it, too? he wondered. Her words tugged at him, tempted him to make promises he couldn't keep. Luke concentrated on the business at hand. It was time he did his job. Reality was waiting for all three of them.

Whether they wanted it to or not.

"I have to. The men will need me at the accident site. You and the baby are safe here." He grasped her shoulders in his hands. "Gonzalez is behind bars."

"I know. You're right. Just…" She forced a smile. "Be more careful this time."

He wanted to kiss her. It seemed the most natural thing in the world to do, but he resisted. Luke dropped his hands and forced himself to take a step backward. Dana turned away and busied herself doing nothing in the kitchen.

It was awkward knowing they were near the end. And, if Luke were honest with himself, it was downright hard.

He retrieved his shirt from the floor near the bed and

pulled it on, doing his best to ignore the tangled sheets and the memories. He shoved on his socks and boots and slipped his jacket back on.

Luke hesitated when he reached the door. "Lock the door behind me," he ordered.

Dana smiled. "But there's no need to—"

"Humor me," he answered.

Dana nodded.

Luke drank in the sight of her, memorized it. She held the baby against her shoulder, supporting his head and back with her graceful hands. Straight blond locks brushed her shoulders, contrasting with the baby's dark peach fuzz. She was beautiful. The most gorgeous woman he'd ever seen. Her face had been seductively beautiful last night, lit by the flames of the fire and flushed with desire. Yet she was even more beautiful right now, bathed in the morning light, dressed in cast-off clothing and looking as though she would cry.

He knew that no matter what happened, this was the memory of Dana he'd carry with him always.

He pulled the door shut behind him and walked away.

# Chapter 13

Luke stood on the side of the mountain, squinting into the glare as he watched the slow progress of the crews. The sight of the yellow equipment was startling against the backdrop of the snow, as was the strip of clean black asphalt that trailed behind the road crews. Luke was tremendously relieved to see the road cleared, despite the lingering sense of loss. The road represented safety and freedom, not just for Dana and the baby, but also for countless others trapped by the storm.

Luke's thoughts went to his grandfather. The old man had weathered worse situations and was well stocked with food, water and firewood, thanks to Luke. But it was a relief to know that he and his men could soon get to his grandfather and the other residents of Sweetwater.

He gingerly touched the wound at the back of his head, remembering his first attempt to reach the accident site. Hopefully, this time would be vastly different. Ben Allen was directing the effort, and Luke felt a surge of pride in the young lieutenant, as he did all his men. They didn't know, and probably didn't care, how much he respected them.

He spotted several landmarks along the road—a large oak that curled away from the ledge, as if trying to escape the pull of the void below, a hairpin curve and a guardrail that had seen one too many impacts—and realized that the crews were actually beyond the accident site. But without knowing where to look and what to look for, the accident had gone undetected. Luke cupped his hands and let out a welcoming yell, waving his arms as he descended the mountain toward them.

One of the men spotted Luke and directed the road crews to kill the equipment's engines. Every muscle in Luke's body was aching and his breathing was labored by the time he dragged his heavy boots through the last of the melting slush.

"Chief!" Ben Allen and several others shook his hand and slapped him good-naturedly on the back. "Glad to see you're okay."

"Not as glad as I am to see you guys." He caught his breath. "Give me an update."

"Well, if the temperature continues to rise, we may be home free soon. If not, the slush will freeze again tonight and it'll be tomorrow before we get any relief." Ben looked over his shoulder at another officer. "Pete, get the chief some coffee. There's a thermos full in the front seat of my cruiser."

"Thanks." Luke watched the officer lumber off to retrieve the thermos, and his mouth watered at the thought. "How are conditions in town?"

"Clear. North to the bridge is good and south of town is passable, including the roads to Waterford."

Waterford was the only exclusive neighborhood in Sweetwater. His father and Camille owned the biggest house on the highest crest, surrounded by the lesser homes of junior executives employed by the factory. His father's power was never more evident than in Waterford Crest and, in Luke's opinion, never more repulsive.

"Speaking of Waterford, Chief, your father called again this morning."

Luke felt his blood pressure rise, sensing there was more. "And?"

Ben Allen nodded in the direction of the young officer who was bringing the coffee. "Pete Guthrie told him that you'd been snowbound with an accident victim and that we'd have you out by today. I'm sorry I didn't intercept the call."

Luke bit back a curse as Pete returned. Ben's unspoken apology was obvious, as was the fact that his strained relationship with his father and stepmother was not anyone else's fault.

"Is that all he told them?"

"I relayed your orders to keep quiet about the fatality. Folks sure have been panicked."

"Good call," Luke said. "Have there been any missing-person reports that fit the victim's description?"

"No, there haven't. Seems strange, doesn't it?"

"Yeah." Luke glanced around the remote setting. There wasn't much north of them. Just a few rental cabins like the one Dana was headed toward and a few permanent residents like his grandfather. But beyond that the road took a winding path down the other side of the mountain and eventually ended up crossing the state line. There were definitely more direct routes. "I'd like to know where she was headed."

"I don't get it, Chief. Why would someone be traipsing around these mountain roads in the middle of a blizzard?"

Pete Guthrie returned and extended the thermos to Luke

like a peace offering. He accepted with a nod of thanks. Unscrewing the lid, he allowed himself a moment to enjoy the aroma of the coffee. His stomach growled with a pang of hunger, reminding him that he normally ate more than canned pears. Luke filled the plastic lid with the steaming liquid and took a sip.

The coffee was black, hot and slid down his throat like a long-lost friend. The simple indulgence punctuated the isolation he'd experienced and reminded him that he still had responsibilities beyond Dana and the baby. He wiped his mouth with the back of his hand and surveyed the area with fresh resolve.

"I need the road crews to continue what they're doing." He pointed up the mountain. "Ben, you're in charge of overseeing their efforts. Get the access road to the ranger's station cleared first, then have them head on up the mountain to Ashton's Gap. Check in with my grandfather to see if he needs anything before you come back down the mountain."

"Yes, sir," Ben Allen responded.

"Radio the station and have one of the men purchase baby formula. It needs to be on hand by the time the crews get to the ranger's station." He paused. "He's accustomed to the powdered kind. Get that." Luke challenged the amusement in Ben's eyes with a firm stare. "We'll also need sterile water, a new bottle and a car seat. Oh—and diapers." He recalled the growing pile of disposable diapers outside the cabin door. "The kind you throw away," he added.

"Sure thing."

"Leave Pete with me. I'm going to rappel down to the accident site, and I'll need someone standing by." He pointed down the mountain, toward a sharp curve in the road. "The vehicle left the road there."

Ben's face registered surprise. "Damn. We worked right past it."

"It's almost impossible to spot without knowing where to look." Luke felt a wave of sadness for the baby's mother but forced himself to remain detached. "If we're successful in retrieving the body, it will need to be transported to the morgue. I'll radio in a request."

"There's rappelling equipment in my cruiser. I'll leave Pete and the vehicle with you." Ben waved his arms at the crews. "Let's go!" he yelled. "Anything else, Chief?"

His thoughts returned to Dana, suddenly warmed by the idea of providing her an indulgence, however small. What would she want? Luke realized that there were a million things he didn't know about her, despite what they'd shared. A woman like Dana probably ate dainty, healthy food, he reasoned. But then again looks could be deceiving.

She'd certainly had an appetite last night.

Memories flooded his mind and he suppressed a revealing smile. "Get a chef's salad and slice of chocolate cake from the deli for Miss Langston," he finally answered. "Oh— and add a mocha latte and a can of dog food to the list."

Ben raised an eyebrow, but any clever comment he might have made was interrupted by the sound of cranking engines as the road crews engaged their equipment.

The rappelling equipment tightened effectively over his hips as Luke stepped backward off the cliff and began his descent. Despite the rise in temperature, it was still cold. Moisture from the melting snow penetrated his hair and clothing and hung in the air itself, ironically packing just as much bone-numbing cold as the Arctic air that had brought the storm front. He stopped the feed of rope to survey the area below him. He could see the outline of the vehicle beneath his dangling feet and felt icy fingers of dread up and down his spine.

Determined to get the grizzly job over with, he released the line and lowered himself to the ledge. The ledge faced eastward and its exposed rock had obviously soaked up the warmth from the rising sun, erasing all but a few stubborn patches of the ice and snow. The first thing Luke noticed was that the scene was precisely as Dana described it.

A broken bottle of Jack Daniel's whiskey lay on its side, its contents long since spilled. Luke peered over the edge of the cliff, easily spotting the vehicle tenuously suspended on the mountain face below. The sun had melted most of the snow from its faded blue exterior. Again, just as Dana had described.

Precisely.

He stepped back when a gust of wind hit the mountainside, unexpectedly rising from the valley below. Luke unclipped the support belt and stepped free of the rappelling equipment, walking carefully toward the whiskey bottle. Instinct gnawed at his gut, telling him not to disturb the scene as he knelt and examined it.

"Are you okay, Chief?" Pete called from above.

Luke squinted, spotting Pete's silhouette. "Yeah. I'm going down to the vehicle."

He stepped back into the rappelling equipment and fastened the safety hooks, then double-checked every aspect of the equipment before lowering himself over the edge. Luke took advantage of his aerial view as he slowly rappelled downward, his gaze scanning every inch of the car. The back windshield was blocked with what appeared to be blankets and clothing, just as Dana had described. The front windshield was shattered and Luke noticed the telltale spider's web pattern that told him the driver's head had impacted. He could see that the back door was slightly ajar, probably the side Dana had entered to retrieve the baby.

An invisible fist of fear hit him in the gut. Dana could have easily been pulled down the mountain with the car, dragged across the jagged rocks to her death. Nausea tightened his throat. But without her heroic effort, Daniel would have frozen alongside his dead mother.

Both thoughts were unbearable.

Luke released the feed line and lowered his body until he was almost parallel with the car. What he saw made his blood run cold. Fresh bullet holes riddled the vehicle's back fender well. His gaze shifted slowly to the back right tire.

A jagged hole was ripped in the side.

"Everything okay?" Pete's voice echoed from above.

It took him a moment to find his voice. "Yeah." The answer was a lie, but the truth eluded him at that moment.

He used his gloved hand to scrape away a thin layer of ice that lingered on the shaded side of the car's side window, and peered inside. The lifeless form of a woman lay askew in the front seat, her head tilted skyward, her blond hair tangled around her.

A violent cut ran diagonally across her face, leaving blood and torn flesh where her features had once been. Luke's gaze shifted to the jagged stub of plastic that had once held the rearview mirror, then to the impact mark on the windshield and prayed that she'd died on impact rather than from her injuries.

Sweat beaded on his forehead despite the cold. He'd known what he would find, had done his best to prepare, but death was a part of the job you never became accustomed to.

Especially when it was murder.

The car had come to rest with its nose wedged against a scrubby grove of pine saplings that grew stubbornly from the cracks in the rock face. Luke knew that even their combined strength wasn't enough to prevent the car from sliding if he wasn't careful.

Luke chose the back door first, since it was already ajar. He tugged on the handle as carefully as possible, sighing with relief when the door began to open. Its hinges creaked and the noise grated against every nerve in his body until it finally swung completely open. Luke lowered himself to the steep mountain face and, using the heels of his boots, dug a foothold. He balanced by leaning his body weight into the rappelling harness as he examined the contents of the car.

Two empty whiskey bottles lay in the floorboard of the back seat. Luke frowned. Two, plus the one that had fallen from the car and onto the upper cliff. That made three bottles of hard liquor consumed by one woman? His gaze shifted reluctantly to the woman. She was obviously petite. The idea of her consuming that much liquor didn't hold. And why the floorboard of the back seat where it was inaccessible?

Because the scene had been carefully staged. The accident was no accident.

"Pete!" Luke yelled, watching the young man's silhouette reappear on the cliff above him.

"Yeah, Chief?"

"Call the GBI for a blood alcohol kit."

"Yes, sir."

Luke knew in his gut that the test would prove negative. The woman had been forced off the cliff rather than driving off of it in a drunken stupor. But who would want to see her dead? The professional in him reasoned that Dana was the only other person known to be involved, and that fact alone made her a suspect. His gut clenched and he dismissed the suspicion. The woman he held in his arms last night was not capable of murder and would certainly never have put the baby at risk.

The mental and physical strain of the past few days settled on his shoulders, and Luke suddenly felt weary. He took a deep breath, forcing himself to concentrate on the job. Like it or not, he would have to abandon his efforts here for now. The accident scene was now a crime scene and couldn't yet be disturbed. He mentally cursed the fact that the road had been scraped clean, eliminating tire tracks and footprints that might have been helpful in the investigation. When the tedious forensic process of evidence collecting and photographing was complete, he would need additional equipment and manpower to retrieve the car. And the woman's body.

Luke continued to examine the contents of the vehicle from his awkward vantage point, careful not to disturb anything. He frowned. Dana said she'd looked for a purse but hadn't found one. That fact bothered him. It was a rare woman who didn't carry a purse, and most kept it on the seat next to them. He raised his body using the rappelling harness and peered into the front seat. It was entirely possible that the handbag was pinned beneath the woman or had slid beneath the seat. It was also possible that whoever had arranged for her death had also arranged for the purse's disappearance.

That question, and a myriad of others, would have to wait. But there was one that he could have the answer to now. Luke maneuvered himself so that he could see the car's tag. It was a Georgia plate, and Luke recognized the prefix as one for metro Atlanta. He called the series of alpha and numeric numbers up to Pete.

He lingered a little longer. Damn but there was something he wasn't getting, some kernel of information imbedded in his brain that wouldn't cooperate. He finally gave in to defeat and the cold wind that swept across the mountain face.

"I'm coming up!" he yelled.

Pete waited with an anxious expression when Luke finally topped the edge of the cliff. The young officer helped him the rest of the way up and Luke was grateful. The muscles in his arms and shoulders had been challenged to the breaking point and his legs trembled with an overabundance of caffeine and a lack of food.

"Did everything check out?" Pete asked.

Luke hesitated, tempted to keep the details to himself, especially with Pete Guthrie's recent track record.

"No," he finally answered. "I'm afraid the car was forced from the road. There are bullet holes in the back fender well and tire."

Pete visibly paled, but there was a gleam of fascination in his eyes. "You're kidding."

"No, I'm not." Luke glared at him, hoping the young man interpreted the warning.

This wasn't television. It was reality. And the young woman in the car was more than a dead body and a forensic case. She was someone's daughter and certainly someone's mother. Luke hated gossip only slightly more than those who gossiped. He recalled the fact that Pete had discussed his whereabouts with his father and stepmother. His stepmother had a keen instinct for seeking out people who liked to swap gossip.

Maybe, when all of this was over and done with, he'd have a talk with the young officer about discretion and respect. For now he had to deal with the business at hand.

"There's not much more we can do here now but wait. Nothing—absolutely nothing—is to be touched or altered. Understand?" Pete nodded. "I need to ask Dana—Miss

Langston—some additional questions. I'm leaving you in charge of guarding the crime scene until we get backup.''

"Sure thing.'' The gleam of curiosity returned. "You don't mean Dana Langston, the television reporter, do you?''

Luke looked up, surprised that Pete didn't know the details of the case. Had Ben Allen not apprised the entire force of the situation, including the manhunt for Gonzalez? Keeping things low-key was commendable, especially where Dana's public reputation was concerned, but leaving his men in the dark was another.

He felt his blood pressure climb a notch. Maybe Pete was the only officer who didn't know the details of the case. For now he could only assume that Ben Allen had good reason for not telling the young officer everything.

He'd better have a damned good reason. "Yes, the same Dana Langston.''

Pete suddenly looked as eager as a dog with a bone. "Is she okay?''

Luke stepped out of the harness and began coiling the rope. "She had a few minor injuries. She'll be fine after she gets some rest and decent food.''

"I meant…'' He hesitated. "I meant it couldn't have been easy to be cooped up like that in such a fragile state of mind and all.''

*Fragile state of mind?* Luke shook his head, dumbfounded. Pete either knew about Dana's close call with Gonzalez or he didn't. What the hell was he talking about?

Luke's patience was wearing thin and he made no effort to hide it in his expression. "What do you mean, 'fragile state of mind'?''

"I didn't mean any disrespect, really.'' Pete broke eye contact and began kicking at the ice-encrusted gravel beneath his feet. "I was at my cousin's place between here and Atlanta when I saw the news report..." He hesitated, obviously unnerved. "He has cable and they get all the Atlanta stations—"

"For God's sake, Pete, get to it."

"I saw her nervous breakdown or whatever they call it," he blurted out.

"Nervous breakdown?"

"You didn't know about it?" The gleam of excitement returned. Scandal obviously trumped fear of disapproval. "One minute she was reporting a story and the next she was having a meltdown. Right there on the air."

Luke felt his gut tighten in sympathy for Dana and in dread of what he was about to learn. "What was she reporting?" he asked.

"Reporting?"

"You said that she was reporting a story when she..." He ground his teeth and summoned what was left of his patience. "What was the story she was reporting?"

"Oh." He frowned. "It was about a child. A little girl whose mother had abused and killed her." He shook his head. "Sad story. The little girl was from Dunwoody. The same as that other kid that was killed."

Michael Gonzalez. Luke felt sick to his stomach. It was as if everything he knew, or thought he knew, had been sucked into a void of darkness, leaving him without reason. So Dana had had an on-air breakdown. Funny, she had failed to mention that detail.

*How could someone be so careless with this precious life?* Dana's words echoed in his head. *The mother had been drinking...*

Luke shut his eyes, recalling the anger in Dana's voice.

*There were several bottles of alcohol in the car.... Only one of them was full. It fell out and broke at my feet.*

She couldn't be involved. Luke clenched his jaw. He'd

heard the gunshots with his own ears, seen the terror in Dana's eyes. A sliver of professional doubt made its way beneath his skin and whispered "what if." What if she'd fired those shots herself, ditched the weapon and staged the rest?

But for whose benefit? There was no way she could have known he'd hear the shots, become involved. Was there?

None of it meant anything, except that Dana had been in the right place at the wrong time. Or the right time. She'd saved the baby's life for Christ's sake. So why hadn't she told him about the breakdown?

"Chief?"

He looked up at Pete, realizing that the officer had asked him a question. "What is it?" he barked.

"I just asked you about the baby."

"The baby?" So Allen had told Pete about the baby but not Dana's identity. "What about him?" The wound on the back of his head began to throb, and Luke felt as if the last of his energy had drained from his body.

"Do you want me to contact DHR and have someone pick him up?"

Time stood still. His head and his heart ached as he tried to focus on the facts at hand. He was a professional, dammit, capable of making a rational decision, one that didn't involve his own feelings.

A professional was probably all he would ever be. Not a husband or a father. Just a cop.

Truth was, he'd give half his life and his job to keep from making the decision before him. He and Dana had made love, shared secrets. But the fact that she hadn't told him about the breakdown made him wonder if he really knew her at all.

*Why would someone be traipsing around these mountain*

*roads in the middle of a blizzard?* Ben Allen's words echoed in his mind.

What else hadn't she told him?

Luke released the safety hooks on the rappelling harness and allowed it to drop to the ground. He stepped free of the equipment and kicked it out of his way. Dammit. Could he risk it? He'd come to love the baby as well as Dana…. The realization stopped him cold.

He loved her.

My God, what a fool. He loved her.

Or had he simply bought into the dream?

Luke recalled the lifeless body of the baby's mother, the jagged cut that had marred her features and the broken angle at which her corpse had frozen in the car.

He met Pete's eyes. "Yeah. Tell DHR to send someone right away."

# Chapter 14

Dana forked the last bite of salad into her mouth, closing her eyes as she chewed. This salad wasn't your wimpy, low-cal type. It was loaded with creamy dressing, crisp veggies, cheese, and every type of deli meat imaginable, including salami and pepperoni. Sinful. From this day forward, she vowed to skip all low-fat dressings. Why ruin perfection? She eyed the slice of thick chocolate cake that waited near her elbow and mentally added low-calorie to the list of has-beens.

Lieutenant Allen had informed her that Luke personally ordered the meal for her. She'd known it was true when the officer also produced an oversize can of beef-flavored dog food for Sam. Her canine companion was currently in the process of chasing the empty bowl across the hardwood floor, a dramatic effort to let them know that he wanted seconds. He finally gave up and sauntered to Dana's side for a shoulder rub. She slipped him a piece of Canadian bacon instead, and he discreetly left with the treat as if it were a state secret.

The baby—Daniel, to her now—cried out and Dana's head snapped up. Ben Allen sat across the table from her, stiffly holding the baby while trying to interest him a bottle.

Ben had been a welcome sight, a reminder that there was a world outside the cabin. And that not all of its inhabitants were bad. She liked the young lieutenant right away. He had shy brown eyes that he kept downcast, a feature that contrasted with his blond hair and fair skin. He was very professional despite his friendly demeanor. Dana got the impression that he idolized Luke.

Right now his eyes registered controlled panic, the same expression she'd seen in Luke's once. A long time ago, it seemed. "I never could seem to get this right with my sister's kids, either. Maybe I got the wrong kind of baby formula," Ben suggested as the baby squirmed and turned his head. "Chief said to get the powdered stuff, that he was used to that kind. I followed the directions…"

A wave of warmth ran through her at the connection she shared with Luke. She grinned. It was entirely possible that she was on a sugar and caffeine high from the mocha latte, but she couldn't seem to get the goofy smile off of her face.

Dana had been sad when Luke first left the cabin to join the road crews, certain that, in the ultimate irony, their rescue would be the end of the happiness she'd only just found. But a sense of uncharacteristic optimism had taken over along the way. Somewhere between Luke's suggestion that she foster Daniel and the fact that Luke was about to walk out of her life, she'd decided to take new risks. Starting with saying "yes" to the baby and "no" to saying goodbye to Luke. Maybe, just maybe, it could work.

"Be sure and thank your sister for me." Dana nodded to the ancient car seat that sat on the table. Daniel let out a squeal of frustration, and Dana held out her arms. "Let me give it a shot," she offered.

The lieutenant frowned. "Weren't you just about to eat your cake?"

Dana smiled, filled with maternal longing that made the cake cease to exist. "No problem. Besides…" She glanced out the ranger's station window to where a half dozen men were noisily turning the tractor equipment around, preparing to leave. What was once a solid coating of ice had given way to a rustic but passable dirt road. "It looks like they've finished."

"You're right." Lieutenant Allen craned his neck, and it was obvious he wanted to oversee the progress.

She held out her arms for the baby. "Give him to me. You might be needed outside."

"Thanks." Ben looked relieved and brought her his little charge, along with the bottle. "We're clearing as far north as Ashton's Gap, and I need to accompany the crews. I promised the chief I'd check on his grandfather."

Dana settled the baby into her arms, amazed as always at the feeling of completeness when she held him. She tipped the bottle in his direction, making eye contact as she offered him the formula. He grinned one gummy-grin and latched on to the bottle like a hungry pup.

"How'd you do that?" Ben gaped.

"I honestly don't know." She smiled at the young lieutenant. Maybe things were turning around for her. Maybe she could do this, be Daniel's mother. She pressed her lips together and amended the thought.

*For now.* Maybe she could get this right *for now.*

Dana recognized that she'd gained a sort of insider clearance with Lieutenant Allen and decided to test it with a little prodding. "You said that you were going to check on Luke's grandfather?"

"Yeah," Allen responded without hesitation. "Luke and his grandfather are close, cut from the same cloth."

She never took her eyes from the baby. "Is this his paternal grandfather?" she asked, hoping the question sounded nonchalant.

"No way." He paused, obviously weighing the wisdom of continuing the conversation. "We're talking about his maternal grandfather. Luke's mother died a long while back." He frowned. "Did he tell you that?"

She smiled, nodding. "Yes, he did. It's a shame he wasn't closer to his stepmother." She looked at the baby. "Every child deserves a mother figure in their lives."

"True. But not everybody is a natural-born parent. Some ought not even try."

Dana thought of the baby's mother, of the nauseating smell of liquor and death at the accident scene. She nuzzled the side of Daniel's neck, replacing the disturbing memory with the sweet smell of baby powder and warm skin. "I couldn't agree more."

"Well, Miss Camille is one of the ones who shouldn't bother," Ben added.

"What do you mean by that?"

Ben Allen scratched his head. "Sometimes you gotta know where someone's been to understand why they're the way they are. Like a lot of folks around here, she started out with nothing. Sometimes that makes a person hold on to what they've got a little too tight. You know?"

No doubt Lieutenant Allen meant material possessions, but... Dana looked at Daniel. Was that what she was doing? Holding on too tight, so tight that someone might get hurt? Her thoughts flashed back to Michael. Is that what she'd done to him—held on at all costs?

Ben looked uncomfortable with the pause in conversation, shifting from foot to foot. Even Sam hopped up and left the room as if he wanted no part in the conversation. "So did the chief talk much about his father and stepmother while y'all were stuck up here?"

She swallowed the lump that had formed in her throat, hoping Ben wouldn't notice. There was no need to stretch the truth. Luke's comments had been cryptic but well to the point. "Yes, he did." Dana shrugged and hoped the gesture looked lighthearted. "No television."

"The chief's a good man," Allen said with determination, as if he were arguing the point with an invisible adversary. "He'd do just about anything for anyone in this town."

"He's not the only one that made a rescue." She smiled. "Thank you for all you've done for us."

"You're welcome." Ben Allen blushed. "Listen, I gotta get the crews headed up the mountain. I hope I'll see you again, say a proper goodbye before you leave town."

"I hope so, too."

"Chief, I didn't hear you come in—" Ben's voice echoed through the cabin.

She turned to find Luke standing in the doorway, Sam by his side. Dana was surprised that neither she nor Lieutenant Allen had heard him enter the cabin. But the normally quiet room had been filled with conversation. Guilt washed over her. Conversation about him.

"Hey…" She stood, carrying Daniel, and closed the gap between them. One look into his eyes, and reality beat down on her like a cold, hard rain. Something was wrong. "Did you make it to the accident site?"

He nodded, casting his eyes downward away from hers. "We can't move the vehicle or the body yet, but I've asked for backup. We'll settle things soon."

Settle things? Luke's choice of words struck her as odd.

She held the baby a little tighter, and both their gazes fell on Daniel. "I'm so glad he's too young to understand."

Something in Luke's eyes grew hard. "Me, too."

Dana frowned, sensing there was more that he wasn't telling her. But now wasn't the time to prod. She'd done enough of that for one day. Besides, Luke would tell her what she needed to know when the time was right, she assured herself. Maybe when they were alone. But the vague feeling that something was wrong lingered.

"Lieutenant Allen, I need you to take Miss Langston to town."

*Miss Langston?* The words sounded ridiculous on Luke's lips.

He dug a key from his jacket pocket and passed it to Ben. "She and the baby can stay at my place until we can make other arrangements. I'll take Sam with me."

"Yes, sir." Ben all but saluted. They'd been caught gossiping like two spiders in a web. No doubt Lieutenant Allen would spend more time than she would making up for the transgression.

Luke's expression softened, and he reached out to rub the top of Daniel's head, ruffling the dark fuzz. The baby responded with a grin, punching the air with his fist in an attempt to reach Luke.

He straightened, the official demeanor back as quickly as it had disappeared. "Stay with them, Lieutenant," he ordered, his steely gaze boring into Ben's. "I'm going with the crews to retrieve my Jeep." He looked at his watch. "I shouldn't be more than thirty minutes behind you. You're not to leave until I get back. Is that clear?"

"Yes, sir."

"Will the crews tow my car in also?" Dana asked.

Luke averted his eyes. "That may take a little longer."

She frowned, puzzled. "I'd like to at least get my things from it—my luggage, my purse…"

"We'll get to it. As I said, though, it may take some time."

Dana nodded, a niggling anger rising to tighten her shoulders. She understood he was acting in official capacity, but the last few days had been difficult. And personal, where Luke was concerned. She wanted her own clothes, makeup, and craved a shower.

And a little tenderness on Luke's part wouldn't hurt, either.

"Let me give you my car keys," she said. Dana walked to the table where the diaper bag lay and fished them out, returning to where Luke stood. She cocked her head, trying to determine the odd set of his features. "Take these in case you have an opportunity."

He accepted the keys, fisting them in his palm. "All right, then," Luke commented. "I'll meet you at the house." He turned and left, Sam by his side.

Dana felt hollow, disappointed that Luke wasn't driving her to town. He wanted her at his place "until other arrangements could be made," and the invitation had been anything but personal. She reminded herself that he was on duty, but inside she felt as if someone had doused her with cold water.

She stood in the middle of the room, clinging to Daniel like a life raft.

"I'll gather your things for you," Ben Allen offered. "If you'll tell me what all you'll be taking with you."

"Let's see…" She glanced around her, relieved to have the distraction. "All the baby's supplies." Dana gestured toward the kitchen counter, which was littered with formula and bottles. "You can put them in the diaper bag. Oh—and if you'll hit the eject button on that tape player," she gestured in the direction of the dilapidated equipment, "there's a cassette inside. I'll take that, too."

He frowned. "That's a cassette player?"

"From the Jurassic era, yes."

Ben knelt and retrieved the tape, turning it over in his hands. "Lullabies?"

"We found it in the diaper bag. It came in more handy than you can imagine."

Ben grinned. "I understand. I have six nieces and nephews." He dropped the cassette in the diaper bag and loaded it down with the other supplies. He glanced around them. "Anything else?"

Dana looked around her. There were empty cans of fruit and vegetables still sitting atop the kitchen counter, along with a few unopened ones. It was amazing that the few canned goods and the contents of the diaper bag had been the focus of their very existence. Now that the roads were cleared, the world had opened back up. A tinge of sadness hit her.

It had opened up and closed down at the same time.

So where had all her optimism for the future gone? She bit back tears. It probably lay in the same ditch as Luke's affection, a casualty of the real world.

"I'll just grab my clothes from the bedroom." Dana turned her back on Ben before he could see the flash of emotion on her face. She found her shirt and jeans draped over the foot of the bed and folded them over her free arm. She was ready to go. Just like that, she was leaving three of the most important days of her life behind.

Dana clutched Daniel as she stepped outside, a bit disoriented by the sun and the sudden freedom. Slushy snow and ice gave way beneath her feet as she picked her way carefully to the police cruiser. She slid the car seat into the back of Lieutenant Allen's vehicle and eased the baby inside, adjusting the straps snugly over his chest. She buckled herself in next to him and glanced back at the cabin. It looked like an old friend, and Dana forced herself to look at the road ahead of them—the road that would take them to Luke's home.

The drive was short, and Ben cheerfully filled the time with conversation about Sweetwater. Dana was amazed that the rugged, remote mountains seemed to run right up to the city limits, giving way to the small metropolis that was Luke's very existence.

Sweetwater really was the center of his world, his focus. The thought struck her as at once understandable and profoundly sad.

Though the roads in downtown Sweetwater had been cleared of ice and snow, the town was devoid of activity. Shops were closed and the parking spaces that lined the business district were empty. The effect was the same as an empty shopping mall or school. The energy lingered but the life was missing. Dana shivered, suddenly feeling an old familiar trickle of fear work its way down her spine.

*Silly,* she admonished. She and Daniel were safe, weren't they?

"Luke said that Paul Gonzalez is in custody." She watched Ben Allen's profile for reaction. There was none. "He's in jail, right?"

"He was taken into custody but I'm not certain what the status is. He definitely violated the terms of his bond but what happens next depends on the judge. And how convincing Gonzalez is with excuses."

Dana forced down a wave of fear. She knew firsthand how convincing Gonzalez could be.

Ben took a side street and turned again onto a two-lane road. The county road wound around the base of a mountain that looked like the backdrop for a Christmas card. The branches of the trees glistened silver-brown in the midday sun, while snow still clung to the forest floor in a breathtaking pattern. Was it her overactive imagination or could she actually sense Luke's presence, his connection to this town?

"We're near Luke's place," Ben said up as if she'd spoken her thoughts aloud. "It shouldn't be more than five minutes or so."

The remainder of the trip passed in silence, but Dana knew the minute they rounded a curve and faced a pristine log cabin that they had arrived. Two paint horses grazed in the pasture that flanked the house, busily nudging aside the snow to find the fine blades of budding spring grass beneath. A huge oak tree staked its claim to the yard surrounding the cabin, as if its presence held back the imposing tree line of the mountain that loomed behind it. Dana was entranced by the beauty, the permanence of the place.

"We're here," Ben announced.

Dana swallowed hard. "It's beautiful."

What was wrong with her? It was as if this ill-fated trip had boiled down the emotions she'd experienced over the past year, distilling them until they were explosive. But why did the sight of Luke's home make her want to cry? She realized then that she'd come to think of Luke as a temporary fixture, without the capacity to put down roots. But just the opposite was true. His roots, however tragic, ran so deep that he'd never be able to disentangle himself.

They pulled to a stop in a circular driveway, and Dana imagined that Sam normally greeted visitors at the drive. She smiled, looking forward to seeing her canine buddy again. She unbuckled the baby, and Ben assisted them out of the back seat. The air was amazingly warm, and she actually felt the tingle of sunshine on her face as she looked around. It was humbling that nature could operate in such extremes, altering lives and futures at whim.

"Miss Langston?"

She shook off her wandering thoughts and followed the lieutenant up a brick walkway to the entrance. She reminded herself to breathe as he unlocked the door and gestured for her to enter.

The first thing that hit her was the heady scent of cedar, and an elusive, lingering aroma that was Luke's. Memories of their lovemaking assaulted her. The warm, male scent of Luke had surrounded her as he'd entered her body, as his chest had raked against hers and his mouth found the arch of her neck. Dana flushed at the memory, then straightened abruptly, aware that Lieutenant Allen was watching her with an expression of concern.

"I never expected a bachelor's home to be so neat," she said, covering her emotion with cheerful chatter.

It was neat, she realized. There was little in the way of decorative touches, but the log home was large and classically beautiful, a vaulted great room dominating the center of the architecture. Dana looked around her, absorbing every detail as though it would help to unravel the mystery of the man. A heavy pine sofa and chairs, topped with cinnamon-colored cushions, were arranged around a stacked rock fireplace. Sunlight filtered through an expanse of oversize windows, absorbing the hue of the wood and filling the room with warmth.

"Why don't you get your bearings while I check in with the station?"

"Okay." She smiled at Ben, then turned her attention to Daniel, holding him out in front of her playfully. "What do you say, little man? Do you want to go for a stroll around the place?"

Daniel grinned, and Dana studied his cherub's face in the

sunlight that cascaded through the windows. She'd peered at his chubby cheeks and bright eyes more often than she could count over the past few days, and his face had become familiar to her. Yet somehow he seemed different today, his features familiar to her in a way they hadn't seemed before. She studied him for a moment more, and then shrugged off the thought. It was probably the change of scenery that made everything seem different.

She settled Daniel against her shoulder and began to stroll absently through the house, feeling a little like an intruder and a lot curious. The kitchen was pretty but sparse, the only focus being an oversize coffeemaker. She noticed that the refrigerator was devoid of the usual bric-a-brac, family photos and memorabilia stuck beneath magnets. Dana felt a stab of pain that was all too familiar to her.

She left the kitchen and drifted down a long hall that she suspected led to Luke's bedroom. The first two bedrooms she encountered were obviously spare rooms. One contained a computer and desk, the other held twin beds. She grinned at the idea of a man Luke's size draped over the small mattress.

When Dana reached the end of the hall, she knew she'd found Luke's bedroom. The furniture was larger, just like the man. The king-size bed was a tangle of navy comforter and white sheets, so far the only untidy display. She was grateful for the disarray, to have found some connection with Luke. But a sense of loss pierced her stomach, along with a generous helping of memories. She averted her eyes, her gaze setting on a bedside phone.

For the first time in days she felt the urge to hear her aunt's and uncle's voices. She sat on the edge of the bed and trailed her fingers over the handset. Her aunt would probably faint from maternal overload if Dana called and dumped thirty years worth of angst at her doorstep. Her aunt had a low threshold for all things maternal.

Dana grinned, then marveled at her own reaction, the acceptance she felt.

Maybe that was what the three of them needed, she realized. Maybe instead of withholding part of herself because her aunt and uncle didn't fit the mold she'd cast for them, she should simply be herself, let their relationship be what it would be.

A small movement caught her eye, and Dana looked up and into a bureau mirror. The image of a man standing behind her.

"Lieutenant Allen…" She turned toward him, feeling as though she'd been caught snooping.

"Do you need to call someone?" he asked.

"No, not really." Dana gestured toward the phone. "I was considering calling my aunt and uncle in Atlanta but it can wait."

"Most of the phone lines are down." He shrugged. "Hazard number 1001 when you live in the mountains."

"I suppose you're right." She smiled, wondering why her nerves had yet to settle.

Ben frowned. "I didn't mean to startle you," he apologized. "I was thinking that I could watch the baby for you if you want to rest up. Take a nap, maybe."

Dana felt momentary panic at the idea of relinquishing Daniel to someone else's care. But this was Ben Allen, certainly no one to fear.

"That actually sounds nice," she said. Ben stepped toward her. "Um…" She shifted the baby to her free shoulder, hugging him a little tighter. "Daniel seems a little tired, too. Maybe he'll nap with me."

His gaze darted briefly to the mattress. "I'm sure the chief won't mind."

Dana started to protest, to offer to lie down in the guest bedroom, but she recalled the twin beds. There was no way she could safely situate herself and the baby on one of the tiny mattresses. Besides, she'd shared much more than a bed with Luke. The thought brought a sad smile to her face.

"I'm sure he won't."

"Okay, then." Lieutenant Allen lingered for a moment before stepping out and shutting the door behind him.

The silence was welcome, as was the warmth and the presence of electricity. She yawned and then smiled at her own vulnerability to suggestion. A nap sounded like a little slice of heaven. She pulled Daniel from her shoulder and held him out in front of her.

"What about it?" she asked, grinning as she realized how often she'd begun to talk to him as if he were an adult. "How about a nap?"

## Chapter 15

"Dana..."

Luke's voice was possibly the sexiest thing about him, and there was plenty to choose from. Its deep timbre vibrated around her, sending a shiver of response through her entire body. She snuggled closer, inhaling the rich, clean scent of him.

"Dana, wake up."

She rolled over and stretched, opening her eyes with a lazy smile. "Luke..." She sat up, confused by her surroundings and disoriented by the sunlight that streamed through the bedroom window.

Luke's bedroom window. But instead of lying beside her as she'd thought, he stood in the doorway, filling the opening with his large frame.

"You're here," she said, stating the obvious in her sleep-induced haze.

He nodded. "The road crews were able to pull my Jeep from the ditch without a problem."

She finger combed her hair, lowering her voice to a whisper when she realized the baby was still sleeping beside her. "That was fast."

"No, not really." Luke looked at his watch. "According to Ben, you've been asleep for a couple of hours."

"Oh…"

Dana was surprised when Sam stuck his head around Luke's thighs. The thick carpet had masked the sound of his arrival, unlike the hardwoods of the ranger's station. "Sam!" she called softly, scooting to the edge of the bed to greet him.

Luke placed his hand atop Sam's head, stalling his approach. Dana frowned, a little hurt by the gesture. She tucked pillows securely around Daniel and stood, her gaze finding Luke's. "Is something wrong?"

"No." He crossed to the mattress and peered down at the baby. When he looked up, his eyes were unreadable. "I'm sure you want to shower and change into some clean clothes. I'll watch Daniel."

"Maybe he should finish napping—"

Luke scooped the baby from the mattress before she could fully protest. The gesture woke Daniel, but instead of crying, he opened sleepy eyes and smiled at Luke. Dana felt her annoyance instantly dissolve. The combination of the baby's toothless smile and twinkling eyes was totally charming. Even Luke succumbed, returning the smile. Dana watched the two of them together, feeling relaxed for the first time since she and Luke had been separated.

The idea of a shower was tempting, and she couldn't think of a logical reason not to take Luke up on the offer. "A shower sounds great. Were you able to get my suitcase?" she asked.

"No. That's going to take some time."

Dana frowned. "You mentioned that earlier."

He walked to a tall bureau and tugged open a drawer with his free hand. "I'm afraid we'll have to improvise your wardrobe again." He pulled a pair of gray drawstring shorts from the drawer and rummaged until he found a navy T-shirt. Luke passed her the clothes without meeting her eyes.

She accepted the ridiculously large clothes with mild annoyance. How much trouble could it be to grab a suitcase from the trunk of her car? "Luke, something is going on. Tell me what's—"

"We'll talk after you've had a chance to freshen up," he said, pointing to a doorway off the bedroom. "The bathroom is through that door."

Dana nodded but refused to move until Luke met her eyes. She searched for the old connection between them and found it, however weak. She smiled. "Thank you for ordering me lunch."

"No problem." Luke swallowed hard and then looked away. Connection gone. Just like that. "Help yourself to anything you need. Shampoo's in the shower and towels are in the linen closet."

She bit her lip in an effort to steel her emotions. "Thank you."

"Let me know when you're finished." Luke looked away, but the official capacity in his voice spoke volumes. "I'll be waiting."

Luke could hear the familiar hum of water flowing through the pipes, indicating that Dana was still in the shower. It was getting harder to ignore the images that slid, uninvited, into his head. Dana with her neck arched, allowing the spray of water to cascade over her hair and down her back. Dana with frothy bubbles of shampoo sliding between her breasts…

Luke ached to take a shower of his own but ached even more to join Dana in hers.

But the past few hours had changed everything, and old longings were now off-limits. He wasn't about to shirk his duty this time, however offensive, of making certain that Dana didn't leave the premises. Until then he would concentrate on hunger of a different kid. Luke added a third slice of ham to the second sandwich he'd constructed and carried the plate to the dining room table.

Dana is a suspect, he reminded himself. The only logical suspect he had at the moment.

Daniel lay on a sheepskin rug that Luke had situated between the dining room table and the window, delighting in the texture of the pelt. He examined and drooled, laughed and buried his fingers in the white fur. The rug had been a gift from a female "friend" that owned a gift shop in town, a friend he'd had a brief affair with.

The affair had ended before it really began. Apparently the thrill of the socially forbidden Sutherlin fruit hadn't been worth the risk in the light of day. They'd parted ways and the pelt had been her polite way of saying thanks for the memories.

And the discretion.

Watching Daniel's delight made the oddball gift worth the high price tag. He winced at the memory of his last lapse in judgment. Sleeping with Shelly Henson had marked an all-time low. He was pretty certain there was an unspoken rule against having sex with your father's mistress.

If not, there should be.

In his defense, he could at least claim innocence by Jack Daniels. Besides, Shelly wasn't exactly a poster child for scruples herself, having lifted the contents of his wallet on the way out the door. Luke recalled her cryptic message he'd received three days earlier, promising to return the money. Apparently, he wasn't the only one having an attack of scruples lately.

Luke bit into the sandwich, too distracted to savor the meal. Maybe Shelly would actually show up after the ice and snow melted. If so, he would apologize for his behavior. Once and for all.

Sam suddenly appeared at the floor-length window, having finished his romp with the horses, and began to wag his tail when he spotted the baby through the glass. Daniel returned the greeting, squealing with delight. Luke shook his head. Forget stuffed animals and battery-operated gimmicks. Sam was ninety pounds of live entertainment.

Unfortunately, he was also unpredictable entertainment. Sam gave a playful growl and bounded off in the direction of the horses again. Daniel looked confused and then began to cry.

"Oh, little man, don't do that," Luke cooed. "You know I'm not as good as…" He gave himself a mental shake, realizing he'd almost said Dana's name. "You know I don't always know what to do."

A few seconds of Daniel's crying convinced Luke that doing something, even something wrong, was better than nothing at all. He rummaged through the diaper bag, looking for inspiration. When Luke found the lullaby cassette, he decided he just might survive the episode. He jogged to the kitchen and rummaged through a junk drawer until he found an old hand-held tape recorder. He felt desperation growing along with Daniel's wails. Returning to the dining room, he sat cross-legged next to Daniel and inserted the tape.

Mind-drugging music filled the air, and Daniel instantly stopped crying. Ah, sweet relief. Luke wasn't certain which intrigued Daniel more, the music or the electronic device. He scooted the tiny recorder in the baby's direction and watched his face fill with delight. Daniel managed to grasp the plastic strap and tug it to his mouth, studying the source of the music with wide eyes.

Mission accomplished. Luke returned to the dining room chair and polished off the sandwich as he watched Daniel. The baby was, without a doubt, the cause of his spontaneous life evaluation. Luke grinned, despite the unsettling feeling, marveling that a fifteen-pound house guest could make him question his choices.

When he boiled down past relationships, Dana was the only woman he'd cared about in a long time. Luke felt a wave of uncertainty. She was the only woman he'd ever cared about. In fact, he'd always made damned sure that caring wasn't part of the package by choosing women who were emotionally unavailable. But Dana was different. If things had turned out differently, could she have been permanent?

If things *had*... Past tense.

"I'm finished." Dana's words cut through his thoughts like a warm blade on butter. Dangerous and effective.

He turned to face her, regret hitting him like a fist in the gut. She stood barelegged in his T-shirt, the neck drooping off one shoulder. Damp blond hair framed her face, which was alluringly innocent without makeup. Her bare feet had sunk into the carpet and her legs seemed to go on forever, hidden only by the hem of the shirt. His shorts must not have fit, even with the drawstring pulled, because she obviously didn't have them on. The thought was sexy as hell.

Get a grip, Sutherlin. Stick to the facts.

He frowned. If Dana was somehow connected to Michelle Alexander's death, the sexy distraction could be exactly what she intended. If so, it was working.

As if to dispel his suspicion, Dana knelt next to Daniel and lifted the baby from the rug. He squealed, then leaned toward her, his mouth primed for a kiss. Her eyes grew round as she obediently leaned in and was rewarded with a wet kiss on the nose.

"Did you see that?" she exclaimed. "Luke, did you see that? He kissed me!"

*She's a suspect. The only one you have.*

"Yeah, I did." He rubbed his unshaved jaw and stood abruptly.

The smile on Dana's face faded, turning to a look of dread. "What is it?"

"I need to ask you a few questions." Luke walked to the kitchen and retrieved a pen and notebook.

She eyed the articles with suspicion. "I take it this is official?"

"Yes."

She laid the baby gently back against the rug and stood, smoothing the hem of the T-shirt against her thighs. "Something happened at the accident site, didn't it?"

"Yeah." He opened the notebook and clicked the pen. "It turned into a crime scene."

"What?" Dana paled. "The accident... Daniel's mother?"

"Was murdered," Luke supplied.

Understanding dawned, and her eyes grew cold. "Am I a suspect?" she asked.

"You're not anything right now."

Dana's eyes brightened unnaturally, like an animal in pain, and then suddenly all expression was gone. Just like that, the life was extinguished. "I see," she mumbled.

Luke's gut twisted and he regretted the choice of words. She didn't see at all. He hadn't meant— Oh, hell, he hadn't meant what she'd thought. Luke forced himself to continue. "What time did you leave Atlanta?"

She closed her eyes briefly. "Around two-thirty."

Luke found his hand was shaking as he jotted down the information. "Can anyone confirm that?"

"No."

"You said that you pulled the infant from the car after the accident, is that right?"

She opened her eyes and met his with a look of disgust. "You know that it is."

He steeled himself for that and more. "How were you able to carry the child and climb back up the cliff?"

Dana blinked. "There was another way. A footpath that wound to the right of the cliff."

Luke hesitated, recalling the scene as best he could. He didn't recall a footpath but something about the faraway look in Dana's eyes said she was remembering, not fabricating. Still, he had to continue.

"Do you know a woman by the name of Michelle Alexander?"

Dana balled her hands into fists and then relaxed them. Her cheeks were pink with color but her face was an unreadable mask. "No."

"Tell me how you came to know Daniel Alexander."

Dana's nostrils flared, and Luke had the impression that she was fighting tears, despite the fact that her eyes were dry and her expression otherwise stony. Seconds passed with no response.

Luke cleared his throat. "Dana, when did you first meet or hear of Daniel Alexander?" he repeated.

He watched her swallow, the action flexing the creamy-white column of her neck. A neck he had kissed...

"I believe we'd just made love when you first mentioned his name to me," she answered, her voice steady.

Emotion churned within him. His questions were as good as accusations. So why didn't she just rant and rave and convince him that she had nothing to do with Michelle Alexander's death? All he wanted was one measly defense to cling to, one pitiful argument. God knew he wanted to believe that she hadn't had anything to do with the woman's death.

Luke threw the notebook and pen on the table, his hands sliding to his hips. He turned away, tamping down the emotion that threatened his sense of duty. Just having her in his home was painful. He could too easily picture her here, turning the mundane life into something wonderful with only her presence.

Just as she'd turned the life-and-death situation into the most memorable few days of his life.

What would it have been like to curl up on the sofa with her, watch some mindless sitcom on television or prepare a meal together? His heart ached as he recalled Dana tangled in the sheets of his bed. What would it have been like to wake up together? The death of a million could-have-beens overwhelmed him.

"Dammit, Dana, you know what I'm asking you. Why don't you just tell me what happened up there on that mountain road?"

But instead of answering, she chose to stare straight ahead, her eyes dead and her face pale.

"Answer me!" he yelled, slamming his palm against the kitchen table.

"Chief?" Ben Allen's voice echoed in the tense silence that followed.

Luke whirled on him like an eagle ready to sink its talons into prey. "What is it?"

Lieutenant Allen cleared his throat and stepped aside. "She's here." A woman in heels and a business suit stepped into the room. "The DFCS representative is here to take the baby."

Dana made a strangled sound beside him.

Luke shook his head, staring at the floor. "I'm sorry," he apologized to no one in particular and yet to everyone.

He was sorry that he'd acted like a horse's ass in front of a stranger—a stranger he'd asked to drive from Atlanta on the heels of a snowstorm. Luke glanced at Daniel. He was sorry that he was the one responsible for uprooting the baby, for ripping him from Dana's arms and giving him to a stranger.

Most of all he was sorry to Dana for thinking the unthinkable.

"Chief, this is Mrs. Vivian Metcalf. She'll be handling the baby's case."

Despite having witnessed his outburst, Vivian Metcalf wore a neutral expression that was as professional as her burgundy business suit and matching pumps. Her skin was the color of creamed coffee and smooth, belying her age, evident in the wiry strands of gray in her hair. She clutched her briefcase a little too tightly, the only sign that she'd observed his outburst. As first impressions went, she passed the test. Still, Luke had a hard time imagining the polished businesswoman caring for a baby. The truth was, he had a hard time imagining Daniel with anyone but Dana.

Luke closed the distance between them, grateful to Ben for patching the gaping hole in his professionalism. He shook Vivian Metcalf's hand. "Thank you for coming on such short notice."

"You're quite welcome…" Her voice drifted off and Luke followed her gaze to Dana. She gasped softly. "Dana? Dana Langston?"

"Viv…" was Dana's strangled response.

Vivian Metcalf rushed to Dana, and the two women embraced. Luke frowned, puzzled by the scene playing out before him. While it was true that Dana was a public figure in Atlanta, the two women were obviously acquainted.

Vivian brushed a strand of Dana's damp hair from her

cheek. "Sweetheart, what are you doing here? Were you in the accident?"

"Yes." Dana shook her head. "No. Not the accident that killed the baby's mother. My car— I—I hit a patch of ice and…" She scrubbed at the tears that were now trailing down her cheeks.

"Slow down." Vivian rubbed Dana's arms in a maternal gesture. "You're shakin' like a leaf."

"My car slid off the road. That's when I discovered the accident. I pulled the baby out of the car, but his mother was already dead."

"Well, now," Vivian smiled. "It sounds to me like you saved his life."

Dana brightened momentarily then shook her head. "They think I had something to do with his mother's death. Viv, I'm a suspect."

Luke winced at the stark words. He was tempted to deny it, but it was all too true. He cleared his throat. "I take it you two know each other?"

"Yes, we're old friends." Mrs. Metcalf looked over her shoulder at Luke, her eyes filled with what Luke could only define as maternal protectiveness. "We once worked together on a case."

He knew, by the sudden pain etched on Dana's face, that that case had been Michael Gonzalez's.

Vivian Metcalf's gaze raked his body from head to toe, as if gauging the level of his insanity. "What is all this nonsense about, Chief? You can't honestly believe that Dana is a suspect in a murder case."

"I can't honestly say that she isn't. All we know at this time is that the accident that killed the baby's mother was intentional." His gaze met Dana's. "What I believe is irrelevant."

Life sparked momentarily in Dana's eyes. Brief and dim,

but there. She swallowed hard and looked away. "Gonzalez followed me here. He fired at me and the baby."

The mention of Paul Gonzalez's name needled Luke. The puzzle that once seemed so obvious had changed, and he no longer knew where the pieces belonged. He wasn't certain that the piece with Paul Gonzalez's name on it belonged at all.

Vivian's hand fluttered to her chest. "Oh, honey, you and I both know that the only punishment good enough for that monster will come in the hereafter."

A fresh tear rolled down Dana's cheek, and Luke knew from the pain in her eyes that she was thinking of Michael Gonzalez.

She straightened and brushed the tear away. "Luke—Chief Sutherlin got us to safety, protected us."

The simple concession—the fact that she might hate him a little less for having protected them—caused a warmth to spread throughout his chest. He cursed the vulnerability. Truth was, Dana Langston was going to hate him a lot more before this was all over with.

Daniel began to fret, and Dana knelt and scooped him from the rug. She whispered soft words of comfort as she returned to stand beside Vivian Metcalf.

A sad smile played about her lips. "Viv, this is Daniel."

"So it is," she said. Her eyes seemed to take in every detail, darting over Dana and the baby, even as she smiled and offered Daniel her finger to grip. "He knows you, Dana. Have you been taking care of him since the accident?"

Dana nodded. "He's a sweetie."

Vivian leaned close. "You should foster him," she whispered.

The words weren't meant for Luke's ears but he heard them.

"I'm afraid that's not possible," he interrupted. "Mrs. Langston will need to remain here for questioning. Besides,

Mrs. Metcalf, under the circumstances, I doubt your superiors in DFCS would approve.''

Vivian Metcalf's eyebrows shot up. ''Is that so? Perhaps I failed to introduce myself properly. I'm deputy director of the DFCS. And as for approval, Mrs. Langston has been approved as a foster parent for some time. She's highly qualified.''

Judging from the expression on the older woman's face, he'd just opened a can of worms. Worms with sharp teeth. ''I apologize. I'm sure someone in your position doesn't normally handle individual cases. If you don't mind my asking, why are you here?''

''According to the information I received, the infant's last known residence was in Atlanta.''

''Right.''

''Well, Chief, I have four-wheel-drive. An overpriced feature on an overpriced vehicle if you ask me.'' She waved her hand as though she were chatting with a friend instead of taking him to task. ''I don't generally ask my employees to take risks that I'm not willing to take myself. And as you know, it's quite a little drive from Atlanta, and the roads are just terrible.''

The last word was dramatically drawled, understating the gravity of the situation. He got the point like a poke from a sharp needle.

She carried her briefcase to the dining room table and unsnapped it. ''So unless you have something to substantiate your suspicions, I intend to honor Ms. Langston's endorsement as a foster parent.''

''Is that a risk you're willing to take?'' Luke tensed, aware that he was about to inflict more pain on Dana. ''I understand Ms. Langston suffered an emotional breakdown.''

Dana gasped, a strangled sound that twisted Luke's gut. But to his surprise, Vivian Metcalf's expression softened.

"I don't envy your job, Chief Sutherlin, and your point is well taken. I intend to oversee every aspect of this case, including Ms. Langston's well-being."

"Still, I don't think—"

"Chief Sutherlin, is Miss Langston under arrest?"

"No," he answered. "Not at this time."

"Have you finished questioning her?"

"For now," he conceded, trying not to admire the woman's spunk. Until the body of the deceased could be removed and examined and the car inspected, there were few questions remaining for Dana.

Few official questions.

"Good." She handed him her business card. "Miss Langston is a public figure and I'm certain you'll have no trouble locating her for questioning at a later date. Until the baby's case can be reviewed and an advocate assigned, she and the baby will be staying at my home at this address."

Luke accepted the card, tapping it against his thumb, his gaze settling on the baby. No doubt Vivian Metcalf had the resources and intelligence to protect Daniel, even from Dana if need be.

Vivian turned her back on Luke and leaned close to Dana, speaking so softly that Luke couldn't hear. She discreetly pulled another business card from her briefcase, but this time passed it to Dana.

Dana stepped forward and handed Luke the second business card. "Here's the number for my lawyer if you need to reach me." Her voice was as devoid of life as her eyes. "I assume you intend to keep my car until this is over with?"

He nodded.

Where had the woman he'd made love to gone? The woman standing before him was a shell—functioning but empty. Luke felt a stab of fear for her well-being. Dark circles had materialized beneath her eyes, and her complexion was pale. She'd been through a difficult ordeal emotionally and physically, perhaps even needed medical attention.

And he had no right to hold her in Sweetwater against her will.

Dana turned to Vivian. "Will you give us a ride back to Atlanta?" Her voice was as small as a child's. "I don't have a car."

If looks could kill, the one Vivian shot Luke would have ended his life on the spot. "Of course, honey," she answered. "Chief Sutherlin, if that's all…"

Luke looked at Daniel, and a curious ache settled in his chest, an ache he suspected would be permanent. He would likely never see the baby again. He fought the urge to ask to hold him one last time.

"Take good care of him," he warned, his voice betraying his emotion. "Or you'll have to answer to me."

Luke saw the first glimmer of respect flash in Vivian Metcalf's eyes. She smiled. "I won't let him out of my sight, Chief."

Luke caught the unspoken meaning in Vivian Metcalf's words. She was in charge. Dana was as much in her care as Daniel. He nodded in understanding and agreement.

Dana was oblivious to the undeclared pact, focusing instead on Daniel as she hugged him against her shoulder and kissed his cheek. She looked up and mouthed "Thank you" in Vivian's direction, tears choking down the words she would have spoken aloud.

The ache in Luke's chest doubled when Dana met his gaze and then looked away.

This time there was nothing left in her eyes but regret.

# *Chapter 16*

Luke drifted through the empty rooms of his home like a ghost, finally coming to a stop at his bathroom door. He needed to shower and shave, but the humid aroma of shampoo and warm skin still lingered in the bathroom.

Dana.

He slapped the door frame with the palm of his hand and turned away. His gaze settled on the unmade bed.

Dana again. And Daniel.

A pang of longing settled in his gut, not sexual longing but a need that seemed to pierce him through to his soul. It was as if something dormant within him was struggling for life, some part that was once dead and had now reawakened. And if the feeling in his gut was any indication, it was wounded and angry at having been denied. It turned and dug inside him until he thought he'd cry out with pain.

He was losing his mind.

But which part of him was crazy? The part that insisted Dana was a suspect or the part that screamed she was innocent? Luke tried to separate what he wanted from what was real, but the two seemed hopelessly tangled. When images of Dana and Daniel flashed in his mind, he realized that he'd played this head game before. Somewhere between cruel longing and denial, ice and thaw, he'd pictured the three of them as one.

My God, he wanted them in his life. Permanently.

Luke took a deep breath, summoning the fantasy, allowing the pain. The knife in his gut twisted again, and Luke recognized it for what it was. Grief. He was grieving for someone he'd loved and lost.

Two people he'd loved and lost.

He staggered to the bed and sank down onto the mattress. Not only had he lost them, he'd lost what could have been. Luke Sutherlin had fallen in love under the least likely of circumstances with the least likely woman. And, true to his screwed-up heritage—or maybe because of it—he'd managed to sabotage what they had by chasing her away with suspicion and his damned code of honor.

*Dana isn't guilty of anything but caring.*

The thought whispered through his head, growing louder with each passing second. Luke cradled his head in his hands as stubborn refusal gave way to instinct, then realization. The clarity that hit him was almost supernatural, as real yet miraculous as a sunrise. A dawning.

Dana had not killed Michelle Alexander. She simply wasn't capable of it. But someone had. The question was who?

One thing was for certain: he would find out, and he would clear Dana's name in the process. That was his job. Not just as a lawman but as a man.

The phone on the bedside table rang, its signal grating through the silence of the room. Luke whirled on it as if it was an intruder, jerking the receiver from the cradle. "Suth-erlin," he barked.

"Lucas…" Camille's deceptively sweet voice oozed over the phone line. "Son, are you okay?"

*Son…* Luke tensed. He wasn't her son and never would be. Nor was he okay. And he definitely was in no frame of mind for Camille. He wanted off the phone, needed time to think through far more important things.

"I'm fine, Camille," he lied. "What do you need?"

"I don't *need* anything, Lucas, other than to know that you're okay." She paused. "You simply fell off the face of the earth, and those rude officers of yours would hardly tell me a thing."

Score one for his men.

"I'm fine, really. Just taking care of business."

"Well, it's hardly been business as usual. The storm was just terrible." Another pause for effect. "I understand you've been caring for an accident victim all this time."

Pete Guthrie. His hands twitched to strangle the big-mouthed rookie. But there was one consolation. If Guthrie had given Camille too many details, she wouldn't be pump-ing Luke for information now. As long as he'd known her, his stepmother had never done anything that wasn't self-serving, including making a simple phone call to her step-son.

"Yes, that's right."

"Who is she?" Camille asked, her voice a model of in-nocence.

He gripped the receiver until his hand ached, battling the urge to slam the phone down. Dealing with Camille was part of the job, he reminded himself. Damage control. As it was, she would spread what little she knew until it hardly resembled the truth. And when the town learned that there had been a murder in Sweetwater, he'd have to wade through gossip to get to any facts that might be useful to the case.

So how much had Guthrie told his stepmother? Dana deserved her privacy, at least to the degree that it was possible. If the locals found out that the suspect was news anchor Dana Langston, or even that she was involved in the accident, the gossip would be out of control.

Luke would start with the basics and gauge Camille's reaction. The trick would be to give his stepmother enough detail to shut her up but not enough to fuel an avalanche of gossip.

"A woman from Atlanta," he answered. "She's fine. She's on her way back home."

"I see." She cleared her throat. "Well, your father and I are relieved that you're safe."

Luke resisted the urge to throw the phone across the room. "Listen, I have to go."

"Goodbye, then," the curt response was followed by a sigh and then the click of disconnection.

Luke hung up the phone. Relieving himself of Camille was like knocking a spider off his shoulder. At least she hadn't pressed for more details. He stood and began pacing again and eventually drifted back to the kitchen. His car keys lay on the table, tempting him to follow Dana, to bring her back and beg forgiveness. Beg her to stay. But he couldn't. Not yet. He had to bring down what stood between them before he could make amends.

And there was something else. Luke rubbed his temples and tried to concentrate. Some memory swirled around in his head, something unrealized that he needed to summon. He instinctively knew that once grasped it would become the piece of the puzzle that he needed, the one that made the others fit. But the thought bobbed and dipped like a helium balloon drifting just out of reach.

When he opened his eyes, he found himself staring at the sheepskin rug and the miniature tape player that lay in its center. The lullaby tape. Paternal longing hit him like a fist. Daniel needed it. Luke knelt and grabbed the tape player with trembling hands, hitting the eject button.

Daniel wouldn't be able to sleep away from home without the music. Home? The thought stalled him. Maybe he really was losing his mind, but he didn't give a damn. Home for Daniel was with him. And Dana.

He was going after them.

He'd figure out the details after they were back. And until then the elusive memory could rot along with the rest of the bad memories in his head. The tape player failed to eject the cassette, and Luke tossed it aside, lacking the patience and the time to deal with it. Besides, it would be waiting for Daniel when he returned.

Luke scooped his jacket off a dining room chair and slid his arms in it. He grabbed his keys and turned to leave.

"You know what I'm calling for. Stop playing games."

Luke froze. The unexpected voice sent chills down his spine. He turned slowly, recognizing that the tinny, mechanical tone wasn't a person, but a voice coming from the tape player. He felt his throat tighten as he walked back toward the tape player, his footfalls as soft as if he were stalking a criminal. Luke cocked his head, listening.

"You stole everything from me, and you'll pay. You got that? You'll pay one way or another."

Luke knelt next to the cassette player and lifted it, his gaze darting over the row of buttons. He'd hit the reverse-play command instead of eject, and the cassette player was playing the second side of the audio tape.

And it wasn't lullabies.

Luke's blood ran cold. Anger infused each syllable of the woman's threat, and he could literally feel the waves of fury vibrating into his hand. Yet the voice was familiar, one not normally altered by anger.

He gripped the cassette player until the plastic threatened to crack. He knew that voice…

"I saw you that night, saw you chain the exits and light the fire. You think you're all high-and-mighty but you're not. You came from dirt and you'll always be dirt. You and I both know it, and the rest of the world's gonna know it if you don't pay up."

The floor beneath his knees seemed to tilt, and blood pounded through his brain. The recording was a blackmail threat, and the woman was referring to the factory fire. His father… Luke felt sick to his stomach with dread.

"Sweetheart…" Manic laughter followed the term of endearment. "I told you before, I don't know what you're talking about."

Camille. The sickeningly sweet response on the tape was his stepmother's. Luke felt his world turn upside down, watched everything he knew—or thought he knew—fall and scatter without order.

"I'm talking about my mother and your, dear sweet Lawrence. I might have been a kid but I wasn't stupid. She left me in the car that night, thought I was asleep. But I wasn't. I saw you. Why don't you just admit it?"

Lawrence? Camille's first husband. Luke realized why the conversation had been taped. The woman was blackmailing his stepmother and was trying to get a taped confession.

"You don't know what you saw." Camille spat the words like venom.

"He came to the back door of the factory when my mother knocked. He took her by the hand and they kissed. Don't you remember?"

The question was delivered with cruel sarcasm, and Luke heard his stepmother make a strangled noise of response.

"Then he led my mother inside. That's when you showed up. You chained the doors and threw the gas on the side of the building. You lit the match, Miss Camille. You held the match between those manicured little fingers of yours and set the building on fire. You killed my mother and your cheating husband. And you killed fifteen other innocent people, including my father."

The woman's tirade was punctuated by deep breaths of fury, and Luke felt his own chest rising and falling rapidly as he tried to grasp what he was hearing.

"Give me an excuse to tell the world and I will," the voice on the tape threatened. "You know I want to."

"If you do, I'll have to kill you." Camille clicked her tongue as if she were chiding a child. "You are such a little idiot."

A child... The balloon dipped and Luke sensed it was within reach.

An unexpected click on the tape broke Luke's connection with the memory.

"Camille?" This time the voice on the tape was his father's. He sounded calm but concerned. "I'm sorry. I didn't know you were on the line. Is—is everything okay?"

"Everything's fine, darling," Camille replied. "I'll only be a minute more."

"Take your time. I'll just use the business line in my office." There was a pause, then another audible click as his father hung up the extension.

His father was innocent. The realization literally dropped Luke to his knees. He didn't even know about the blackmail, didn't know what Camille had done. *Innocent.* The word tumbled over and over in Luke's head. His father had always denied the accusation that he'd chained the factory's exits, but Luke, his own son, hadn't believed him. Just as the people of Sweetwater hadn't...

"You might've run me off last time but not this time."
The woman hesitated. "This time I'll have a little backup
plan with me."

"You have nothing," Camille drawled.

"Let's put it this way, you can either be part of my plan
or I could become part of the family. *Your* family."

Camille snorted. "Don't be ridiculous."

"Oh, I'm serious. Luke and I were very close last time I
saw him. *Very* close. And believe me, I can prove it."

The sound of his name brought chills and mind-numbing
confusion.

"Luke? You expect me to believe you're pregnant with
Luke's child?" Camille laughed but the sound was mired
in fear. "You little twit. Even if you were pregnant, he
wouldn't marry you. The man is cold as ice."

"He was anything but cold. I saw to that." The woman
laughed. "So are you willing to take that chance? I can
think of lots of interesting things to talk about over Sunday
dinner."

There was a long pause before Camille spoke again.
When she did, her voice had altered, turned back to the
syrupy sweet socialite. "I'll make a deal with you. A one-
time payment and you're out of my life forever. After that,
I don't want to ever see you again."

His mind reeled as he listened to the two women make
plans to meet in Sweetwater, arranging to exchange money
for silence. The woman seemed breathlessly victorious, and
Camille sounded as calculating as a snake.

"Meet me at the old ranger's station," Camille said.
"You know the one. I'll be waiting for you."

And indeed she had.

Luke felt sick at the thought, remembering the locked
doors and dark interior. Camille hadn't planned on meeting
her there or anywhere else. She'd planned on killing her,

sniper-style, by running her off the edge of the cliff. And she'd succeeded.

There was a final click as the connection was severed and the recording ended.

His mind turned to the landscape of the area, to the ranger's station. The new observation tower, he realized. The metal structure was isolated, so inaccessible that he hadn't considered that the sniper had used it. But a local would know how to access it. A local like Camille.

Yes, she'd been a pampered socialite. But she'd also been a child of the mountains when poverty still ruled, before the factories brought economic stability. Like a lot of children in the Appalachians, she'd probably learned to hunt and fish out of necessity. Luke felt sick as an image formed in his mind. The tower reached well above the tree line, giving her a perfect view of the road below. And a perfect shot.

Luke took an unsteady breath and allowed the next pieces of the puzzle to fall into place: the tape, the diaper bag, the car accident. The murder.

Michelle Alexander.

He recalled the accident scene with nauseating clarity, the deep gash marring her youthful features, the macabre, frozen position of her body. It all could have been avoided. Why couldn't she have heard the venom dripping from his stepmother's words, surmise what she intended to do?

But who was she? It didn't make sense. How could she have possibly witnessed the arson as a child? He didn't know her and certainly had never slept with her. And the woman certainly wasn't pregnant with his child.

Luke clutched the tape recorder and shut his eyes. The elusive memory returned, dipped within reach again. This time he grabbed it with both hands, and the revelation knocked the breath from his lungs.

He did recognize the voice on the tape.

It belonged to Shelly Henson. "You killed my mother and your cheating husband. And you killed fifteen other innocent people, including my father."

The past pulled him in like a vacuum.

It was the night of the fire. His father had been holed up in the house, agitated and pacing, waiting for updates on the rescue efforts. And then the local fire chief had delivered the news that seventeen people had perished in the fire, including his father's business partner, Lawrence Williams. Luke closed his eyes, remembering. What stood out most about that night was that his father had seemed more angry than sad until one of the firemen had explained that a child had been left orphaned. It was then that the unshakable Lucas Daniel Sutherlin, Sr., had cried. The orphaned child's name had been Shelly—Shelly-Anne Alexander.

Michelle Alexander. Shelly Henson.

The memory had no doubt been buried in the rubble of all that happened next. Camille Williams had burst into the house, wild with grief for her husband, and accused Lucas of chaining the exits. It was then that Luke's tenuous teenage emotions had snapped and Luke had taken a swing at his father. But his father, older, wiser and stronger, had seen it coming. Luke had ended up with a broken arm and a broken relationship with his father.

Luke had been so certain of his father's guilt all these years. And he'd been wrong.

His mind fast-forwarded to the more recent past, recalling the night he'd taken Shelly in. The housekeeper had called, saying only that Luke was needed at his father's home. His father hadn't been there when Luke arrived. But Camille had. She'd stood over a bruised and crying Shelly, her face as cold as stone. Luke had been so certain of who had beaten Shelly and what Shelly was to his father that he hadn't questioned what happened that night.

He'd simply taken her back to his house...

*I'll be returning what belongs to you.* Shelly's message left at the station...

Luke took a jagged breath and recalled the voice on the tape. *This time I'll have a little backup plan.*

Luke dropped the recorder, his hands and his body numb. Daniel was his son. Shelly's little backup plan was Daniel. The math made as much sense as her devious motives. He'd been with Shelly just over a year ago, and Daniel was four months old. Shock, joy and fear assaulted him at once as Luke struggled to his feet.

He had a son.

But had Daniel been nothing more to Shelly than a tool for more blackmail? The answer was yes, and the realization made him weak with regret. She'd seen the opportunity and had taken it. But as horrible as that was, Luke couldn't find it in his heart to hate her.

He recalled Michelle, Shelly-Anne, as a child. She'd been a wide-eyed little girl with blond curls who had been sent away from Sweetwater after her parents' death. And now the woman who had stolen her innocence had murdered her. The town, the victims, Luke and his father, had all paid the price for Camille's madness. They were paying for it still.

But out of the ashes came a gift. That gift was Daniel. Luke already loved him, and now he could claim him.

But Camille... Disgust rose like bile in his throat. She'd pierced Shelly's tire with a bullet, killed her in cold blood. And she'd fired at Dana with every intention of killing her, too. But why?

Luke summoned a mental image of Shelly. Though her features were different, her height and weight were strikingly similar to Dana's, as was her shoulder-length blond hair. Daniel had been tucked inside Dana's heavy coat, concealing his presence. And if Camille had used the old ob-

servation tower, the mountains might have blocked her view
when Dana lowered herself down the cliff. But at that angle
she would have seen her come back up the footpath.

Camille had seen Dana scrambling up the ledge and
thought Shelly had survived the crash…

*I relayed your orders to keep quiet about the fatality.
Folks sure have been panicked.* Ben Allen's words echoed
in his head.

Luke's heart clenched in terror. He bolted to the kitchen,
snatched the phone from its cradle and punched his father's
home number. One ring. He waited. Two…

*A woman from Atlanta. She's fine. She's on her way back
home.*

Oh, God, he'd led Camille straight to Dana. He'd even
pointed out the right direction.

"Hello." His father's voice sounded older than he remembered, or did it just sound less sinister now that Luke
knew the truth?

"Where's Camille?" he yelled into the receiver.

"Luke, is that you?"

"Yes—I don't have time to explain but I need to know
if Camille is at home."

"No, she left immediately after talking to you. She
seemed upset."

"Oh, my God…"

"Luke, what's going on? Luke!"

His father was shouting into the receiver, but Luke barely
heard him. Camille. He slammed the phone back down.
There was no doubt in his mind that she was going after
Dana. And Daniel, too, he realized.

And he had led his stepmother straight to them.

Luke ran from the house and slid behind the wheel of his
police cruiser, grabbing the radio from the dash. He called

in an emergency that might or might not exist. But in his heart he knew.

Dana and Daniel's lives were in danger.

Luke peeled from the driveway, slinging half-frozen mud into the air and offering prayers to a God he hadn't spoken to in far too long. In the breadth of a few days he'd found his soul mate and gained a son.

The Sutherlin legacy might be cast in betrayal and tragedy, but by God that was about to change. Beginning with Luke.

And starting now.

# Chapter 17

Dana sat next to Daniel in the back seat of Vivian's SUV.
The luxury of the vehicle should have been a welcome relief, but wasn't. She was surrounded by creature comforts
that she'd certainly missed—the warm heat chasing away
the chill, the supple leather of the interior cradling her body.
But the fact remained that she was heading away from what
she really wanted, and her heart ached for the man she'd
just left behind.

Or the man she thought she'd known.

Tears threatened, but Dana replaced them with anger.
Never again would she allow a man to stand in the way of
doing what she knew in her heart was right. She'd made
that mistake once with Robert. But Luke was in a different
league than her ex-husband. Or so she'd thought.

Luke believed she was a murderess. The thought might
have been laughable had the betrayal not run so deep. But
she wouldn't think of that now. Now she was going home
to Atlanta. With Daniel. That was all that mattered.

Vivian had pulled a car seat from the hatchback of her vehicle like a magician. A DFCS magician. The restraint was new, unlike the one Ben Allen had borrowed, and cradled Daniel comfortably. Viv had also brought the baby a fresh change of clothing, a white one-piece sleeper with blue piping. Dana bit her lip to keep from crying. She and Daniel were safe, clean and well fed. Their every need had been met, and now they were headed home.

So why did she ache to return to the cabin?

The car seat was a rear-facing model, allowing Dana to watch as Daniel's sleepy eyes drifted shut. She caressed his cotton-covered toes and counted her blessings, starting with him. Any hope she'd once had of making her guardianship permanent had vanished with Luke's accusations, but Dana was learning to take life one day at a time—one blessing at a time. And Daniel was a blessing, even if her time with him was short.

When Dana looked up, she caught Vivian's gaze in the rearview mirror. She smiled, grateful for all that her friend had done. If not for Vivian, Luke could have easily detained her or, at the very least, kept Daniel from her.

"Thank you, Viv." The words felt woefully inadequate.

"What happened up here, Dana?"

She shook her head, absently watching the passing scenery. They were just outside of Sweetwater now, descending yet another mountain. Dana caught sight of a damaged guardrail that ran alongside the mountain face and shivered. "I honestly wish I knew."

Vivian frowned. "You don't have to talk about it now, but you'll have to give me something more to work with soon. You know that, don't you?"

Dana nodded.

The crack of a gunshot split the silence.

"Viv!" Dana yelled. She threw herself over Daniel's car seat. "That was a gunshot!"

"No, Dana." Vivian's voice was calm, if a little startled. "I'm sure it wasn't a gunshot—"

A second shot rang out, echoed by a deep boom. Their vehicle began to vibrate and suddenly they were sliding, tires screeching as the SUV careened out of control. The slide turned to a sickening spin and Dana gripped Daniel's car seat, her vision a blur of color. Dark asphalt swirled, mixing brown trees, patches of green pine…

She screamed.

The vehicle stopped spinning as quickly as it had begun, the momentum tipping its heavy body on two wheels before it slammed back down.

Seconds later Vivian peered, breathless, over the seat. "Are you okay? The baby?"

"I think so." Dana ran her hands over Daniel's face and body, her hands trembling. He began to cry. "I think we're both okay. Are you?"

Another gunshot answered the question. Vivian ducked down along the front seat and Dana threw herself over Daniel again, her mind reeling. This wasn't possible. Gonzalez was in custody. It was like a bad dream, like reliving the day of the accident.

*Exactly* like the day of the accident, she realized.

Dana forced herself to think. That day the shots had come from above. Sniper-style.

"Vivian, we've got to find cover!" she yelled.

Dana glanced frantically out the side window, keeping her body low. The vehicle had come to rest in a deep pocket of gravel that lined the road, just missing an unguarded edge that could have easily brought them the same fate as Daniel's mother. She saw nothing but endless mountains, an abandoned gas station and a water tower.

Her gaze snapped back to the water tower. It was the only elevated structure. The sniper had to be on the water tower. Please, God, let the hunch be right.

"I think the shots are coming from above us, from that water tower." Her chest constricted and Dana intentionally slowed her breathing, recalling what Luke had taught her. "Can you get us to that old gas station on the righthand side of the road? Maybe we can take shelter behind the building."

There was no way that Vivian could maneuver the vehicle back onto the road and to the gas station without sitting upright and visually steering, which was out of the question. The only other alternative was to gun the car and steer blindly through the rough terrain that lay between them and shelter. And the terrain, a craggy area dotted with pine scrubs and jagged exposed rock, was a threat to them, as well. She was asking a lot of Vivian, but as it stood they were sitting ducks.

They had to act and they had to act now.

"Don't sit up." Dana's voice was shrill, on the verge of full panic. "Just press the gas and hold the wheel straight. The nose of the vehicle is already pointed toward the gas station. Can you do it?"

"I can do it," Vivian answered, her voice as strong as steel. Seconds later the vehicle lurched forward, jerking Dana about like a rag doll.

It was like a life-and-death roller-coaster ride as the massive SUV crashed through the pine scrub and blindly bounced over the exposed rock. She thought—she hoped—that they'd almost reached their destination when the vehicle lurched forward one last time and slammed nose down with a sickening crunch.

Everything seemed to happen at once. Dana's seat belt tightened painfully against her hips. As if in slow motion, she saw Daniel's car seat slide a fraction of an inch, then return to its secure position. The front airbags deployed on impact, their force slamming Vivian backward against the driver's seat.

Then all was still. Daniel began to cry, and the healthy wail was music to her ears. Dana tried to speak but began to gag on the powder-tinged gas from the airbags.

She swallowed hard. "Vivian!" Dana unbuckled her seat belt and leaned forward, squeezing her friend's shoulder. There was no response. She pressed her fingers against Vivian's neck, finding her pulse steady and strong. The accident didn't appear to be that bad but the force of the airbag against Vivian's small frame had knocked her unconscious.

Dana looked at the side windows, which were almost completely blocked by pine saplings, their needle-laden branches deflecting most of the light. The front windshield was an eerie pattern of mud and broken twigs compressed against the glass. There must have been a shallow ditch bordering the gas station because they'd landed nose down in some sort of ravine. Though the vehicle gave the impression of being a safe cocoon, it was anything but. They were immobile now, truly a helpless target.

Daniel began to cough, his voice already hoarse from the gas.

"We've got to get out of here," she yelled. "Vivian, can you hear me?"

There was no response.

Dana unlocked the door nearest her, her fingers trembling. But when she lifted the door handle and shoved with her shoulder, nothing happened. The pine saplings lined the outside of the door like bars on a cage. She glanced frantically at the vehicle's other doors and her heart sank. They, too, were blocked. She shoved on the door a second time with all her might. It didn't budge. Tears of frustration streamed down her face as Daniel's cries were interrupted by more heart-wrenching fits of coughing.

With the doors blocked, there was only one way out—the hatchback. She fought a wave of sheer terror. Crawling out the back, with the vehicle's rear end upturned and exposed, would leave them vulnerable to the sniper. But there was no choice. It was only a matter of time before the shooter zeroed in on them at closer range.

Dana leaned over the back seat, looking frantically for a release handle. There wasn't one. The acrid gas burned as she breathed, causing her lungs to spasm. She crawled, coughing, toward the front seat. There had to be an emergency release somewhere near the driver's front panel...

Dana leaned into the front seat, realizing that the airbags had begun to deflate. It was a mixed blessing. She could get to Vivian and to the control panel of the vehicle, but the nitrogen gas that had filled the airbags was now rapidly filling the inside of the SUV.

They needed fresh air. Now.

"Vivian?" Her voice was hoarse from the gas.

Again, there was no response. Dana took her friend by the shoulders and gently laid her against the center console. She then switched the engine off and locked the key in the accessory position.

Stay calm, she mentally repeated the command in her head. You can do this.

She searched for the automatic door-lock button, fighting the half-deflated airbag in the process. Finally she found it, the resonating click telling her that she'd succeeded in unlocking all the doors. She searched to the left of the steering wheel until she located the hatchback release. Her fingers curled around the lever and she pulled until she heard the telling thump of its release.

Dana scrambled back to Daniel and unbuckled him from

the car seat. Lifting him, she cradled his trembling bod
against her shoulder, feeling the telltale relaxing of his mus
cles as their bodies came together in a hug and his crie
subsided.

She could do this. She had to.

Dana secured Daniel's head with one hand and used th
other for balance as she threw one leg over the back sea
Finally she threw the other leg over and dropped to th
carpeted floor of the hatchback, her heart pounding in he
chest.

Indecision poured over her. Seconds could mean life o
death and timing was everything. But all she could see ou
the tinted back windshield was muted sky. Without sensor
clues, her instincts were in neutral. She cocked her head
listening.

Oh, my God…

Someone was coming, their footsteps crackling agains
the underbrush that surrounded the vehicle. She pulled Dan
iel tighter against her chest and prayed. *Please, God, pleas
don't let anyone harm this child. He's been through so muc.
already. Help me get him to safety.*

The hatchback's latch jiggled. Someone was coming i
If only she hadn't unlatched it…

The hatchback groaned on its hinges, lifting a fraction o
an inch.

"Dana…" Luke's voice slid inside the interior of th
vehicle like a friend.

"Luke!" Her voice was somewhere between a whispe
and a cry. "Oh, Luke, thank God it's you. What's happen
ing?"

"I'm getting you out of here, that's what's happening
Are you and Daniel okay?"

"Yes."

"Thank God," Luke sighed.

"Vivian's unconscious." She felt rising panic. "The air is so thick. It's hard to breathe. We've got to get her out of here, too."

"We will. But you and Daniel first. In just a minute I'll let go of this hatchback door and it will lift. Vivian will get fresh air when that happens. For now I want you to concentrate on getting yourself and the baby out of there as fast as you can. Do you understand?"

"Yes."

"There's about a four-foot drop. Are you hurt? Can you make it?"

Dana considered her trembling legs. They were suffering from an overload of adrenaline, but nothing more. "I can make it."

"Good." There was a slight pause. "I'll take your arm as soon as you hit the ground. Stay on my right side at all times. There's an old abandoned gas station up ahead."

"I know. We were trying…we—"

"Dana, listen." Luke's voice was dead calm, commanding. "We're going to run to the building. No stopping. Not for anything. Not even if you hear shots. Not even if I go down. Do you understand?"

"No!" Dana felt her chest tighten. "No, Luke, I don't understand what's happening. Gonzalez is supposed to be behind bars!"

"Shh, Dana. Listen to me."

She longed to see Luke's face, wanted more than his voice with her.

"That's not Gonzalez out there," he whispered. "I promise I'll explain everything after I get you and Daniel out of here. All you need to know right now is that I'm sorry. I'll be sorry for the rest of my life if you don't forgive me."

Dana's heart began beating double time. A tear slid down her cheek. "I forgive you."

"Then let's get you two out of there. On the count of three. One, two, three!"

The hatchback raised, the hydraulic hinges hissing as it automatically lifted. Dana scrambled to the bumper, half blinded by the sunlight as she held on to Daniel for dear life and dropped to the ground. The jump temporarily knocked the breath from her lungs but there was little time to recover before Luke hauled her to her feet and positioned her on his right side.

"Let's go," he whispered against her ear.

Dana held Daniel against her right shoulder, away from the direction of the bullets, and steadied his head as she ran. They'd made it about ten yards when the first shot rang out. Dana felt the bullet vibrate the air around them and stole a glance in Luke's direction. The momentary loss of focus made her stumble, but Luke's firm grip on her arm held, pushing her in the direction of the gas station.

Dana hadn't realized that Luke carried his gun in his left hand until he fired in the direction of the water tower. The effort was futile, she knew, a ploy to buy time. And it didn't appear to be working. Another shot rang out, and this time the bullet wasn't Luke's. It hit the gas station's old cinder block building as they ducked behind it, sending chunks of concrete raining down around them.

But they'd made it.

They leaned with their backs against the wall, breathing deeply. Luke instantly turned to her, drawing her and the baby into an embrace. His lips sought hers, desperate and breathless. "I'm sorry," he whispered, his lips moving against hers. "Thank God you're both safe."

Dana touched his face, amazed that she was back in his arms. So much had happened... She looked over her shoulder in the direction of the SUV, horrified that Vivian was still trapped inside.

"She'll be okay, I promise." Luke's voice was soft yet convincing. "The focus is on us now. I doubt she even knows there's someone else in the car."

"She?"

"Camille." Luke faced Dana, his eyes dark with an emotion she couldn't define. "That's my stepmother up there, staring at the ghosts of the past."

Dana couldn't grasp Luke's words. She shook her head. "What?"

Luke touched the side of Dana's face, trailing his fingers down her jaw until he reached her shoulder. Then he caressed the baby's cheek. "Daniel is...Daniel is my son." He choked the words out.

Dana felt the world open up and swallow every last piece of sanity.

Despite herself, she clutched Daniel a little tighter and stepped out of Luke's embrace. "He's your son." The words weren't a question, but a sort of denial.

"Daniel is my son and Michelle Alexander was his mother."

"Why didn't you tell me?"

"I didn't know about Daniel." Luke shook his head. "I barely knew Shelly, and she was injured so badly in the accident that I didn't recognize her. I didn't even recognize the name Michelle Alexander. She used the name Shelly Henson when I last knew her."

"You barely knew her? Luke, she had your child!" Dana gasped.

His eyes darkened. "By design. We were together only once. I was drunk and she was obviously forming a plan. I found something after you left. The back side of the lullaby tape had a recorded conversation. Shelly was trying to blackmail my family. If Camille didn't cooperate, she

planned to get to me through Daniel. Lord knows what sh
had in mind.''

Dana closed her eyes. The cinder block wall presse
against her back was real, the child she held in her arm
was real. Even the bullets that pierced the air around ther
were all too real. What didn't seem real was what Luke wa
trying to tell her.

Daniel is Luke's son…. Dana tried to force the other fact
into her brain, but one thought kept blocking all others. Dan
iel is Luke's son…

''You're saying that your stepmother—'' the horror sh
felt was mirrored in her voice ''—is trying to kill Daniel?''

''No.'' Luke shook his head and looked away. ''Sh
doesn't know about Daniel. She's trying to kill his mother.''

Outrage filled her. ''She's already done that.''

''But she doesn't know that. She doesn't realize Michell
Alexander died in the accident.''

''What?''

Luke leaned back against the wall, frustration etched o
his face. ''You bear a striking resemblance to Shelly. Whe
Camille saw you scrambling up the side of the mountai
after rescuing Daniel, she thought Shelly had survived.''

Dana recalled Michelle Alexander's face, or what ha
been left of it. The idea that they once resembled each othe
was sobering. And frightening. She forced the image awa
by searching for some semblance of logic.

''No, no,'' she argued. ''She would have seen me g
down the mountain. She would have seen my car.''

Luke shook his head. ''You lowered yourself down th
cliff but took the footpath back up. I don't think Camill
saw you go down, but I'm certain she saw you come bac
up.''

Memories of that day came crashing down around he

like frozen shards of ice. "This is crazy, Luke." She resisted the urge to start running and never look back.

"You were in the right place at the wrong time." Luke's eyes went to Daniel. "Or the wrong place at the right time. You saved Daniel's life."

Luke was right. It was one of the few realities that she could grasp.

Another shot rang out, and Luke instinctively shielded Dana and the baby with his body. Dana screamed. The bullet hit the corner of the cinder block, taking a large section with it this time.

"Hold on," he whispered against her ear, his deep voice soothing. "I've already called for backup. My men should be here any minute now."

She nodded, focusing on Luke instead of the madness that was going on around her. She inhaled the scent of him, the feel of his arms pinning her against the wall, shielding them from harm. Dana repeated his words in her head, struggling to understand. The pieces of information Luke had given her swirled around her like too many snowflakes, each visible yet blinding all together.

"Why was Michelle Alexander trying to blackmail your family?"

"Revenge. Money." He looked in the direction of the water tower. "Michelle Alexander, Shelly as we knew her, lived in Sweetwater as a child. She was the little girl orphaned by the factory fire."

A cold wind slapped the side of the building, and Luke pressed closer to them. He slid off his jacket, and Dana accepted it, as much for Daniel as for herself. The baby had grown quiet, and Dana could feel his body trembling through the thin fabric of the sleeper. She slid her arms into the warm leather and snapped the baby inside.

Dana remained silent, waiting on Luke to continue. "The

fire was arson, not an accident. Camille chained the exits and set fire to the building. Shelly witnessed the whole thing.'' He shook his head. ''She was just a child.''

''Oh, my God…''

''She reemerged last year and tried to blackmail my step-mother, threatened to expose the murder if she didn't pay up.''

''But you said that Camille's first husband died in the factory fire. Why would she start a fire that would kill her own husband?''

''Apparently her first husband was having an affair with Shelly's mother.'' A muscle in Luke's jaw jumped. ''Why she chose to kill him and sixteen other innocent people is a question she'll have to answer to a much higher authority than me.''

''And because Shelly threatened to tell…''

''Camille killed her. She just doesn't realize that she succeeded.''

Understanding sank in, and Dana shivered despite the protection of Luke's jacket. Daniel began to fret as though he understood as well.

A veil of emotion clouded Luke's face as he holstered his gun. He held out his arms for his son. ''Just for a minute,'' he whispered.

This was how it would end soon, she realized. She would care for Daniel in this space and time, just as she had cared for Michael Gonzalez, then return him to his father. Dana smiled, though her heart ached. This time would be different, though. There was no doubt in her mind that Luke already loved Daniel. They would have a life together, father and son.

She handed Daniel to his father.

Luke hugged the baby against him, his arms sheltering Daniel almost as effectively as the jacket had, then kissed his cheek. Dana saw the unshed tears in Luke's eyes through the moisture in her own.

She stared at the two of them together and realized what her heart had whispered all along. They belonged together—not only because they loved each other but because the physical connection was undeniable.

Dana blinked. This was what she'd tried to realize earlier. Her heart had seen it, her mind just refused what seemed illogical. Daniel was a tiny carbon copy of his father, from the shape of his eyes to the dark peach fuzz that covered the top of his head. It was amazing that she hadn't seen it more clearly before, the biological connection.

Dana felt something within her whither and die.

The sound of a car's engine interrupted. "Vivian," she whispered as she turned toward the sound.

A firm grip on her upper arm pulled her back. "That's not the SUV," he whispered. "Stay back."

Luke immediately returned Daniel to her arms, tucking him back inside the jacket. He pressed his back against the wall and drew his gun, inching slowly until he reached the end. He glanced quickly around the corner and cursed beneath his breath.

One look at his face and Dana instantly knew something was wrong.

"It can't be." He ground the words out between clenched teeth.

Dana put her hand against his arm. "What is it, Luke?"

His eyes met hers. "It's my father."

# Chapter 18

The sight of his father's Cadillac pulling next to his police cruiser sent chills up Luke's spine. What did the old man think he was doing? He mentally used every curse word not in the dictionary when he realized he'd unwittingly set his father up to come looking for Camille.

Dammit, where were his men? He'd radioed for backup the minute he'd left his house, and called for medical units when he'd seen Vivian Metcalf's SUV nose down in the ditch. All available units had been on the other side of the district, assisting traffic as the city began to crawl out from underneath the ice and snow.

He glanced at his watch. By his estimation, though, they'd had time to respond and to block the north- and southbound lanes of the road, which meant his father had probably bullied his way through.

Luke felt an illogical surge of pride at his father's command of authority, a pride he wouldn't have felt yesterday. Yesterday he'd believed his father a far different person than he really was. Regret tugged at his gut. How would it feel to have your own son believe you capable of murder, to turn his back on you when you needed him most?

He stole a glance at Daniel and hoped he'd never have to face that scenario.

"Come on, you stubborn old man," Luke muttered as he peered around the corner of the building, his gun drawn, "stay in the damn car."

The door to the car creaked open, and Luke felt his heart leap into his throat. But when he tried to call out to his father, he couldn't form the words. He hadn't called his father "Dad" for decades. He referred to him as "my father" when speaking to others but he had avoided any personal term for so long that his tongue felt numb.

"Get back in the car!" he finally shouted. "Dad, get back inside the damn car!"

His father looked confused for a moment, following the sound of Luke's voice to the building. "Son?"

A shot rang out, hitting his father's car with a metallic ping. His father ducked down but didn't take cover. What was wrong with him? Couldn't he tell that he was under fire?

Luke stepped out from around the corner of the building, squinting, searching for any activity on the tank's spiral walkway. Cloud-cover blocked the sun, causing natural shadows and any silhouette that might have been Camille's to merge into an indistinguishable mosaic pattern. Finally he glimpsed a small movement near the base and took aim.

"Dad, it's Camille," he shouted. "She's on the water tank. She's got a gun. Take cover!"

He fired in the direction of the movement, and the sound of the bullet ricocheting off the water tank echoed through the mountains.

Everything was still, quiet in the aftermath of the shot.

Had he hit her?

Luke tried to reconcile the pampered socialite he'd known for years with someone mentally and physically capable of murder. Though Camille had kept her slim body in top physical condition, and no doubt had a mean streak, he suddenly had a hard time believing it was actually her clinging to the stairs of the water tower and shooting at his father.

He didn't have long to doubt himself before she started screaming. "Lawrence, you'd better take care of that little whore yourself or I'll do it for you."

Lawrence? Her first husband.

Luke's father stood and Luke felt his blood run cold. "Camille," he called. "Honey, is that you?"

"Yes, it's me." Camille's voice was childlike this time and, ironically, the tone was more chilling.

"Camille, it's me, Lucas. You know me." He stood and opened his arms wide. "Think about it. I'm not Lawrence. Lawrence died a long time ago, remember?"

Luke felt glued to the ground. His father had done this before, he realized. How often had he loaned Camille his sanity when hers failed?

He could hear Camille muttering to herself, hear the metallic sound of her footsteps as she paced the stairs of the water tank. "That whore is back!" she finally shouted. "That whore Janet is back!"

Janet Alexander. Shelly's mother. Lawrence's mistress.

"No, no, that's not true." He took another step in her direction. "Sweetheart, do me a favor. Please. Lay that gun down."

Luke listened as his father cajoled and soothed his stepmother. How could Luke have known his stepmother all these years and not seen the madness? Because he'd been too busy blaming his father, that's why.

The wail of patrol cars echoed in the distance, and Luke

realized his men were almost on the scene. But he felt dread instead of relief. Camille was on the verge of killing his father, and his father seemed oblivious to the danger. The arrival of several screaming cop cars could very well send her over the edge.

He turned to Dana, pulling her to him for a quick kiss and planting another on top of Daniel's head. He wanted to stay. He wanted to will away what was happening outside and start his new life with Dana and Daniel. But he couldn't. No amount of wishing was going to change what was happening out there on that county road, or the fact that his father was in danger. It was time they all faced the past.

"I've got to go," he whispered.

Dana nodded, her eyes wide. "Luke—" she grabbed his arm "—be careful."

"I will." He wanted a little more time, just a few more seconds to tell her all the plans he had for the three of them. But it would have to wait. "Stay here behind the building, no matter what." He squeezed her hand and then dropped it, backing away. "Take care of Daniel for me, okay?"

Dana nodded.

Luke took a deep breath and sprinted out from behind the building and toward the pine scrub that lined the gas station's parking lot. Though he expected a rain of bullets, no shots were fired. It was a mixed blessing. The pine scrub offered little cover, and Luke was grateful that Camille hadn't seen him. But the fact that she hadn't noticed meant that she was focused in on his father or the sirens. Or both.

The sirens… As the adrenaline in his body receded, the wail of the sirens became deafening. Luke crouched beneath the underbrush, maneuvering himself until he had a clear shot. He raised his gun, and squinted through the sight.

"Dammit," he cursed. She wasn't there. She'd changed her last position.

Then the shot rang out. Its crack split the air like a final insult, a violent summary of all the pain Camille had caused.

His father crumpled to the ground.

The sun chose that moment to break through the cloud cover and Luke spotted Camille at the top of the water tank. She was leaning against the guardrail, the scope of her rifle glistening in the sun.

She was preparing for a second shot.

Luke quickly glanced at his father, lying helplessly on the ground. Was he dead? Luke had no way of knowing. His men were on the scene now, but there wasn't time to brief them. There was no reasoning with Camille at this point. And no time. She'd murdered before. Luke had no doubt that she was about to pull the trigger again. She was about to shoot his father, his father who lay as helpless as a baby on the ground.

Luke took aim and fired.

The rifle dropped first, then Camille's body tumbled from the stairs, falling with a sickening thud to the rocks that lay below. Luke closed his eyes. When he opened them again, he saw Ben Allen and another officer running in Camille's direction. But from the broken position of her body, he knew she was already dead.

He felt no remorse. The only thing left to regret was the way Camille Williams Sutherlin had lived her life.

Luke stood, his gun held loosely in his hand. Chaos boiled around him. He could hear other officers radioing in the situation. Reality slowly crept back in.

His father…

He jogged a few paces, leaving the cover of the pine scrub, and stopped at the sight of his father. Lucas Sutherlin, Sr., was sitting upright, a bloodstain spreading slowly on the arm of his white dress shirt. Relief poured through Luke. The rifle Camille used had been powerful. If the bullet had hit his father's chest, he probably wouldn't have survived. Luke thought he recognized the rifle as one of his father's deer rifles. He felt numb with disbelief. She hadn't fired it to frighten, she'd aimed to kill.

A paramedic unit ran to his father's side and began stripping away the thin cotton of his shirtsleeve. Luke watched through a haze of emotion as they began wrapping his father's arm and checking him for other injuries. Vivian Metcalf appeared, limping through the chaos with calm authority. She knelt by his father's side and took his hand. Luke smiled. Not only was she okay, she was offering his father comfort.

Vivian had probably regained consciousness and witnessed the whole incident from the vehicle, reemerging when it was over. Luke was relieved to see an EMT take Vivian's arm and escort her to a waiting ambulance. He doubted there would be any question regarding what happened, but the tough-as-nails deputy director of the DCFS would make one hell of a witness.

"Chief?" Luke looked up to see Ben Allen jogging in his direction. The young lieutenant stopped before him, his face suddenly older than his years. "She's dead."

Luke nodded.

"Are you okay?" Ben asked.

"Yeah." He extended the handle of the gun to Ben. "Bag it, will you?"

"You got it." Lieutenant Allen accepted the weapon and headed back toward the row of squad cars.

Luke shoved his trembling hands in his pockets, glad to be relieved of the gun. He'd never taken someone's life before. He'd shot to defend, shot to wound, even. But never to kill. And never in a million years would he have thought Camille would die at his hands.

He felt tainted by her sins, by what he'd been forced to

do. Guilt clung to him like smoke, a lingering association with death and evil that he feared might never leave him.

A soft hand slid against the skin of his neck. "Luke?" Dana's voice called to him like a beacon of sanity in a damaged world.

Luke closed his eyes and turned into her waiting arms. He bowed his head against her shoulder, unashamed as tears of relief fell against Dana's tender skin. They were safe. Dana and Daniel were out of harm's way. Dana held tightly to Daniel, and Luke stroked the baby's back, the width of his hand covering the tiny expanse of his shoulders. No one would ever threaten them again. Not Camille, not Gonzalez or any other unseen enemy. Because from now on he would be here watching, protecting.

Luke's lips moved against Dana's neck, tasting the salt of his own tears. He threaded his fingers into her hair and trailed soft kisses up her neck until their mouths met. He kissed her long and hard, loving and memorizing the taste of her, asking for and receiving a healing. She was like magic, vanquishing the air of evil and replacing it with everything that was good and right in the world.

"Chief?"

Luke pulled his mouth from Dana's and turned to find Lieutenant Allen behind him.

"I'm sorry to interrupt. Really, I am. But your father is asking for you."

Luke frowned. "He is okay, isn't he."

"He's going to be."

"Thanks, Ben." He put his hand on the lieutenant's shoulder. "Get an EMT over here. Have them check every hair on Miss Langston's and the baby's heads. Got that?"

"Sure thing, Chief."

He watched as Ben flagged down an EMT unit and directed them toward Dana. There was so much he needed to say to her, but he wanted it said in private.

Luke turned toward his father and felt a surge of fear, the kind of apprehension a child gets when they're uncertain what their parent is about to do or say.

*Parent.*

He smiled, despite the gravity of the situation. He hadn't thought of his father as a parent in a long, long time. But that was about to change. He'd gotten a second chance with someone he'd once loved but now, tragically, barely knew.

Luke walked to his father and knelt beside him.

"Son, is that you?" His father struggled to see him around the cluster of paramedics.

"Yes, Dad." The word felt good on his lips.

The EMT who had just finished bandaging his father's arm stepped gracefully aside, nudging the others to follow. "You don't have long, sir. We'll need to transport him right away."

"I understand," Luke answered. He turned toward his father's ashen face, suddenly recalling his words to Camille.

*Sweetheart, it's me.*

Luke went cold with dread. He'd always thought their marriage was loveless, a convenient merging of business assets. Now he wondered. Had his father truly loved Camille? If so, could he forgive him for taking her life?

His father grasped Luke's arm, tugging him nearer. Tears were in the old man's eyes. "Are you okay?" His voice was frantic with worry. "Did she hurt you?"

"No," Luke whispered. "No. But I—" he choked on the confession "—Camille is dead."

"I know." Grief lined his father's eyes, even as he smiled and patted Luke's arm. "She was a good woman once, really." He shook his head. "She just let Lawrence's betrayal poison her soul."

Luke could only nod.

"I loved her once. I suppose I was lonely after your mother died." His father coughed, waving away the paramedics when they started toward him. "I hated the way Lawrence treated Camille. I thought I could make it up to her, that one day she'd love me as much as she had him."

Luke swallowed hard. "Did you know? Did you know she started the factory fire?"

"No. At least I didn't put it all together until today." He shook his head. "She'd been having these spells for a few years now, talking out of her head, accusing me of adultery and calling me Lawrence. Then the spells got worse and she started talking about blackmail, about Shelly and Janet Alexander."

"Was Shelly—" Luke hesitated "—was Shelly your mistress?"

His father almost laughed. "Son, the last time I saw Shelly-Anne, she was six years old."

Another of Camille's lies. Another lie he'd bought at his father's expense.

His father's eyes grew distant. "Camille started getting phone calls at all hours of the night and would refuse to say who'd called. I knew something was wrong…"

"Why didn't you tell me?" The words slipped out before Luke could control the accusation in his voice.

"Would you have believed me?" His father looked up, his eyes imploring. "It just didn't seem…it just didn't seem possible, son. I thought she was hallucinating, remembering, maybe. I guess I just didn't want to see what was right in front of me."

Luke wiped the tear from his father's face, marveling at how long it had been since he'd touched him. "It's okay, Dad."

His father shook his head, his eyes haunted by memories

of the past. "Betrayal runs deep in a woman's soul, maybe deeper than love."

The paramedic stepped forward, concern etched on his face. "I'm sorry, Chief, but we need to get your father to the hospital."

Luke nodded and gripped his father's hand. "I'll see you in a little while."

He stepped out of the way as they readied his father on the gurney. When the doors of the ambulance slammed shut, his father's words echoed in his brain.

*Betrayal runs deep in a woman's soul, maybe deeper than love.*

Fear shot through Luke.

He'd betrayed Dana. What he'd suspected was an innocent act had been bravery instead. She'd forced her way through knee-deep snow, carrying Daniel beneath her jacket and toting a gun she loathed, just to return Luke to safety after he'd hit his head. She'd thought Gonzalez was stalking her yet she'd taken the risk anyway.

Luke had thanked her by accusing her of murder.

And then there was Daniel.... She'd been willing to die for a child she didn't even know. Luke recalled the accident scene with horror. He had no doubt that, had Shelly still been alive, Dana wouldn't have given up until *she'd* been out of the car, as well. The car could have easily pitched the rest of the way over the cliff, taking Dana and his son with it.

He'd thanked her by offering her the ultimate gift, Daniel, and then snatched him away by calling DCFS.

An angry wind slapped at Luke, reminding him that the storm still lingered.

He watched his father's ambulance disappear from sight, the prophetic words still ringing in his ears. Everything he'd taken for granted, his future with Dana and Daniel, flashed before his eyes.

Luke looked over his shoulder to where the paramedics were tending to Dana and Daniel. Vivian Metcalf now stood by her side, and he was relieved to see that the older woman was okay. They had draped a heavy blanket over Dana's shoulders and had taken Daniel from her arms to examine him. Her face was drawn with fatigue when she looked up and met Luke's gaze.

He saw an emptiness in her eyes that chilled him to the bone.

# Chapter 19

Vivian stood beside the ambulance, leaning against the back entrance with one foot raised. "They want to X-ray my ankle." She frowned at an EMT as he walked by. "I told them it was okay, but they insist."

"Hey, I'm the one with the cape, Superwoman." Dana tugged the blanket a little tighter around her shoulders. Her eyes burned in an effort not to cry, and the joke sounded pathetic, even to her own ears.

"Are you okay, Dana?"

"I am. I will be." She touched Vivian's hand. "I'm sorry for everything. Would you like me to go to the hospital with you?"

Vivian's eyes darted to the road where Luke stood. "No, no need. Honestly, I'm fine. It should only take a couple of hours to get the X-ray results."

"If you're sure…"

"I'm sure. I'll have one of Chief Sutherlin's men take me back to his place. I still have lots of questions and even more phone calls to make before I can even begin to think about leaving the baby in his custody.''

Dana winced, despite her resolve to be tough. She'd filled Vivian in on the details, explained that Daniel would be remaining with Luke. No case was open-and-shut when it came to child custody, including this one, but with Luke' testimony and the tape recording, there was little doubt about Daniel's parentage.

One thing was certain. Daniel wouldn't be going home to Atlanta with Dana.

The realization shot through her like a knife. She tried to rationalize the pain away, console herself with the fact that she'd been important in Daniel's life, if only for a short time. But the truth was, she was weary of living life in snatches of wonderful, in flashes of magic. She wanted wonderful to come and stay, to wake up to magic every day.

She wanted to wake up to Luke and Daniel.

''I'm sorry, sweetie. Sometimes I just say what I'm thinking and—''

''I'm okay.'' Dana waved away the apology and tried to look nonchalant. ''I should have access to my car soon. We can ride back to Atlanta together if you'd like.''

''Are you sure you're not staying?'' Vivian's brown eyes were filled with kindness and stubborn hope.

Dana shook her head. ''I'll probably be at the Sweetwater Police Station when you're finished at—'' She bit her bottom lip and forced down tears. ''Check at the station when you're finished with the paperwork. If I'm not there, they'll know where to find me.''

''Okay. Good luck, then,'' she whispered as an EMT arrived and escorted her toward the waiting ambulance.

As Dana looked up, she saw Luke heading toward her. If she thought her legs would support her, she would have bolted from the spot. But, as always, her adrenaline was fickle friend. It had sustained her through the emergency but evaporated in the aftermath. She doubted that she could walk right now, much less run.

Besides, the paramedics hadn't finished examining the baby...

She realized immediately the futility of the thought. Her role in his life had been temporary at best, fantasy if she admitted the truth. When the examination was complete, it would not be her that the paramedics returned him to.

"Sir?" One of the paramedics called to Luke, interrupting his stride. "May I have a word with you?"

Dana felt a tremor of alarm as Luke nodded and quickly walked toward the waiting ambulance. Her eyes followed their every move as she waited for some sign that Daniel was okay.

"We're almost ready to release the baby," the EMT finally said. "Are you his father?"

She held her breath as she watched the play of emotion on Luke's face. He nodded. "Yes, I am."

A sob caught in her throat, and Dana felt the depths of despair open beneath her feet, offering its embrace and its snare. God help her, she wanted to jump.

"If you would hold him for a minute while I complete some paperwork..."

Dana wanted to look away but couldn't. She watched as the EMT placed Daniel in Luke's arms, saw the expression of recognition and delight in Daniel's eyes. He touched Luke's face, his cherub's cheeks puckering in a smile as he examined the stubble of his father's beard.

Her chest tightened as her heart swelled with love and then shattered into a million pieces.

The paramedic eventually set his clipboard aside and took the baby from Luke. "As soon as we get his body temperature regulated, you can take him home."

Luke leaned over and kissed Daniel's forehead. "Did you hear that? We can go home soon."

The comment cut the heart out of her, and the pit of despair yawned beneath her feet, beckoning for her to let go and fall. She closed her eyes, grasping for balance even as she heard the sound of Luke's footsteps growing nearer.

"Dana?"

She opened her eyes. Luke's shoulders cast a wide shadow over her but his voice was soft and deep, her name whispered as if she were fragile. She looked up, steeling herself for what would come next. For goodbye.

Luke's eyes were narrowed, intensifying the blue of their color, and his jaw was darkened with the beginnings of a beard. Had she not known the tender man that lay beneath the rough exterior, she would have found another reason to run.

"Are you okay?" he asked.

Dana's heart warmed at his words but she held her breath until the longing stopped. Why, she wondered, would her heart long for more cruel fantasy when real life was tough enough?

"Yes—no. I need you to do me a favor, Luke." She swallowed back tears and looked away. "Take Daniel and go. Don't make small talk, don't say goodbye. Just go." Before I snatch him from you and run, before I begin to imagine what could have been. "It will be easier that way."

"Go?" Surprise laced his voice. "Is that what you want?"

Didn't he see? She was waist deep in broken dreams, mired in what she wanted and what she'd been denied. "Since when does what I want have anything to do with what actually happens in my life?" The words slipped out angry and fueled by a lifetime of denial.

Luke's hand closed over her shoulder, forcing her to look

up. "I thought we would be together." Something kin to anger flashed in his eyes. "I thought you wanted that, too."

The emotion etched on Luke's face tempted her to stand, to slip into his arms and accept whatever he offered her. But she was through pasting together pieces of happiness. It wouldn't work. It never did. Tears trailed a hot path down her cheek and dropped against the blanket.

When she spoke, her voice was surprisingly steady. "Something terrible happened and something wonderful came out of it. But neither thing has anything to do with me. Not really. I don't belong here."

"No, you're wrong. I would be lost without you." Luke dropped to his knees before her and wiped the tears from her cheeks. "*We* would be lost without you."

She smiled, a weak attempt to ease the ache in her chest. "You can hire a nanny."

He tilted her chin until she met his eyes. "Yes, but I can't hire a mother."

She shook her head. "Don't be cruel, Luke."

"Don't leave me, then."

Dana pulled away and stood, barely resisting the urge to run. "I can't do it anymore, Luke. I can't just accept what I'm given only to have it snatched away again."

Warm, strong arms wrapped around her shoulders, pinning her back against the front of Luke's body when she would have run. "Nothing will be taken away from you this time. Give me the chance to prove that to you. Give me the rest our lives."

She shook her head, swallowing back a sob. There was nothing she wanted more than to say yes. But if she did and if this dream failed her, it would be the end. She'd shredded every emotional safety net on her last fall. There was nothing left to catch her if she fell again.

"You don't understand. I can't…"

"Fall, Dana," Nick whispered against her neck. "I'l
catch you."

Dana's breath caught in her throat. How could he…
How could he possibly know what she was thinking? She
closed her eyes and felt the connection, felt it vibrating
through the contact of their bodies. He was practically a
stranger and yet he knew her thoughts, her fears, her long
ings…

"We were meant to be together. All three of us," he
whispered.

"It can't be that simple."

"You've always accepted what fate denied you. Now you
need to accept what fate is giving you."

"Sir?" the EMT's voice interrupted. "The baby's body
temperature is steady. You can take him home now."

Luke cleared his throat. "Dana?"

She turned and met Luke's eyes. What she saw there wa
desperate hope, and knew that it was mirrored in her own
eyes. Slowly, as if in a dream, she held her hands out fo
Daniel. The paramedic laid him in her arms, and she stared
down at his sweet face, a miniature version of Luke's, and
realized it was right. In that instant she embraced the en
tirety of all that had happened—the tragedy that had brough
her to the mountain, the magic between her and Luke, the
gift that was Daniel.

Luke leaned forward, kissing her lightly. "Are you ready
to go home now?"

Dana shrugged the blanket from her shoulders, and in he
mind's eye saw it fall into the pit, forever extinguishing the
despair.

She cupped Luke's face with one hand and Daniel's with
the other.

"I'm already home," she whispered.

* * * * *

# ◆ SILHOUETTE®
## *Sensation*™

### ONE TRUE THING
#### Marilyn Pappano

Ex-police officer Jace Barnett's instincts told him that Cassidy Rae was hiding something. Jace felt compelled to protect his attractive new neighbour, liar or not, from the man she claimed had murdered her husband. But with no way of knowing the truth, was he conspiring in a crime…of the heart?

'Marilyn Pappano's *One True Thing* provides intriguing suspense, with superbly developed characters…' —*Romantic Times*

## ALSO AVAILABLE NEXT MONTH

### DOWN TO THE WIRE  Lyn Stone
*Special Ops*

### HER PASSIONATE PROTECTOR  Laurey Bright

### MANHUNT  Carla Cassidy
*Cherokee Corners*

### EXTREME MEASURES  Brenda Harlen

### CAN YOU FORGET?  Melissa James

## On sale 21st January 2005

*Visit our website at www.silhouette.co.uk*

*Available at most branches of WHSmith, Tesco, ASDA, Martins, Borders, Eason, Sainsbury's and most good paperback bookshops.*

**SILHOUETTE®**

*Sensation*™

*is proud to present*
*a thrilling new series from talented author*

## MAGGIE PRICE

**WHERE PERIL AND PASSION COLLIDE.**

When the McCall sisters go undercover, they're
prepared to risk everything—except their hearts!

## SURE BET

*January 2005*

## HIDDEN AGENDA

*March 2005*

**Plus more exciting titles to come in 2005!**

0105/SH/LC102

# SILHOUETTE®
## *Sensation*™

*is proud to present
an exciting new series from popular author*

# LYN STONE

## DANGEROUS. DEADLY. DESIRABLE.

Six top agents with unparalleled skills are
united to create an unbeatable team.

Their mission: eliminate terrorist threats
to the US – at home and abroad.

## DOWN TO THE WIRE
*February 2005*

## AGAINST THE WALL
*April 2005*

## UNDER THE GUN
*June 2005*

**Visit our website at www.silhouette.co.uk**

### proudly presents
### a new series from popular author

## Joanna Wayne

## Full Moon Madness

Deadly danger reveals secret desires in
the hours between dusk and dawn...

## As Darkness Fell
### February 2005

## Just Before Dawn
### April 2005

# 4 FREE
## BOOKS AND A SURPRISE GIFT!

We would like to take this opportunity to thank you for reading this Silhouette® book by offering you the chance to take FOUR more specially selected titles from the Sensation™ series absolutely FREE! We're also making this offer to introduce you to the benefits of the Reader Service™—

- ★ FREE home delivery
- ★ FREE gifts and competitions
- ★ FREE monthly Newsletter
- ★ Exclusive Reader Service offers
- ★ Books available before they're in the shops

Accepting these FREE books and gift places you under no obligation to buy, you may cancel at any time, even after receiving your free shipment. Simply complete your details below and return the entire page to the address below. You don't even need a stamp!

**YES!** Please send me 4 free Sensation books and a surprise gift. I understand that unless you hear from me, I will receive 6 superb new titles every month for just £2.99 each, postage and packing free. I am under no obligation to purchase any books and may cancel my subscription at any time. The free books and gift will be mine to keep in any case.

S5ZED

Ms/Mrs/Miss/Mr ..................................... Initials .........................

BLOCK CAPITALS PLEASE

Surname ............................................................................................

Address .............................................................................................

..........................................................................................................

.............................................................. Postcode ...........................

**Send this whole page to:**
**UK: FREEPOST CN81, Croydon, CR9 3WZ**